宮廷政治

江戸城における細川家の生き残り戦略

山本博文

角川新書

はしがき

——宮廷社会内部の現実の序列は、絶えず不安定に揺れ動いていた。（中略）あるときにはほとんど気づかないような小さな動揺が、またあるときにはよく人目につくような大きな動揺があって、それが絶えずこの社会内部における人間の位置や距離を変えていた。この動揺に終始目を光らせ、絶えずその動揺についての事情に通じていることが、宮廷人にとっての絶対の重要事であった。

（ノルベルト・エリアス『宮廷社会』波田節夫・中埜芳之・吉田正勝訳による）

江戸《えど》城大広間は、外様《とざま》・家門の大名のうち、朝廷から戴《いただ》く位階が四位の大名が詰める席で、御三家、加賀《かが》の前田《まえだ》家などが詰める大廊下に次ぐ格式を誇る。伊達《だて》・島津《しまづ》の東西両雄を筆頭に、東国大名では佐竹《さたけ》・上杉《うえすぎ》、西国大名では毛利《もうり》・細川《ほそかわ》・浅野《あさの》・黒田《くろだ》・鍋島《なべしま》・両池田《いけだ》・山内《やまうち》・蜂須賀《はちすか》、ほかに藤堂《とうどう》など外様国持大名の錚々《そうそう》たるメンバーが詰めていた。

かれら国持大名は、全国のほぼ三分の一を領有する幕藩体制下のもっとも重要な存在であり、かれらの動静が幕府のありかたをも拘束していた。だからこそ幕府もかれらの行動を注視していたし、とくに江戸時代初期においては、大名たちにとって少しのミスが命取りとなりかねないという緊張感が持続していた。

たとえば、肥後《ひご》熊本藩隠居細川忠興《ただおき》（三斎《さんさい》）は、寛永《かんえい》十四年（一六三七）五月二十日、息子の藩主忠利《ただとし》に、次のように教諭している。

「いつぞやも申し候ごとく、万事　上様御前と心得て我等は居り申し候条、御糾明《ごきゅうめい》これあらば申し開くべくと存ず覚悟に候」

――いつぞやも申したように、私はいつも上様の御前にいるつもりで行動しているので、もしなにか糾問されることがあっても申し開きができる。

江戸にいようが、国元にいようが、幕府の諸役人の動きや口さがない者たちの陰口などを考慮して行動しないと、いつ陥れられるかわからないのである。

また、当時の政治において、大名に対して絶大な権力をもったのが幕府年寄（のちの老中）であるが、かれらの地位は、ひとえに将軍の信任にかかっていた。どの年寄がいちばん将軍に信頼されているか、これから権力の座につくのはだれか、だれに従うとあぶないのか、このような情報は絶えず収集しておく必要があった。

そのような政治社会で生き残っていくためにとりわけ重要なのは、幕府の要人をはじめとする広い人脈を作りあげておくことであった。そのことによって、幕府政治やライバルの動き、自己に関わる情報をいち早く察知し、適切な行動をとりえた。社会が安定した江戸時代中後期には、有能な家臣のいうとおりに行動すれば家を存続させることができたが、体制が作りあげられる元和《げんな》・寛永期においては、大名自身が先頭にたって、自らの家が体制のなかに不可欠なものであることをアピールしなければならなかったのである。

本書では、細川忠興・忠利父子の往復書状を中心に、このような外様大名の生き残り戦略について述べていこうと思う。忠利宛忠興書状千八百二十通、忠興宛忠利披露状千八十四通、忠利の子光尚《みつなお》宛の両者の書状や幕府年寄（後の老中）・旗本・他大名・家臣などへの書状をいれれば、ゆうに一万通を超える書状群は、当時の政治社会を雄弁に物語る貴重な歴史の証言である。

歴史家が歴史を叙述するとき、もっとも信頼を置くのは、同時代に書かれた史料である。ここで対象とする江戸時代初期においては、『江戸幕府日記』のような公的な日誌、個人の役務日誌、老中奉書などの公文書、そして書状である。

このうち、公的な日誌は、会議の開催や申し渡しが淡々と記されていて、ある歴史的事実を確定するときは威力を発揮するが、それがどのような内容の会議だったか、あるいは何についての申し渡しで、どのような意図をもって行われたのか、というような点については寡黙である。

老中奉書は、幕府から大名への公的指示であるから、当時の幕府の政策を知るうえでもっとも重要な史料であるが、そのような指示が出された背後の事情は語ってくれない。

これらの史料を補完し歴史に肉付けしてくれるのは、前著『江戸お留守居役の日記』で紹介した萩《はぎ》藩留守居の役務日誌である『公儀所日乗』や、大名自身や藩士、旗本らの書状である。書状は、年代が書かれていないものが多いという難点はあるが、それを丹念に推定していけば、もっとも有効な一次史料である。

しかも細川家史料の場合は、断片的な書状ではなく、忠興・忠利父子の往復書状がほぼ完《かん》璧《ぺき》に残されている。これは、中央の政界で活躍する、ともに成人した藩主と前藩主がおり、しかも参勤交代という制度によって、交互に江戸と国元を往復していたため、互いに情報を交換する必要があったからである。現在ならもっぱら電話が使われるであろうが、当時は電話に相当するものとして書状が情報交換の主たる手段であった。このような特殊な条件が重なったことにより、普通の史料には出てこない歴史の証言が残された。

現代史では、もっとも重要な史料は電話の音声とともに消えてしまうが、遠く離れた江戸時代初期の大名の肉声には、書状という史料によって触れることができるのである。

両者の往復書状では、実にさまざまな事柄が言及され、その背後の事情までが推測されている。これを主たる材料にすることによって、当時の政治史の裏面を白日のもとにさらし、歴史を動かしたり、歴史に翻弄《ほんろう》されたりした個々人の生きた姿を浮かび上がらせることができる。この個々人の動きこそが、当時の社会構造をもっとも雄弁に語ってくれる。

書状の語る豊かな内容に触れ、当時の雰囲気を再現するために、史料は一部書き下し文にして引用したが、おおむね現代語訳している。しかし、本文中の会話にいたるまで、すべて史料的根拠をもっており、原文の検討が必要な部分は、現代語訳中に書き下し文を引用した。史料自らが語りかける実在の人物の動きや会話が、本書には再現されている。しばらくの間、江戸時代初期の大名たちの気分を味わっていただきたい。

目次

第四章　肥後熊本に転封　185

プロローグ　細川忠利の人質時代

関ケ原前夜

豊臣秀吉《とよとみひでよし》が没して二年が過ぎ、中央の政治地図は大きく変動していく。

慶長《けいちょう》五年（一六〇〇）七月、丹後《たんご》宮津《みやづ》（京都府宮津市）十二万石の城主であった細川忠興（当時は羽柴《はしば》姓、三十七歳）は、会津《あいづ》百二十万石の上杉景勝《かげかつ》を討とうとする徳川家康《とくがわいえやす》に従い、下総古河《しもうさこが》付近まできていた。

前年閏《うるう》三月には、家康に並ぶ実力をもっていた加賀の前田利家《としいえ》が病のため没した。ついでまもなく、忠興や加藤清正《かとうきよまさ》・福島正則《ふくしままさのり》らが、豊臣家の年寄（一般に五奉行と呼ばれる）石田《いしだ》三成《みつなり》を襲撃した。このとき、家康が自邸に逃げ込んできた三成をかばい、佐和山《さわやま》（滋賀県彦《ひこ》根《ね》市）に引退させたのは、三成を救ったというより、三成が反対派を糾合して自分に向かってくる時を与えて、一気にたたこうとしたのである。

上杉景勝攻めは、まさにそのための布石であった。家康が京都を留守にしている間に三成が挙兵すれば、反対派ごと屠《ほふ》ることができる。もちろんこれは、一つの賭《か》けである。家康は、つねに西に目を向けたまま、会津に向かってすすんでいた。

細川忠興の選択

忠興は、この年正月に、三男の光《みつ》（のちの忠利）を江戸へ人質として提出していた。光は当時十五歳である。謀反を疑われた前田利長《としなが》と縁戚《えんせき》関係にあったからだが、諸大名に先がけての人質提出だったため、豊後《ぶんご》速見《はやみ》郡杵築《きつき》（大分県杵築市）に六万石を加増された。徳川家への忠誠こそが、細川家の生きる道となった。

七月九日、忠興は、この光にあて、次のように指示した（七月九日忠興書状）。秀忠《ひでただ》が、会津に向けて十九日に江戸を出馬するとの報告に対する返事である（次ページ写真参照）。

「秀忠様のお供をし、出陣せよ。もしお供が許されなければ、夜をこめ二里も三里もついていって、秀忠様が休息するごとに陣を見舞うようにでもせよ。これは見舞っているのだから、咎《とが》められることはない。そのうち、その熱心さに負けて出陣が許されるだろう。こちらに合流すれば、私の陣に呼んでやろう」

この戦いは、細川一族の大きな賭けでもある。十五歳の光も、徳川家に対する忠誠をあらわす手駒の一つであった。

細川ガラシャの死

そのころ、大坂《おおさか》では石田三成が挙兵し、大坂城に近い玉造《たまつくり》の細川邸には、三成方の軍勢が押し寄せ、忠興夫人の人質提出を迫った。

そのとき細川邸の留守居小笠原少斎《おがさわらしょうさい》はすぐ奥に入って、かねてからの決意どおり、忠興の室玉《たま》（洗礼名ガラシャ、三十八歳）に最期のときを告げ、長刀《なぎなた》で突き殺した。侍女のしもが、この様子を忠興に知らせることを命じられ、いやいや屋敷を出たころには、少斎らは自害し、屋敷には火がかけられていた。七月十七日夜のことである（『霜女覚書』）。

この予想外の拒絶は、西軍にとって大きな衝撃であり、以後の展開に深いダメージを与えるものとなった。

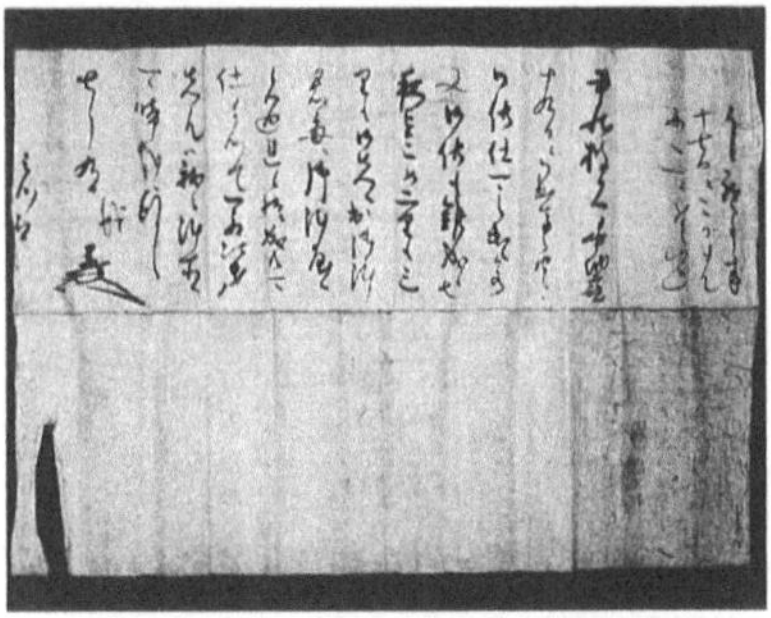

尚〻、我〻事来
十七日ニこがまて
必〻可付候、以上
書状披見候、中納言殿（徳川秀忠）
十九日ニ御出馬之由候、
御供仕可被出候、若
又御供も難成候者、
夜をこめ、二里も三
里も御先へ出、御陣
着毎ニ御陣屋へ
見廻れ候様ニ成共可
仕候、かつて可為次第候、
先にてハ我〻陣所へ
可呼越候、謹言
七月九日　越忠（花押）
ミツ
まゐる

細川忠興書状（折紙）細川家文書・上甲印四番ノ廿〔永青文庫蔵〕

関ケ原の決戦

三成の挙兵を知るとすぐ、家康は、かねてからの準備どおり、西に軍勢をとって返す。

忠興は、徳川四天王と称される井伊《いい》直政《なおまさ》・本多《ほんだ》忠勝《ただかつ》（平八郎《へいはちろう》）とともに先鋒《せんぽう》を命じられ、東海道を下った。

あとに残って従軍を願う光にあてて、「その方は、秀忠様への奉公が肝要である」と言い、「よろづ〳〵たしなみ肝要に候、悪き名取り候てからは、返らぬものにて候」と書き送っている（八月朔日忠興書状）。

家康は光の行動をほめ、出陣こそ許さなかったが、内記という官名と秀忠の忠の一字を与えた。また格別の好意で本姓の細川を名乗ることを許した（それまでは長岡《ながおか》姓、父忠興が秀吉から与えられた羽柴姓から細川姓となるのは大坂の陣後である）。以後、光は細川内記忠利と称することになる。

東軍の先鋒は清洲《きよす》に至り、そこで織田《おだ》秀信《ひでのぶ》の籠《こも》る岐阜城を攻めることになった。忠興は、福島正則とともに先鋒を務め、多くの首級をあげたが、戦死するものも多かった。

九月十五日には、美濃《みの》関ケ《せきが》原《はら》で東西両軍が衝突、忠興は、黒田長政《ながまさ》とともに右翼から石田三成勢に攻めかかり、自ら鑓《やり》をとって力戦した。しゃれ者の忠興は、山鳥の尾の甲《かぶと》に銀の中《なか》剣《ぐり》の指物《さしもの》で、遠くから見ると舞鶴のようであったという（『武辺咄《ぶへんばなし》聞書』）。忠興に従っていた弟興元《おきもと》、長男忠隆《ただたか》、次男興秋《おきあき》らも、岐阜城攻めにおとらず、よく戦った。戦況は、最初は一進一退であったが、西軍に小早川秀秋《こばやかわひであき》の裏切りなどがあり、家康の大勝利となった。

忠興は、「今度関ケ原表にて一戦に及ばれ、ことごとく切り崩し、数千人切り捨てさせられ候、我々手へも、首弐百余討ち取り候」と忠利に戦功を伝えている（九月二十二日忠興書状）。

各地の戦局

忠興の父幽斎《ゆうさい》（長岡藤孝《ふじたか》）の籠る田辺城《たなべ》は、西軍に包囲され落城に瀕《ひん》しながら、二ヵ月も持ちこたえた。かれは伝統学芸を幅広くそなえ、大名歌人として知られた古今伝授の相伝者である。そのため秘伝の消滅を憂えた後陽成《ごようぜい》天皇の勅命により、九月十二日に開城していた。しかし、関ケ原における勝敗の帰趨《きすう》を分けるほどの西軍の大軍を、長期にわたって引き止めた幽斎の功績は抜群であった。

また、この年加増されたばかりの豊後杵築城には、城代として家老の松井康之《まついやすゆき》らが籠っていたが、旧臣を糾合して立った大友吉統《おおともよしむね》の攻撃を受けた。吉統は、もと豊後を領していたが、朝鮮での不手際をとがめられ秀吉から所領を没収されていた。今回石田三成の勧誘を機に、旧領回復のため豊後に攻め込んだのである。

松井らは、豊前中津《ぶぜんなかつ》の黒田如水《じょすい》（孝高《よしたか》）の援兵を得てようやく防ぎ、如水の先手に加わり吉統を生け捕りにしている。

忠利の転機

関ケ原の戦いでの細川一族の功績は高く評価され、戦後、忠興は豊前一国と豊後国東郡《くにさき》（五万石）・速見郡の旧領六万石を与えられ、丹後宮津十八万石から、一躍三十九万九千石の大大名となった。九州ののど元を押さえる要地への転封である。

そして、この戦いは、細川家の内情を一変させ、忠利の人生にとっても転機となった。三男であった忠利が、嫡子になることになったのである。

長男忠隆（羽柴姓）の室千世《ちよ》（前田利家の女《むすめ》）は、関ケ原前夜に玉造の細川邸にいたが、姑《しゅうとめ》（玉・ガラシャ）と運命をともにせず屋敷から逃れた。この行動は忠興の怒りを買い、離縁されて前田家に返され、忠隆は、岐阜城攻めおよび関ケ原合戦で戦功をあげていたが、千世を弁護したため廃嫡された。忠隆は、こののち一生京都に寓居《ぐうきょ》することになる。

次男興秋（長岡姓）も父とともに岐阜と関ケ原に従軍し、軍功があったが、秀忠の目には人質であった忠利の行動が身近に見えて感銘を受けており、忠利を嫡子とするよう忠興に勧めたらしい。忠興はそれを受け入れ、慶長九年（一六〇四）八月、忠利を嫡子と定めた。

それでも、興秋が忠孝にはげめばどうなったかわからない。しかし興秋は、その屈辱にたえられず、忠利に代わって江戸に人質に行く途上、出奔した。のち大坂の陣のとき、大坂城に入城し、捕らえられた。父の日頃の忠節により赦免されたが、忠興は許さず、自害を命じた。

忠利の縁談

慶長十四年（一六〇九）、忠利は二十四歳で結婚する。相手は、小笠原秀政《ひでまさ》の娘で千代姫《ちよ》といい、十四歳であった。当時はおせんさまと呼ばれていた。

小笠原家は信濃《しなの》の名族。秀政は秀吉の命で、家康の長男信康《のぶやす》の長女を娶《めと》っている。したがって千代姫は、家康の曾孫にあたる。忠利の結婚は将軍秀忠によって実現したもので、千代姫を養女として忠利に嫁がせている。

養女というのは名目だけではない。徳川家とまったく血縁のない者が養女になることは少なく、実際にも秀忠の娘に準じた扱いがなされる。娘をやるというのは、人質を与えるようなものであるから、秀忠の忠利に対する厚意の表現でもあった。

国持大名は将軍の養女を娶っている者が多い。このことによって国持大名の歓心を得ることができるとか、大名家の内情を探るとかの政治的効果もあった。しかし忠利の結婚には、そのような側面ばかりを強調する必要はないだろう。

忠利の婚儀

慶長十四年三月二十三日、千代姫は、江戸を出て伏見《ふしみ》に着いた。将軍の養女であるから、秀忠の側近土井《どい》利勝《としかつ》・鵜殿氏長《うどのうじなが》・伊丹康勝《いたみやすかつ》らがお供に従った。小笠原家からもお付きの家臣が従っている。

細川家からの迎えは、家老松井康之が伏見に派遣され、手から手へと御輿《みこし》を受けとった。受け渡しの任を終えた利勝は江戸に帰り、伊丹らは御輿に従って忠利の居城中津まで下った。当時はまだ、婚礼は、人質の受け渡しの形そのものであった。結婚した千代姫は、江戸から遠く離れた中津で暮らすことになる。戦国の余燼《よじん》さめやらぬ当時の緊張感がうかがえる。

婚礼は、四月二十四日。丹波《たんば》山家《やまが》から谷衛友《たにもりとも》、豊後佐伯《さいき》の毛利高政《たかまさ》、豊後日出《ひじ》の木下延俊《きのしたのぶとし》ら、細川家と仲のよい者たちがお祝いに駆けつけ、にぎやかな宴《うたげ》であったという。このようなところには、いまだ自由な大名同士のつながりを見ることができる。

千代姫には、秀忠から化粧料として豊後玖珠《くす》郡の小田《おだ》村に千石が与えられ、忠興もこの嫁のために五千石の地を与えた。

その後、細川家から江戸（秀忠）と駿府《すんぷ》（家康）に使者を遣わし、祝儀の品を数々贈り、

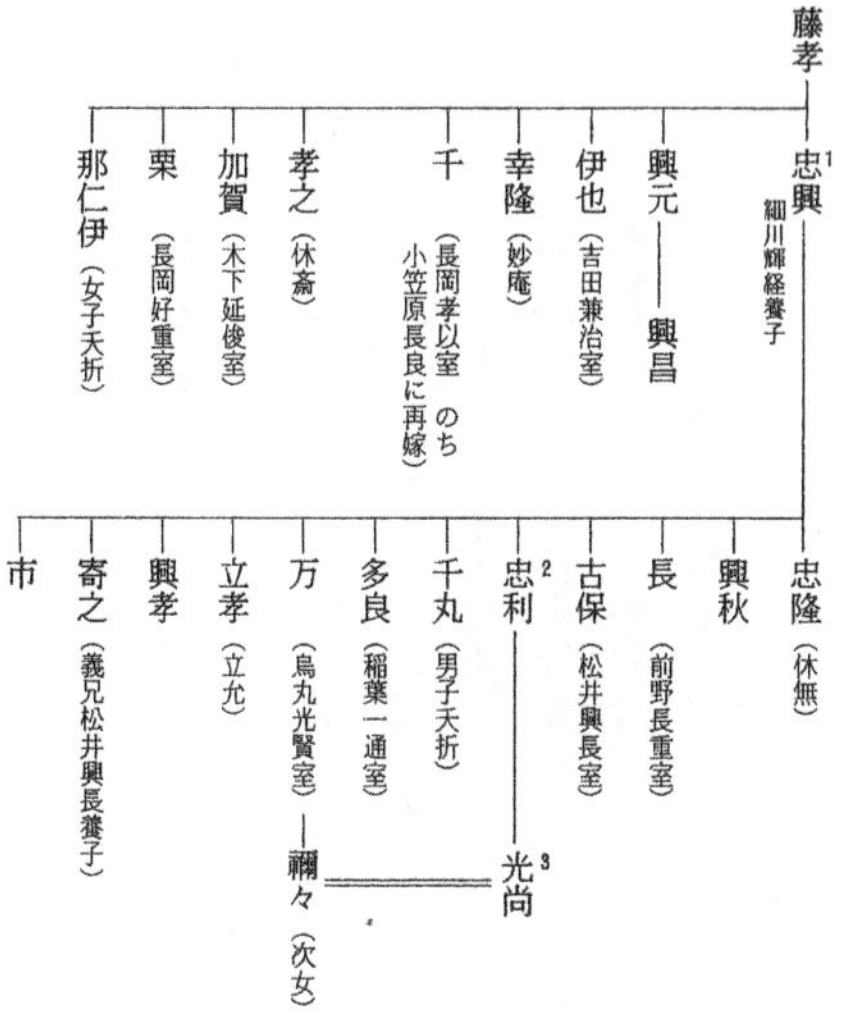
藤孝
忠興[1]
細川輝経養子
興元
興昌
伊也（吉田兼治室）
幸隆（妙庵）
千（長岡孝以室　のち小笠原長良に再嫁）
孝之（休斎）
加賀（木下延俊室）
栗（長岡好重室）
那仁伊（女子夭折）
忠隆（休無）
興秋
長（前野長重室）
古保（松井興長室）
忠利[2]
光尚[3]
千丸（男子夭折）
多良（稲葉一通室）
万（烏丸光賢室）
禰々（次女）
立孝（立允）
興孝
寄之（義兄松井興長養子）
市

細川家略系図　I
（数字は世代数）

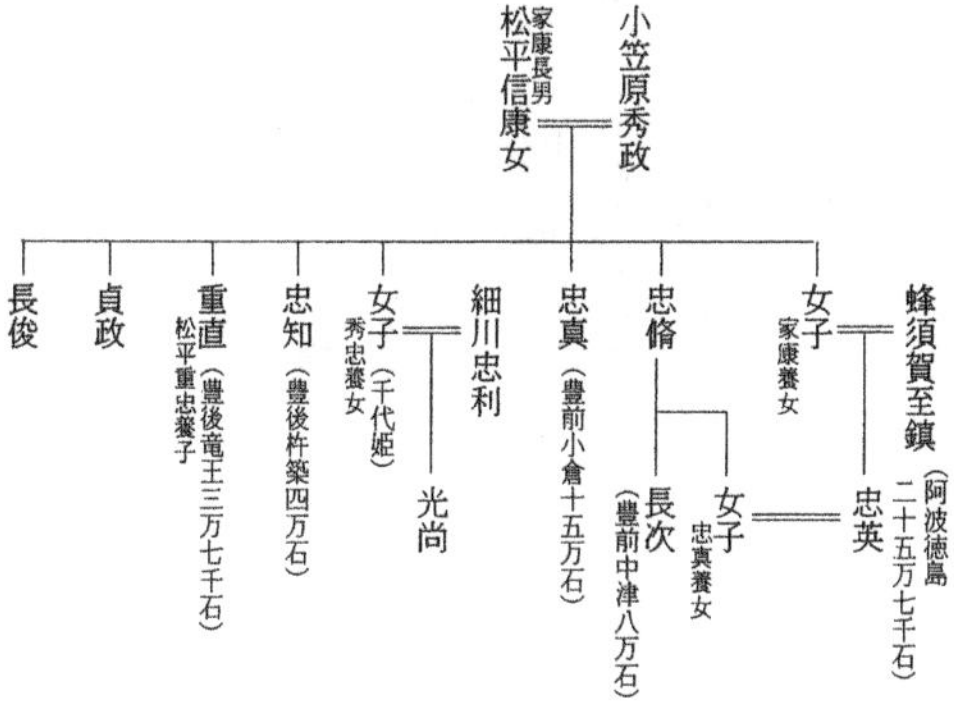
小笠原秀政
松平信康女
家康長男
蜂須賀至鎮（阿波徳島二十五万七千石）
女子
家康養女
忠英
忠脩
長次（豊前中津八万石）
女子
忠真養女
忠真（豊前小倉十五万石）
細川忠利
女子（千代姫）
秀忠養女
光尚
忠知（豊後杵築四万石）
重直（豊後竜王三万七千石）
松平重忠養子
貞政
長俊

小笠原家略系図

御礼を言上した。千代姫からは、岩間六兵衛《いわまろくべえ》という者が使者に立ち、伊丹康勝とともに出府した。岩間は小笠原家からつけられた家臣で、武田信玄《たけだしんげん》の嫡孫にあたり、武田家滅亡のとき母に連れられて逃げ、小笠原家で育てられたという。のちのちも千代姫からの使者は岩間が務めている。

江戸での友人たち

忠利は、このころ嫡子として、江戸と国元を往復して暮らしている。慶長十六年(一六一一)春には、家康の上洛《じょうらく》に従い京に上り、その後国元に帰った。

そして翌十七年暮れ、翌年の年頭参賀にあわせて江戸に参府した。

忠利の叔父《おじ》にあたる木下延俊(三十四歳)の慶長十八年一年間の日記が残されている。通読すると、当時の大名の自由な姿が浮かびあがる(二木謙一『慶長大名物語』)。

江戸に参府した延俊は、参賀の儀式が終わったあとは、忠利の屋敷に泊まりにいったり、他の親しい大名や旗本たちが訪問してきたりと、連日にぎやかに暮らしている。二十八歳と若い忠利も、おなじように自由な生活をしていたことだろう。このころは、まだ大坂に豊臣秀頼《ひでより》が健在であったため、徳川家も諸大名にあまり強圧的な態度では臨んでいない。

忠利は人質生活が長かったから、江戸にたくさんの友人ができていた。延俊や豊後臼杵《うすき》の稲葉《いなば》典通《のりみち》は、忠利の縁つづきで共通の友人であった。稲葉家との交際は、母が明智《あけち》氏の出であったからであろう。典通のいとこでのちに幕府年寄になる稲葉正勝《まさかつ》とも、このころから交際が始まっている。

幕府旗本の曾我《そが》尚祐《なおすけ》は、父が幽斎とともに足利《あしかが》家に仕えていた縁から、忠興と親しかった。忠利はその縁で、尚祐の息子古祐《ひさすけ》や、同年輩の加々《かが》爪忠澄《づめただすみ》・榊原職直《さかきばらもとなお》・堀直之《ほりなおゆき》といった上級旗本の子弟とも付き合い始めた。これら気のあう者同士の交遊関係は、比較的自由だったとはいえ、気づまりな江戸の人質生活の息抜きであったのだろう。だが、それ以上に、忠利にとっては大きな政治的財産となった。

第一章　「宮廷社会」の成立

1　大坂の陣と細川氏

江戸城の大普請

慶長十九年（一六一四）正月、同十一年以来三度目の大規模な江戸城の普請が開始されることになった。諸大名には、今回の普請には来るにおよばないと幕府から触れられた。

正月九日、江戸にいた忠興は、周囲の情勢をみて、次のように中津の忠利に伝えた。

「さりながら、念の入り過ぎ候衆は、参らる事もこれあるべく候……」

――しかし、「念の入り過ぎ候衆」すなわち、必要以上に幕府に従順な大名たちは、江戸に来るかもしれない。そのうえ、鍋島勝茂《かつしげ》（肥前《ひぜん》佐賀三十五万七千石）・山内忠義《ただよし》（土佐《とさ》高知二十万二千石余）・堀尾《ほりお》忠晴《ただはる》（出雲松江《いずもまつえ》二十四万石）らは我らと同時に参府したが、おそらく、この人たちは普請中ひきつづき江戸に詰めていたいと、年寄衆まで申されるだろうと思う。年寄衆はいいとも悪いともわからないような曖昧《あいまい》な返事をするだろうから、そうなると、うつらうつらと逗留《とうりゅう》することになろう。それを国元に帰っている「きこん（気根）のよき衆」が聞けば、総崩れになり、皆々江戸に出てくることになろう。そのときはその方も参府することになるから、内々その心得をしていなさい。

忠興・忠利往復書状関係略年表（1）

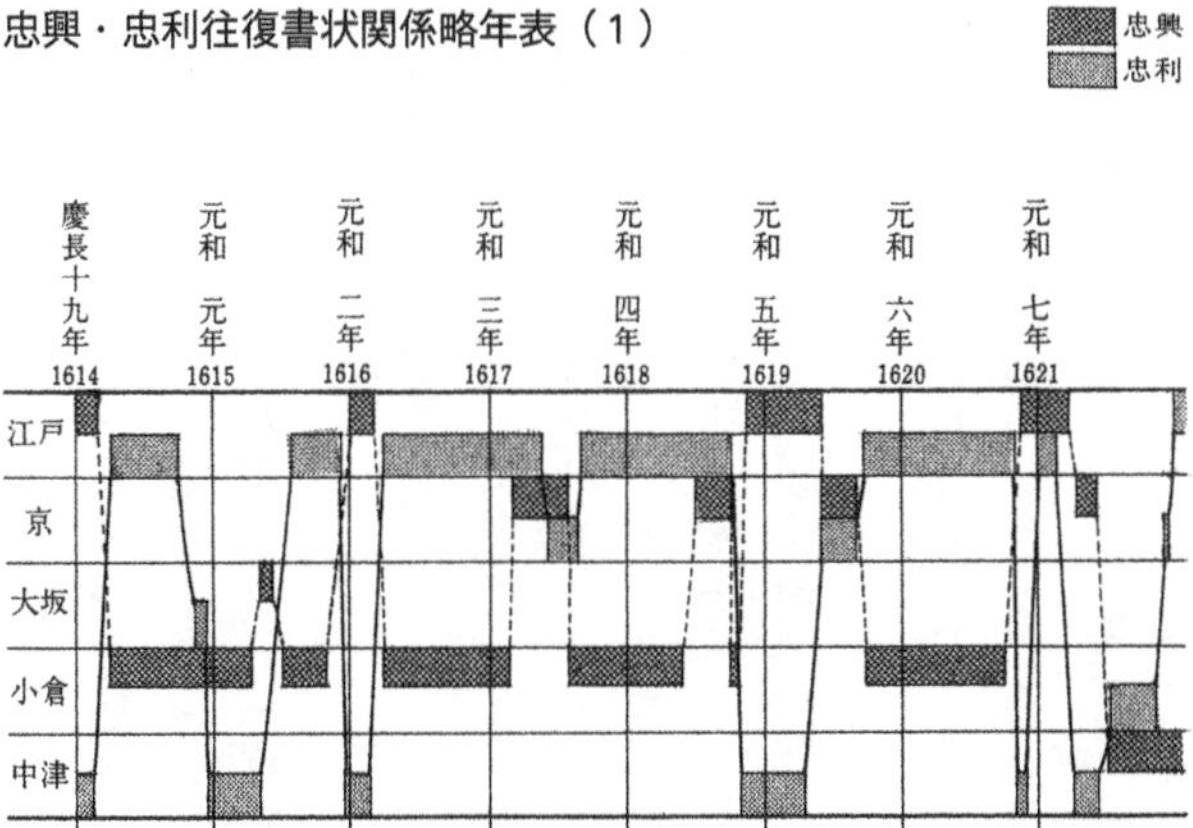

1月　家康、大久保忠隣を追放。
3月　家康、西国有力大名を江戸に呼ぶ。
10月　大坂冬の陣（12月両軍講和）。
4月　大坂夏の陣（5月7日落城）。
閏6月13日　諸国城割りの触状布達（一国一城令）。
4月17日　家康没（75歳）。
7月　秀忠の年寄土井利勝の台頭顕著。
6月—9月　秀忠上洛。
閏3月　忠興目を患う。
5月—10月　秀忠上洛。
6月　福島正則、城修築をとがめられ改易。
9月19日　光尚誕生。
2月　忠利、小浜光隆の大坂船手頭転任を一報。
3月　黒田長政、城を崩す。
閏12月　忠興、癩を患う。
1月7日　忠利襲封。　4月　忠利、島津家久と起請文を交わす。
6月23日　忠利、小倉入城。
12月　忠利、初参府。　24日　光尚、大奥で秀忠に拝謁。

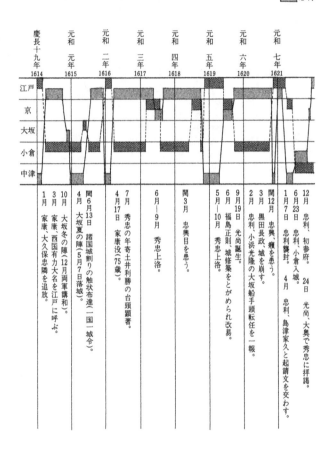

幕府が江戸城の普請を始めるにあたって、諸大名は、その手伝いをめぐって右往左往しているのである。「念の入り過ぎ候衆」が普請を買って出るようなことになれば、「きこんのよき衆」——気骨のある大名もじっとしておれず、総崩れになってしまう。いまだ大坂の豊臣秀頼は健在であったが、日に日に幕府の威光が高まっていたのである。

大久保忠隣の失脚

同じ書状に、秀忠の年寄大久保《おおくぼ》忠隣《ただちか》が、前年暮れ、宣教師追放のため上方に派遣されることが報じられるとともに、「御前一段悪しき躰に候事」と、忠隣の政治的立場がはなはだ不安定なものになっていることが書かれている。

いっぽう、「佐州《さしゅう》(本多正信《まさのぶ》)・上州《じょうしゅう》(本多正純《まさずみ》)の出頭《しゅっとう》、これ以前には十くらひも増し申す躰に候事」。——本多正信・正純父子の出頭(権勢が増すこと)は、以前に比べれば十倍ほどにも増していた。

そして、忠隣が京都に到着してキリスト教会の破却に着手したころ、幕府は、慶長十九年正月十九日、忠隣の改易を命じ、秀忠の年寄安藤重信《あんどうしげのぶ》が、忠隣の居城小田原《おだわら》城の受け取りに派遣された。忠隣の京都出張は、当主を領地小田原から引き離すための策謀だったのである。

留守中をねらって行われたこの政変は、だれもが知っていながら、公式には発表されなかった(「この儀あまねく人存じ候へども、沙汰《さた》なき分に候」)。幕府のうしろめたい気持ちが如実にあらわれている。だから忠興も、「私が伝えたということは、だれにも言ってはならない」と忠利にくぎをさしている。

両雄並び立たず

忠隣改易の内実は、門閥譜代の忠隣が、家康を背景にした本多正信・正純父子との権力抗争に敗れた結果であるとして、おおむね次のように説明されている(藤野保『徳川幕閣』)。

——慶長十四年(一六〇九)、有馬《ありま》晴信《はるのぶ》は、ポルトガル船ノッサ・セニョーラ・ダ・グラッサ号を撃沈した。これは、前年、晴信の交易船がマカオで紛争を起こして船員が処断されたことへの報復であったが、それを本多正純の家臣岡本大八《おかもとだいはち》という者が、正純の権勢を背景に恩賞として肥前の旧領三郡(藤津《ふじつ》・彼杵《そのき》・杵島《きしま》)を与える工作をしてやるといつわり、晴信から賄賂《わいろ》をとった。しかし、実現するはずもなく(当時、そこは鍋島家の領地となっていた)、慶長十七年、晴信から大八が訴えられ、その審議の過程で、晴信が長崎奉行長谷川《はせがわ》左兵衛《さへえ》を貿易がらみで暗殺しようとしたことまで明るみに出て、晴信は領地没収、大八は火あぶりの刑に処せられた。この審議の過程には、大久保忠隣のもと家臣で代官頭の地位にある大久保長安《ながやす》が大きな役割を果たしていた。

晴信と大八の二人がともにキリシタンであったことから、家康はキリシタン禁制を決意した。この事件のなりゆきに危機感をいだいた本多正純は、翌十八年、政敵大久保忠隣の養女の結婚が将軍の許可を得ていないと攻撃して相手の山口重信《やまぐちしげのぶ》を改易に処し、さらにこの年死んだ大久保長安の生前の不正摘発によって、忠隣へ追い討ちをかける。

そして、この年十二月、馬場八左衛門《ばばはちざえもん》という者が、忠隣が豊臣方に内通しているという訴状を家康に上げた。家康はこれに驚き、忠隣を処分することを決めた。この馬場八左衛門の直訴は、本多正信らが糸を引いた可能性があるという。

忠隣失脚の真相

しかし、これではあまりに家康がピエロ的存在になってしまう。いったい家康ほどの政治家が、正信にあやつられた馬場某のような小者の讒言《ざんげん》に動じるだろうか。そもそも「豊臣方に内通」といっても、まだ豊臣家と戦争をしていたわけではないのである。本多父子と忠隣の単純な権力抗争と見ることはできない。

このあとの経過を考えると、むしろ、これは家康自身による陰謀だったと思われる。讒言の内容からみて、おそらく忠隣は、豊臣家に対しては融和的であったのだろう。しかし、すでに年とった家康は、生きているうちに、なんとしても豊臣家をつぶしておきたかった。そこで、邪魔になる忠隣を失脚に追い込むため、正純らの対抗意識を利用したのではないだろうか。

以下に見るように、このあと、急速に豊臣家との戦争を見越した動きが活発化する。そして、豊臣家攻略の地ならしをしたのは、目の上の瘤《こぶ》を取り除いて自由を得た、正信と正純だったのである。

忠利に参府命令

忠隣の失脚後、江戸の情勢は激変する。

慶長十九年三月に入ると、肥後熊本の加藤忠広《ただひろ》の祝言について、家康が、「江戸の普請が大掛かりなものなので、肥後守《ひごのかみ》（忠広）は幼少であるが、江戸に詰めているべきである。加えて、相手の姫君（蒲生秀行《がもうひでゆき》の娘）が幼少なので、いま遠くにやることを母親（家康の娘振《ふり》姫）が嫌がっていることもあり、江戸で祝言を行うように」と仰せ出され、急に忠広を呼びに使者を出した。

こうしたやりとりに注目しながら、忠興は、「右の分に候へば、その方も下られ然《しか》るべきの由、各《おのおの》我等知音《ちいん》衆申され候」――そういうことだから、「忠利殿も参府されたほうがよい」と、知り合いたちがそれぞれに忠告してくれたことを告げた（三月二日忠興書状）。

正月以来、忠興は、忠利が参府しないですむようにと、本多正信に相談をもちかけていた。二月十五日の書状に「その方の参府無用」とあるところを見れば、これは許されるはずであった。しかし、三月の時点になると、正信は、参府しなくてはならない（「兎角《とかく》上られず候ては然るべからず」）と強く命じた。

ようやく忠興は、「早く参府しなさい。土産の物も銀子もこちらにあるから、この書状を受けとったらすぐに出発しなさい」と忠利に命じた。忠利が江戸に到着したら、交代に忠興がお暇《いとま》をもらい、国元に帰るつもりであった（三月五日忠興書状）。

豊臣氏への最後通牒

三月末、忠利は江戸に着き、普請の手伝いを始めた。

しかし、この参府命令は、単に江戸の普請のためと理解するわけにはいかない。

豊臣家が財力を傾けた方広寺《ほうこうじ》大仏殿が四月に竣工《しゅんこう》するが、八月三日の開眼供養を前にして、鐘銘をめぐって、家康は難癖をつけ、供養の延期を命じた。八月十七日、駿府に釈明にきた片桐且元《かたぎりかつもと》は、二十日あまりも逗留させられ、㈠秀頼が江戸に参勤するか、㈡淀《よど》殿を江戸に上げるか、㈢国替えをするか、の三ヵ条の要求を押しつけられた。鐘銘の釈明に行ったのに、筋ちがいの強硬な要求を突きつけられ、豊臣方は激昂《げきこう》した。とうていのめる条件ではない。

西国の有力大名を江戸に呼びよせたのは、豊臣方に荷担させないための準備であったに違いない。しかし、そのような事情を知らない忠興にしてみれば、幕府の強腰に当惑しながらも、「出頭」の増した本多正信の指示に従うしか方策がなかった。

大坂冬の陣

豊臣方では主戦論が主流をしめ、条件をのむことを主張した片桐且元・貞隆《さだたか》兄弟は孤立した。

十月一日、且元らは大坂城を退去し、貞隆の居城摂津《せっつ》茨木《いばらき》城に入った。

十月三日、小倉《こくら》にいた忠興は、江戸の忠利への返事の中で、「上方、以《もっ》てのほか雑説《ぞうせつ》申し候」と、大坂に不穏な噂がさまざまになされていることを書いている。「雑説」とは噂話のことだが、主に戦いや反逆などの不穏な噂に使われる言葉である。噂は、短期間に、全国をかけまわっている。

江戸では、諸大名に起請文《きしょうもん》の提出が命じられ、大坂征討が命じられた。いよいよ豊臣秀頼と徳川氏の戦端が開かれようとしていた。

十月六日、江戸の忠利は駿府に行き、家康に拝謁し出陣の挨拶《あいさつ》をしている。伊達政宗《まさむね》（陸《む》奥《つ》仙台《せんだい》六十二万石）・上杉景勝（出羽《でわ》米沢《よねざわ》三十万石）・佐竹義宣《よしのぶ》（出羽秋田二十万五千石）ら東国大名は、先手を命じられ、中山道《なかせんどう》を上った。

国元の忠興は、江戸に普請のために遣わした鉄砲足軽を、鉄砲頭とともに大坂に遣わすよう命じたが、他方で、今回は西国大名は派遣されないとの噂も聞いている。大坂方もまた、西国大名に加勢の誘いをしている。豊臣氏に同情的な者も多いはずである。徳川氏にとっていちばん怖いのは、味方の裏切りであった。

忠利は、大坂に上り、本多忠朝《ただとも》（平八郎忠勝の次男、上総大多喜《かずさおおたき》五万石）とともに森河内《もりかわち》（河内若江《わかえ》郡、現在東大阪市）に居陣した。

忠興は、小倉をそのまま動かず、鹿児島の島津氏（六十万五千石）が大坂に上るのを見とどけたうえで、その後ろについて来るよう命じられている。なかなか国を出ようとしない島津氏の去就についてさまざまな噂があり、忠興にその監視役を命じたのである。

西国大名の脅威

当時の世評では、島津氏が西国最大、最強の大名であった。しかも関ケ原のときの西軍での働きは、「島津の中央突破」として語り草になっている。こんども、大坂方から密書を受けとっていたが、「太閤様《たいこうさま》（秀吉）への一筋の御奉公は関ケ原で一度したから」と加勢を拒否し、密書を幕府に提出していた。出陣が遅れたのは、なかなか軍勢の動員ができなかったからである。これは豊臣期以来の島津氏の弱点で、戦いになると強いが、迅速な行動は不得手であった。

しかし、そのわずかな不安要素にも、家康は慎重に対応したのである。

このような家康の慎重な配慮は、黒田氏にも向けられている。黒田長政離反の風聞も流れていたことから、家康は嫡子忠之《ただゆき》（当時十三歳）を召集した。忠之は傷寒（チフス）を病んでおり、高熱ではなはだ衰弱していたから、長政としてはためらった。しかし、船中で病死しようと、謀反の詰問があろうと、ここで大坂に参陣しないと黒田家の未来はない。

忠之は、病を押して軍勢をひきつれ、すみやかに福岡を立った。そのため家康の疑いもはれ、十二月十九日には家康の御前に出て拝謁がかなった（『黒田家譜』）。

このとき、家康は本当に黒田家を疑っていたというより、どこまで従順か試していたのであろう。万事この調子で、家康の策謀に翻弄《ほんろう》され、諸大名は忠誠を誓うことになっていくのである。

十二月末、戦闘は膠着《こうちやく》状態のまま、大坂城の外堀を埋めるとの条件で両者に講和が成立した。

翌二十年（一六一五）正月三日、この知らせが忠興に届いた。島津氏を監視していた忠興は、小倉を出ないままであった。出陣しようとしながら、船が集まらないため国を出ていなかった島津氏にも、「何方《いずかた》まで御出船候とも、早々帰国あるべき」と命じられた。

講和、破れる

その後、忠利は暇を与えられ、中津に帰った。

しかし、落ち着く暇もなく、慶長二十年四月二十五日、十九日付の幕府からの触状《ふれじょう》が届いた。「大坂との講和が破れた。早々参陣するように」とのことであった。

幕府方が講和条約に違反して、大坂城の内堀までを埋めたうえに、大坂方の再軍備をとがめ、秀頼の国替えか、牢人《ろうにん》の召し放ちを要求したのである。大坂方は不利を知りながら、戦いを始めざるをえない。

忠興は、国中の船を小倉に回漕《かいそう》し、荷を積み次第に出船する予定であった。しかし、船はあっても漕《こ》ぎ手の水主《かこ》が足りない。集めていては遅くなる。

そこで、忠興は軍勢を少しだけ召し連れて出船し、主力は忠利に揃えさせ、陸路で大坂に来るようにと告げた。そして、四月二十九日か晦日に小倉を出船し、忠利は五月初めに小倉を立ち、関門《かんもん》海峡を越え、長府《ちょうふ》付近に陣をとる手はずを整えた。

忠興は、五月三日、兵庫着、四日に兵庫を立ち、五日巳《み》の刻（午前十時）には山崎《やまざき》（山城《やましろ》乙訓郡《おとくに》）に着陣した。家康は、京都から枚方《ひらかた》近辺まで陣を移しており、秀忠は伏見から一気に飯盛下《いいもり》（河内讃良郡《さらら》）まで陣替えしていた。

家康の懇ろな提案

この日、忠興は、淀まで行き、家康に拝謁した。家康は、「早く到着して、肝をつぶした」と上機嫌で、非常に丁重に忠興をもてなした。

本多正純らによると、家康は二度三度と「細川殿は早く到着するであろう」と待ちかね、また「九州中が敵になっても、細川殿は敵対しないだろうと思うが、どうか」と、正純に念を押したという。忠興には大満足の評価であった。

しかし家康は、そのように忠興への信頼を表明したあと、抜けめなく、次のような難題をもちかけた。

「人数をば内記（忠利）にあずけ、我々は両御所様御そばにこれあるべき」――軍勢はそのまま忠利に預けておき、忠興は両御所様（家康・秀忠）の側に付いているように、と命じられたのである。

忠興は、軍勢を率い、先陣を承って奮戦するつもりであった。しかし、家康は、忠興から、軍勢の大半を引き離そうとした。忠興への懇《ねんご》ろな態度とはうらはらに、実は家康は忠興を完全には信頼していないのである。

忠興は、「これはたいへん名誉なことであるが、自分の軍勢と別々にいるというのはどうかと思う」と考え、本多正純を通して断ろうと（「外聞 忝《かたじけな》き儀に候へども、人数と別々にこれある儀如何《いかが》と存じ、本上州（本多正純）をもって御理《おことわり》申すべきと存じ」）、内談したところ、「事の外の御懇《おねんご》ろにて仰せ出され候を、何かと申し候事一段然《しか》るべからず」――格別のご好意で仰せ出されたことを、なにかと申すことはよくない、と強く言われたので（「達《たっ》て申さるに付」）、しかたなくお側につくことにした（五月五日忠興書状）。

もちろん、相談を受けた本多正純も、家康の意図はかねて承知である。忠興が「御理」すなわち、断りの願いをすることを予測していて、内談に来たらそれを体よくかわし、大御所様の格別のご好意ですから……とかなんとか言って、忠興が拒否できないようにしているのである。

大坂夏の陣

翌五月六日早朝、濃い霧の中を八尾《やお》・若江方面に向かった大坂方の木村重成《きむらしげなり》・長宗我部《ちようそかべ》盛《もり》親《ちか》ら約二万は、移動中の徳川方の先鋒藤堂高虎《せんぽうとうどうたかとら》（伊勢津《いせつ》二十二万石余）・井伊直孝《なおたか》（近江《おうみ》彦根十五万石）勢と遭遇、戦端を開いた。

大坂城は難攻不落の名城であったが、内堀まで失っていたので、冬の陣のような籠城《ろうじょう》戦をとることができなかったのである。正午にまでおよぶ激戦の末、重成は討ち死に、大坂方は敗走した（盛親はのち捕らえられた）が、藤堂高虎・井伊直孝勢の被害も甚大であった。両名は、翌日の先鋒を免除されるよう嘆願し、家康の旗本の前備えを勤めることになった。藤堂勢らの苦戦を見ながら、軍令を守り救援しなかった松平忠直《まつだいらただなお》（家康の次男秀康《ひでやす》の長男、越前《えちぜん》福井七十五万石）や忠利の岳父小笠原秀政は、家康に厳しく叱責《しっせき》された。このことが翌日の戦闘に大きな影響を与える。

翌七日、松平忠直率いる越前勢一万三千は、汚名返上のため軍令を無視して軍をすすめ、茶臼山《ちゃうすやま》に陣をしいた真田幸村《さなだゆきむら》の陣に攻めかかった。

いっぽう、天王寺口《てんのうじ》の先鋒を命じられた本多忠朝と小笠原秀政父子は、しゃにむに毛利勝《かつ》永《なが》・大野治長《おおのはるなが》らの陣に突入した。これも汚名返上のためである。しかし、友軍との連絡もなかったので、忠朝と秀政の嫡子忠脩《ただなか》はあえなく討ち死に、秀政・忠真《ただざね》（秀政次男）は重傷を負った（その夜、秀政は死去）。

大坂方は勝ちに乗じて残兵を追撃、これを藤堂高虎の先手が迎えうつ。そのとき、浅野長《なが》晟《あきら》（紀伊《きい》和歌山藩主）の兵が越前勢の西、紀州街道をすすみ出た。どこからか浅野が裏切ったとの流言が起こり、徳川方の軍が混乱した。越前勢の大軍と奮戦していた真田幸村は、この機に乗じて馬廻《うままわ》りの兵を、茶臼山付近にまですすめてきていた家康の本陣に、真一文字に突入させた。そのあまりの激しさに、越前勢はこれをささえがたく、本陣を守っていた旗本もわれを忘れて逃げ出し、三方《み》《かた》ガ原《はら》以来崩れたことのない家康の旗が崩れた。

家康の右翼にいた藤堂高虎と井伊直孝は、家康の旗が崩れるのを見て、急遽《きゆうきよ》、真田の左翼から突きかかった。しかし、決死の覚悟を決めた真田勢は、これらの軍勢もささえて一進一退の攻防戦を展開し、都合三度まで家康の本陣に攻めかかり、一人残らず討ち死にするまで戦った。兵力が少なく藤堂高虎の陣に加わっていた忠興も、藤堂勢の先手とともに奮戦し、「二度まで鑓《やり》を崩されそうになりながら、小姓まで繰り出してようやくささえた」(五月七日忠興書状)という。

九州衆第一の手柄

この日の戦いは、忠興によると、「半分はこの方へ、半分は大坂へ勝ち申し候」という互角の勝負だった。

六月十一日付で島津家久《いえひさ》が国元の家臣にあてた書状によると、家康の勝利は「御運つよき故にて御勝ちに」なったもので、幸村の活躍について、「真田日本一の兵《つわもの》、いにしへよりの物語にもこれなき由、惣別(もっぱら)これのみ申す事に候」と、合戦直後の大名たちの評判を書いている(『薩藩旧記雑録』後編巻七十二)。

大坂城の天守は、申《さる》の下刻（午後五時頃）に火がかかり、焼失した。本丸にまっさきに突入したのは、ついに真田をうちやぶり、幸村の首もあげた越前勢であった。豊臣家の滅亡である。

この日は、井伊直孝と藤堂高虎が「日本一の大手柄」で、褒美として金子千枚・銀千枚を与えられ、忠直もまた家康からおおいに褒められた。九州大名の中では、忠興だけが家康を守って手柄をあげ、覚えがめでたかった（「九州衆に長岡越中守《えっちゅうのかみ》殿ばかり、はすに御合せなされ、御手柄にて、御前仕合能《よ》く候事」）（『薩藩旧記雑録』後編巻七十一）。

いっぽう忠利は、まだ到着しておらず、軍勢を国元に返し、自身は家康・秀忠に拝謁するため伏見に上った。

2　城を壊す大名たち

戦国大名の終焉

大坂城炎上をはるかに見た忠興は、「一時のうちに天下泰平になり候事」と忠利に申し送っている（五月七日忠興書状）。まさに、日本戦史史上まれにみる激戦のすえ、徳川家の最終的な覇権がなったのである。

徳川家に味方した大名にとっては皮肉なことだが、豊臣家の滅亡によって幕府の権力は圧倒的なものになった。大坂の陣の前からその兆しはあったが、徳川家に対抗できる家が滅んだ以上、もはや幕府の命令に背くことはできなくなった。もっとも「天下泰平」とは、そのような性格のものかもしれない。

慶長二十年（一六一五）閏《うるう》六月十三日、西国諸大名に「諸国城割りの触状《ふれじょう》」が出された。いわゆる「元和の一国一城令」である。家康も秀忠もまだ上方に逗留している。幕府は、それこそ「一時のうちに」このような強圧的な命令ができるような権力になっていたのである。

同月二十九日、小倉で「城割り」の年寄連署奉書を受けとった忠興は、「すなはち門司《もじ》の城、今日より割らせ申し候」と、門司城など国中の支城の破却を命じている。ただし、嫡子忠利の中津城は他の支城とは事情がちがう。江戸の忠利は、年寄土井利勝に、中津城はなんとか破却免除できないものかと相談をもちかけている。

しかしこれを聞いた忠興は、「済み候《そうら》へばよく候、済み候はでも苦しからず候」――破却を免除されればよいが、だめでもかまわない、とばかかに投げやりな言い方をしている。

本来、支城は大名領国防衛の拠点である。それを全部破却し、そのうえ嫡子の城までなくなってもかまわないというのである。信長《のぶなが》・秀吉・家康三代の天下統一戦争を戦ってきた忠興にとって、いまその一時代の終焉《しゅうえん》をまざまざと見せつけられるショックには、とりわけ複雑なものがあったであろう。

結局、中津城は破却を免れたが、もはや城をもって何者かに対抗する時代ではなく、すべてについて幕府の意向に従うことがより有利な時代になりつつあったのである。

中津城

家康の死去と権力者の浮沈

翌元和二年（一六一六）四月十七日、家康が没した。諸大名の出府は、家康の遺命により禁じられた。その後を追うように、家康の懐刀であった本多正信も死去した。

「此中《このなか》、公方《くぼう》様御隙なく色々の御仕置仰せ付けられ候」――最近、将軍様は政務に余念がありません、というように、名実ともに幕府の主権者となった秀忠は、積極的に政治に乗り出していった（七月十日忠興書状）。そして、その右腕となって働いたのが、土井利勝であった。

七月六日、家康の側近として、黒衣の宰相と呼ばれ外交・内政に権力をふるった金地院崇伝《こんちいんすうでん》が、忠興に次のように報じてきた。

「今はだれもかれも大炊殿《おおい》（土井利勝）へ頼み入る躰と相見え申し候、（中略）今からは、上州の口入れにて、大炊殿へ弥《いよいよ》御入魂《じっこん》、御尤《ごもっと》もの儀にて候」（『本光国師日記』）

——現在は、だれもかれもが利勝殿を頼りにするようになったようです。これからは、本多正純の口添えで利勝殿と昵懇《じっこん》にするのがよいでしょう。

忠興は、本多正純の権勢が弱まったのではないかと気をまわしたが、そうでもないようだった。しかし、家康のブレーンたちは、急速に幕政への影響力を失っていった。そういう崇伝も、利勝に再々会ってなんとか権力の座にとどまろうとしていたが、「金地院（崇伝）、御前弥《いよいよ》遠くなり申し候」（六月二十八日忠興書状）というように、秀忠から遠ざけられた。

新しい出頭人たち

そのほか、中央政界の動向は目が放せない。

「喜介《きのすけ》（伊丹康勝）出頭、対馬殿《つしま》（安藤重信）にならび候由、我々一人と（自分のことのように）満足申し候事」（同右）

土井利勝の子分格の伊丹康勝も、年寄の安藤重信にならぶほどの力をもってきた。伊丹によく相談をもちかけている忠興は、かれの出頭ぶりに大喜びであった。

いっぽう、「藤和泉《いずみ》殿（藤堂高虎）出頭、花がふり候由、満足申し候事」（八月二十九日忠興書状）というように、大坂の陣で大活躍した藤堂高虎は、「花がふる」といわれるほどに、秀忠の覚えがめでたかった。忠興は、大坂の陣で藤堂の陣に加わったほどであるから、かれの出頭ぶりにも満足であった。

そして、忠利に、「藤泉州《せんしゅう》と細々《こまごま》参会、然るべく候」（四月二十八日忠興書状）、「島奥州《おうしゅう》（島津家久）その他（江戸）へ越され候間、切々参会、然るべく候事」（三月二十七日忠興書状）と、今後のため、頼りになりそうな大名たちとこまめに会っておくよう指示している。

これからの生き残りのためには、いかに頼りになる人脈をつくっておくかが決定的に重要であり、その戦いの場は、戦場ではなく江戸城であった。

黒田家の幕府接近策

この年、筑前《ちくぜん》福岡藩主黒田長政（五十二万石）は、自家の危ない立場を好転させようと、しきりに幕府の要人との接触を試みていた。秀忠の信任厚い土井利勝に接近するため、利勝の妹婿の朝倉宣正《あさくらのぶまさ》と親しい友人になろうともした。しかし利勝は、いっさい黒田に懇ろな態度を見せない。

また、前々から親しい幕府年寄の安藤重信が病気になっていたので、かれを二度まで見舞ったが、重信は、長政の利勝への接近工作を聞いて腹を立てており、会おうともしなかった。

このような長政の行動を見て忠興は、「惣別かやうの才覚前々より上手にて候が、今度は尾が見え候や、笑止に存じ候事」――だいたいこのような策謀の得意なやつだったが、今度はしっぽが見えたのだろうか。困ったものだ、と苦笑している（六月二十八日忠興書状）。

しかしこれ以後も、黒田家は積極的に幕閣への接近策をとっていく。嫡子忠之の縁談もその一つである。

元和六年（一六二〇）六月には、長政が息子に、かねてからの知り合いの戸田氏鉄《とだうじかね》（摂津尼崎《あまがさき》五万石）の娘をもらおうと才覚しているらしい。

その裏には、戸田が土井利勝と「別して知音（親密な友人）」であり、戸田の婿には秀忠年寄の本多正純の息子がいる、という事情があった。また一説には、当時、秀忠のお気に入りで前途を目された井上正就《いのうえまさなり》の娘をもらおうとしており、すでに利勝が請け負っていて実現しそうである、ともいわれている。長政の意図は、忠利によれば「大炊殿（土井利勝）へ第一取り入り、その上、年寄衆へ縁者つづき候との才覚」であった（六月八日忠利披露状）。

娘を将軍の嫁に

九月には、長政が、二人の娘について秀忠に「いづれへなりとも、御諚《ごじょう》次第に遣はされ候てくだされ候様に」――上様のお考え次第にお相手を見つけて下さい、と申し上げたという風聞が流れている。そして、裏では、幕府の年寄・側近たち、本多正純・安藤重信・水野忠《みずのただ》元《もと》（西の丸書院番頭、三万五千石）などへ「はばかりなる儀に候へども、若君様（徳川家光《いえみつ》）か御国様《おくに》（徳川忠長《ただなが》）かへ、両人の娘の内、上げ申したく」と申し入れているということであった（九月二日忠利披露状）。

まさかいくら黒田でも、将軍の子供との縁談を望んだとは考えにくい。疑心暗鬼が生んだものであろう。

しかしこれを心配した藤堂高虎は、忠利や江戸の子息高次《たかつぐ》に、「此縁辺の儀、何とぞ聞き立て候らへ」――どこに縁辺が決まったのか、なんとか聞き出してくれ、と切々問い合わせてきている。このような他家の有力者との縁辺は、だれもが注目するところであった。

また、長政の息子忠之と朝倉宣正の娘の縁談がまとまったという噂も流れている。忠之は、大久保忠隣の娘を娶《めと》っていたが、忠隣失脚後、離縁した。このような事情が、ことさらに幕府有力者との縁談を望む理由だったのだろう。

朝倉との縁談は流れたが、のち元和八年（一六二二）正月になって、秀忠が、美濃大垣《おおがき》五万石、松平忠良《ただよし》の娘を養女として忠之に娶らせた。この松平家は久松《ひさまつ》松平家の支流で、忠良の父康元《やすもと》は家康の異父弟（伝通院《でんづういん》の子）、秀忠が養女としたのもこの縁による。あくまで有力な血縁をもとうとした黒田家としては、まずまずの結果となった。

黒田長政、城を崩す

元和六年三月、黒田長政について驚くべき噂が耳に入っている。自分の居城を崩しているというのである。福岡城には天主がなかったという説もあり、このとき天主を崩してしまったのかもしれない。かれは、居城を崩していることについて、秀忠に次のように言上したという（三月十六日忠利披露状）。

「御代には、城も入り申さず、城をとられ申し候らはば、御かげをもって取り返し申すべくと存じ、右のごとく申し付け候」

――天下泰平の秀忠様の時代には城もいりません。もしだれかに城を取られたら、幕府のお力で取り返してもらえるだろうと存じ、城の取り壊しを命じました。

前年、改易された福島正則の事件は、城普請をとがめられてのことだった。同様の嫌疑をさけるために、先手をうったのであろうか。それにしても卑屈な行動である。忠利は、黒田のあまりの幕府への阿諛《あゆ》追従《ついしょう》にあきれるとともに、反面、出し抜かれたような気分を味わったようである。

熾烈な宮廷外交

この年、参府してきた黒田長政の様子は、江戸の忠利より細かく忠興に伝えられている。

「筑前（黒田長政）爰元《ここもと》に居られ候ての御奉公ぶり、大かたなる儀にてはこれなく候、その上公方《くぼう》様も御懇《おねんごろ》なると見え申し候、見及び申し候躰も、なみの上方衆などよりは御目見なども筑前・左馬（内藤政長《ないとうまさなが》）は切々、又城にての躰、何《いずれ》もと心安さうに見え申し候」

――長政の江戸での奉公ぶりは、一通りではありません。そのうえ将軍様も親しくしているように見受けられます。よく見ると長政や内藤政長（上総佐貫《さぬき》四万五千石）は、並の西国大名などよりも頻繁に拝謁しており、城中でも、幕閣のだれとも心安そうな様子です（九月二十八日忠利披露状）。

江戸城中での立ち居ふるまい、そこで出会う有力者と親しげに話をする黒田の姿を見るにつけ、忠利は心さわぐのである。

十月六日にも、黒田は、本多正純ら宿老の屋敷を訪れ、なにごとかを嘆願している、秀忠が幕府年寄安藤重信・水野忠元とともに長政を居間に召した、などと長政の行動は逐一追跡、報告されている。忠利は、「主《ぬし》もむすこも是へつめ申すべきとの申し上げられ様と申し候」

――長政本人も息子の忠之も江戸に詰めていたいと申し上げたようだ、とその噂を書き留めている。

このように元和期の江戸では他家の動向を気にしながら、まさに「宮廷外交」が展開されていたのである。

忠興や忠利がこれほど黒田家の動向を気にするのは、互いにライバルの関係にあったからである。両者とも豊臣家恩顧の大名で、しかも徳川家に取り立てられて国持ちの大大名になっている。幕府から憎まれないためには、よりいっそう幕府への接近策をとるしかない立場であった。

細川家と黒田家

そのうえ両者は犬猿の仲であった。そもそもの起こりは、豊前六郡（京都《みやこ》・築城《ついき》・中津《なかつ》・上毛《こうげ》・下毛《しもげ》・宇佐《うさ》、表高十二万五千石）を領していた黒田家が、関ケ原合戦ののち、筑前五十二万石に加増転封になり、丹後宮津十八万石の細川家が豊前に入ってきた慶長五年十一月のトラブルである。

黒田家および家臣たちは、領地の年貢をすでに徴収しており、それをそのまま筑前に持っていったのである。忠興は翌年三月、上洛《じょうらく》し、家康にこのことを訴え、「勝手次第」との返答を受けた。

そこで忠興は、黒田家と交渉したが、黒田家は「すぐには返済できない」という不当な返事であった。怒った忠興は門司に番船を置き、筑前からの上せ米《のぼせまい》（大坂への出荷米）を差し押さえようとした。こうなると軍事衝突にもなりかねない。両者と親しい片桐且元（大和竜《やまとたつ》田《た》藩主）と山内一豊《かずとよ》（土佐高知藩主）が相談し、家康の部将本多忠勝・榊原康政《やすまさ》の両人に仲介を依頼して返済の年月を決めさせ、黒田から一札を出させた。そして慶長七年五月、ようやく返済が終わる（宮崎克則「慶長五年細川・黒田の年貢先納問題」）。

細川三斎（忠興）像 〔永青文庫蔵〕

この事件は、細川・黒田両家の関係を決定的に悪化させた。忠興には、黒田が筑前という大国を拝領したことに対する妬《ねた》みもあったかもしれない。とにかく、これ以後、忠興は、他の大名家の者と細川家の者が行き逢《あ》ったとき、相手が無礼でもこちらは慇懃《いんぎん》にすべきであるが、黒田か肥後の加藤（忠興は加藤清正とも仲が悪かった）の場合はその限りではない、両人家中がこちらに無礼のあったとき、こちらから慇懃にすれば「曲事《くせごと》（譴責《けんせき》する）」、といった命令を出している（福田千鶴「慶長・元和期における外様大名の政治課題」）。

武断派武将忠興

忠興は、当代一流の文化人幽斎の息子であり、茶を千利休《せんのりきゅう》に学び、茶道具などの目利《めき》き、実戦的鎧《よろい》を開発する実学にもたけ、デザインなど芸術的感性にもすぐれ、故実にも詳しい文化人である。

しかし、かれは秀吉の勘気をうけて追放される利休を、身の危険を顧みず見送りしたり、石田三成を襲撃した一派に加わったり、黒田家との戦争をいとわない姿勢をとるといった、筋目を重視する典型的な武断派大名でもあった。戦場では華麗な装いで自ら鑓《やり》をとって戦うという美意識に徹した戦国武将である。また、自藩の剣術指南佐々木小次郎《ささきこじろう》と宮本武蔵《みやもとむさし》の巌流島《がんりゅうじま》の決闘を見分するなど、剣術を好み、隠居してからも、武者修行をしている剣士を招いてその技を見物したり、小姓たちに剣術の試合をさせて楽しんでいる。

しかし、時代は、かれにとっては窮屈なものへと向かっていくのである。

3　細川忠利、家督を継ぐ

申し通はず候ては

元和六年（一六二〇）二月五日、江戸にいた忠利は、江戸の船手頭《ふなてがしら》の一人だった小浜光隆《おばまみつたか》が大坂船手頭に転任するという情報をつかみ、忠興に次のように伝えた。

——江戸の船大将だった小浜民部（光隆）のことでございますが、いつぞや石船（石の運送船）を損ねたとき、家来をだして助けてくれたことがありました。忠興様からお礼を仰せられたかと覚えております。こんど、小浜は大坂中之島《なかのしま》に配置され、水軍のことを万事申しつけるようにと命じられ、御知行三千石であったのを五千石に加増され、来月十日に江戸を発《た》ち、大坂へ向かうとのことです。永井尚政《ながいなおまさ》と相婿でございます。

——とにかく、九州の大名としては、親しく交際しておかなければと存じ（「とかく九州衆は申し通はず候ては罷《まか》りならざる儀と存じ」）、黒田長政殿との関係を問い合わせてみたところ、「一、二度訪ねたことがあるばかりで、交際しているわけではありません（「少しも申し通はず候」）」ということだったので、「大坂へお越しになりましたら、なんなりとお申しつけ下さい」と申し入れておきました。

——すると、「忠興様のご用も承りましょう。あからさまに人に知られるようなやり方ではどうかと存じますが（「おもてむき急度《きっと》人の存じ候様にはいかがに候」）、ご用があればお役に立ちましょう」とのことでした。いちだんと物わかりのよい申されようでした。このことは忠興へも伝えます、と返事しておきましたので、お使者をも遣わされるようにと存じ、言上します。

人脈づくりは情報力

小浜光隆という旗本が、前年、家康の孫松平忠明《ただあきら》転封後、幕府の直轄地となったばかりの大坂の船手頭に任じられたので、忠利は、さっそくに親しい交際を始めるための申し入れを行ったのである。

小浜の相婿である永井尚政もまた、秀忠の側近で、当時、小姓組番頭、二年後には秀忠の年寄になる。そしてそれ以上に、大船の建造について幕府の制限が強化されていたことが重要であった。新任の小浜の支配下で、西国大名の大船は査検されることになる。

五年後の寛永二年（一六二五）、黒田忠之が五百石積み以上の大船を所持していることをとがめられた。告発したのは小浜であった（安達裕之「大船の没収と大船建造禁止令の制定」）。このように、細川家とて起こりかねない事態を防ぐためにも、ここで小浜と親密になれるかどうかは重要問題であった。忠興の留守をまもっていた江戸の忠利は、自ら有力者の動静をとらえてコネをつくっているわけである。細川家にふさわしい跡継ぎであった。

しかしよく考えてみると、かつては徳川家と肩を並べていた大名たちが、その徳川家の家臣によしみを通じようとしているわけである。時代は確実に変わってきている。

忠利は、小浜に黒田長政との関係を問い合わせているが、すでに述べた経緯で細川家と黒田家は犬猿の仲となっていた。だから、もし小浜が、黒田家の用をつとめているような人物であったとしたら、忠興の意向もあり、残念ながら付き合えないのである。

忠利の披露状

忠興の書状は慶長五年(一六〇〇)から残っているが、忠利の書状は、元和六年(一六二〇)からしか残っていない。

というのは、忠興の書状は忠利のもとに保存されたから、古い年代から原本が残っているが、忠利の書状は忠興のもとにあり、正保《しょうほう》二年(一六四五)に隠居領の八代《やつしろ》で忠興が死んで

年代	忠興から忠利	忠利から忠興
元和6年	28	47
7年	54	31
8年	29	41
9年	49	27
寛永元年	20	27
2年	34	25
3年	68	22
4年	105	21
5年	104	41
6年	66	66
7年	73	55
8年	96	83
9年	137	83
10年	145	132
11年	144	83
12年	101	38
13年	64	30
14年	38	54
15年	48	56
16年	63	51
17年	69	62
18年	8	5

細川忠興・忠利往復書状の数

備考
忠利宛忠興書状　1820通
忠興宛忠利書状　1084通
＊慶長5年〜元和5年の忠利宛忠興書状は213通、忠興宛忠利書状は残っていない
＊年未詳の書状は数から除いた

からも本家に返還されず、所在が不明になっているからである。

しかし、幸いなことに、忠利は自分が出した文書の控えを作成させていた。そのため、原本と同等の貴重な史料が残った。

それが元和六年からというのも意味がある。つまり、元和五年末に忠興が帰国し、江戸に残った忠利が、来るべき藩主の立場を意識して、そのような控えをつくるようにしたのであろう。忠利は、自分に役に立つ情報を収集・保存して、その日のために備えたのである。実際、忠興はその前の参府のとき、幕府に隠居を願っている。本心はともかく、忠利に藩主の地位を譲ることは、そう遠いことではなかった。

また、忠利の「書状」は忠興宛になっていない。忠利は、父親の忠興をうやまって、直接、送りつけるのは遠慮した。忠興の側近宛の手紙を書き、その者から披露を願うという形式をとっている。このような文書を「披露状《ひろうじょう》」といい、藩主になってもその形式は変えていないが、実質的には忠興宛の書状である。

書状の書かせ方

一般に書状を書くとき大名は、書くべき内容を右筆《ゆうひつ》に話して書かせる。主人の代理をする右筆の地位はかなり高い。しかし、完全に信頼できる保証はない。だから、忠興は、人目をはばかる「隠密の文は、その方自筆然るべく候、その外は物書《ものかき》にかかせらるべく候」（元和四年十月二十三日忠興書状）と忠利を諭している。

たとえば、忠興は、「これよりは自筆に申し候、黒筑（黒田長政）縁辺の事、若君様（家光）は、なかなかさたもこれなく候……」と将軍家にかかわる噂は、わざわざ自筆で書きこんでいる（元和六年六月八日忠興書状）。

また、互いに対立している一件でのやりとりなどは、家臣に聞かせたくない。そのようなときは自筆で書き、だれにも見せずに遣わす。家臣の知行や褒美のことも、自筆で書くことが多い。のちに忠利の息子の光尚が成長したとき、忠利は忠興について「三斎様（忠興）万事御物こらへなく候はん（短気になっている）とあんじ申し候」（寛永十五年七月一日光尚宛書状）などと自筆で書いている。次頁のコラム「書状の書き方」で書状の形式をまとめておいた。これも、家臣には見せたくないところであろう。

書状の送り方

いまのように手紙をポストに入れれば届けてくれるわけではない。書状は、家臣か飛脚が運ぶ。

その送り方には、江戸詰めを交代する者などに託す「幸便」「便宜」と、そのためにわざ

図1

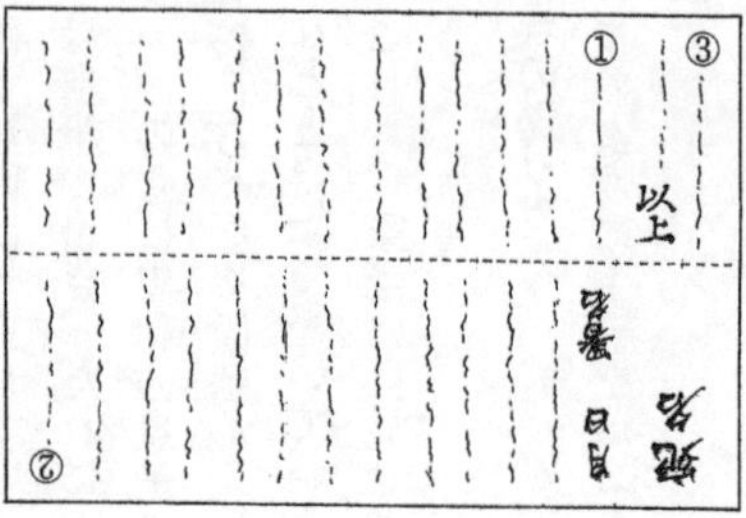

折紙

図2

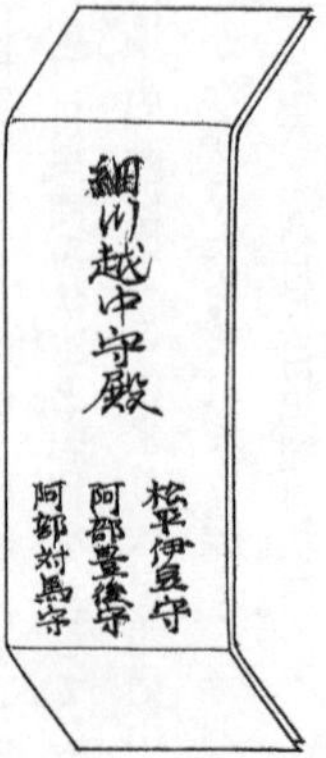

懸紙

コラム　書状の書き方

書状は、料紙の使い方、書き方によって、いくつかの形式にわかれる。

一般的なのは、横長の料紙を中央で上下に折って書く形式（二三ページ・二一九ページ写真参照）で「折紙《おりがみ》」と呼ばれる。

本来書状は、一枚の紙に書き、もう一枚紙（礼紙《らいし》）を添えるのだが（現在でも便箋《びんせん》一枚の場合はもう一枚を白紙で添える）、紙を上下に折ることで二枚分とするのである。折った一面に書ききれないときは、右に反転させて続きを書くから、それを開いた場合は図1①②③のような順序になる。

図1③の部分は追而書《おってがき》（追伸）であるが、長い場合は本文の行間にまで書く。書かない場合は、ただ「以上」とだけ書いて、追而書がないことを明示する。

封の仕方は、折りたたんだうえで料紙の一部を切り、それを巻いて封とする。これを「切封《きりふう》」という（図4、二三ページ写真参照）。

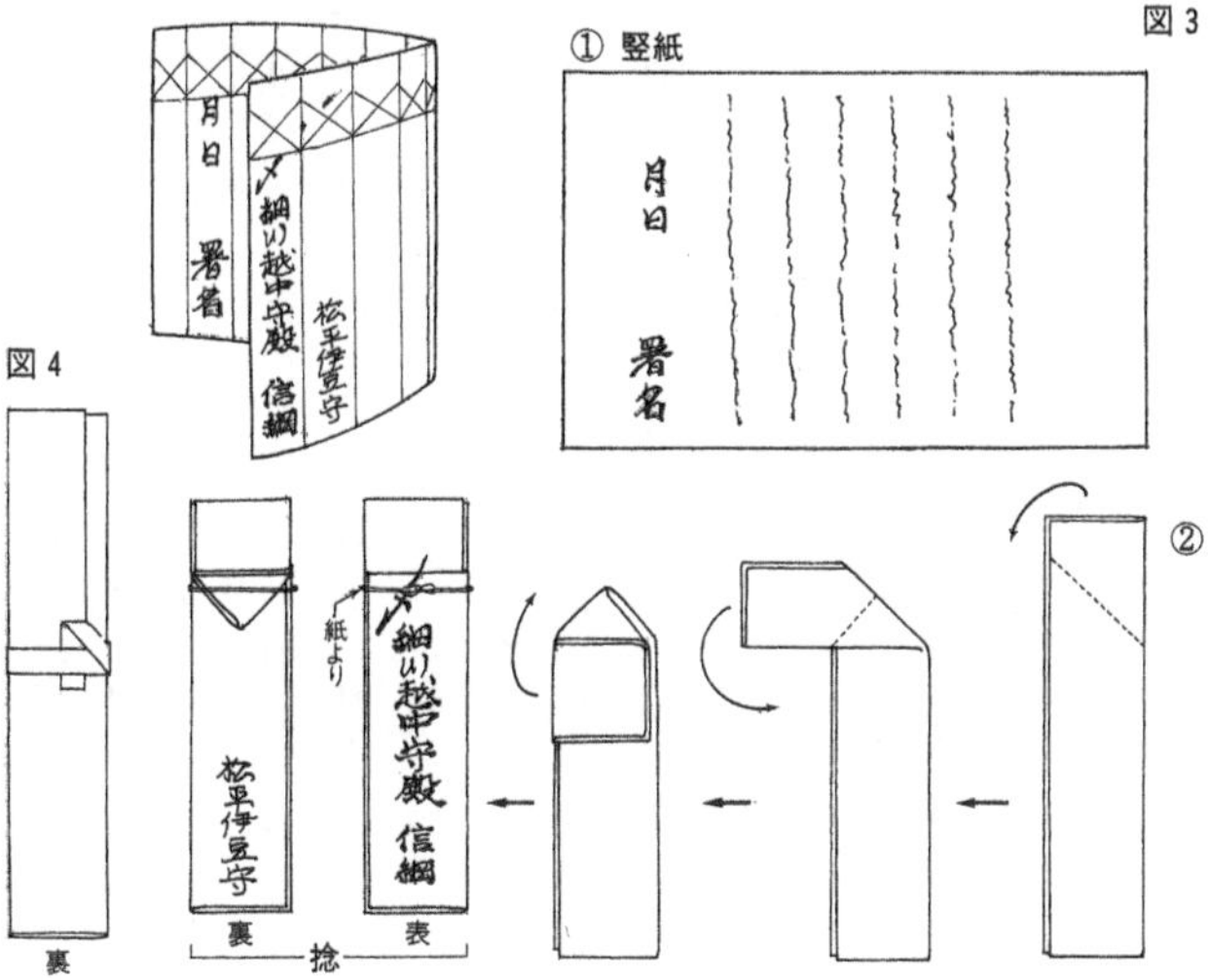

略式になると、上下に切断して書く。これを「切紙《きりがみ》」という。これをさらに左右に切断して使うときもある。これを「小切紙」という（一九三ページ写真参照）。切紙を何枚も貼りついで書いたものが、「巻紙《まきがみ》」である。

丁重な書状形式は、料紙全体を使って書くもので、「竪紙《たてがみ》」という（図3①）。他大名を茶会へ誘う場合などは、この形式が使われ、自筆で書くことが多い。

この場合、中央よりで左右半分に折ったうえで後ろから折ってきて、上部を捻って封とする（図3②）。これを捻封《ひねりふう》というが、このため、この形式の書状のことを「捻（撚）」という。

老中連署奉書（大名への指示書）は、折紙が使われ、懸紙《かけがみ》（図2）で包んで封をする。これは公的な文書であるから、宛名には「殿」が使われ、「人々御中」といったような脇付けはつけない。進物を取り次いだときなどに、老中一人だけで奉書を出すこともあるが、その場合、竪紙・折紙ともにつかわれ、宛名は「殿」である。老中が大名に私信を出すこともあるが、その場合は宛名が「様」となるので区別できる（二一九ページ写真参照）。

わざ飛脚などを立てる「態《わざと》」の別がある。その書状にも飛脚で送るか、使者を立てるかという格式の違いがあり、飛脚にも通常のものと早飛脚がある。これは、書状の冒頭に明記されることが多い。

使者を立てて行うのは、幕府や他家に対して最も丁重な書状の送り方である。その使者は書状のほかに口上を申し含められている。書状の末尾に「委細は誰々に申し含め候」とあるのは、それをさしている。ただし、使者を送るといっても、江戸にいる家臣を「国元からの使者」に仕立てて遣わすことが多い。

江戸―小倉間の所要日数は、早打《はやうち》(馬で駈《か》ける使者)で八、九日、早飛脚で十一日、通常は十三、四日で、家臣に託す場合は二十日以上かかることも珍しくはなかった。

書状を運ぶときに、事故が起こる場合もある。だから、重要な件は、重ねて出す次の書状にも書いている。書状は、相手の返事が着くのを待って書くのではない。まだ返事が来なくても、頻繁に重ねて出している。だから多いときは年間百四十通を超える。

寛永七年(一六三〇)、光尚の縁談を知らせる書状を持った飛脚が、道中でその書状を落として帰ってきたことがあった。忠興は、忠利に「縁辺の事には糸をも切らぬもの」――縁談には「切る」というのはタブーだから、その飛脚を斬ってはならぬと命じている(七月八日忠興書状)。このような事故もあるから、返事の最初には、相手の何日付の書状を入手したと必ず書き、たしかに届いているかどうかを互いに確認するのが決まりであった。

また、秀忠が病気のとき、秀忠を刀に見立て、その病状を知らせている。なにか事故があってその書状がだれかに見とがめられるのをはばかっての一種の暗号であった。しかし、このときは、にわかに取り決めたことだったので、忠興には記述の意図が伝わらず、取りやめにしている。

このように書状の往復には、かなり神経を使っていたのである。

細川忠利像〔永青文庫蔵〕

細川忠利、襲封

元和六年十月二十四日、忠利は忠興に、「緩々《ゆるゆる》と御下りなされ候やうに」——ゆっくりと参府するように、と土井利勝の指示したことを申し送った。

「下る」というのは江戸に下るという意味である。このころは江戸へいくのも、国元へ帰るのも、ともに「下る」といい、「上る」のは京都だけである。

十月四日、小倉を発した忠興は、京で、その年六月に入内《じゅだい》したばかりの秀忠の娘和子《まさこ》（東《とう》福門院《ふくもんいん》）に、京都所司代板倉重宗《いたくらしげむね》の許可を得て拝謁、その後、江戸に到着した。すぐに忠利に帰国の暇が与えられ、忠利は中津に帰った。

忠利と忠興は、交代で江戸に滞在することが多く、このころには隔年参府の慣行ができあがっている。しかし、そのつど、あらためて幕府の許可を得て参勤―就封（在国）をくりかえしており、これは寛永十二年（一六三五）に参勤交代が制度化されてからも変わらなかった。

帰国した忠利は一年間、中津で休養するはずであった。しかし、帰国早々、幕府から、忠興が病に落ちたという驚くべき知らせがとどいた。

「この度の御煩ひは、いつもに相替はり候由、付け置かる衆も申され候事候間、御越し候てお見舞ひ然るべく存じ候」――今回の病気はいつもと違うと江戸のご家臣も言っているので、（江戸表へ）お越しになるべきでしょう、と幕府年寄たちは、忠利に見舞いの参府を命じてきた。

驚いた忠利は、忠興の留守居家老たちに、船の準備ができ次第、供の者をつづけて送るよう命じ、わずかな人数を連れ、とんぼ返りで江戸に向かった。

忠利は非常に心許《こころもと》なく思ったが、方々から「忠興殿の病状は癪《しやく》（腹部の痙攣痛《けいれんつう》）によるものので、急をあらそうものではございません」と知らせてきた。江戸の知り合いたちが、それぞれに手紙をくれたのである。

この病気が忠興を気弱にしたのであろうか、再び隠居を願い、年の暮れには剃髪《ていはつ》して三斎《さんさい》宗立《そうりゅう》と号した。五十八歳であった。

忠利が江戸に着いたのは、年のあらたまった元和七年（一六二一）正月二日のことである。その日に登城し、将軍に拝謁した。

正月七日には家督相続が正式に決定、忠利はまた登城して襲封を謝した。翌年十二月には、「内記」を改め「越中守」を名乗ることになる。

隠居後の忠興

忠興の隠居にともなって、忠利が小倉城に入り、忠興が中津城に移ることになった。忠興も正月の末には回復し、忠利とともに二月には暇を与えられ、それぞれ国元に帰って準備に追われた。忠利の小倉入城は六月二十三日である。

元気になってみると、隠居の生活というのは、張り合いのないものである。とくに忠興は、自分が中津に移ってから、家臣たちが手のひらを返したように、だれひとり伺候《しこう》してこないという、思いもしなかった事態に不満を覚え、忠利を問い詰めた（九月五日忠興書状）。

――その方に家督を渡し隠居したこと、一代に一度しかないことなのに、いまだに小倉から中津に見舞いに来る者がいない。惣庄屋《そうしょうや》どもにもその類《たぐい》の者がいる。その方が命じてそうしているのか、不審だ。直接申したように、家中の上中下、侍・小者に至るまで、どうしようとその方次第だ。すでにこの祝儀のためお歴々からは使者も来ているし、しかし、これは私に関係することだから申す。私はいっさい構いはしない。目をかけてやった上方の者どもも見舞いに来て、いまもなお逗留している者もいる。扶持《ふち》を与えてない者さえこのようであるのに、同じ国にいながらいままで来ないとは存外なことだ（「国中に有りながら今迄《まで》参らざるは存外の儀かと存じ候」）。

忠興の怒りに当惑した忠利は、「沙汰のかぎりなる儀でございます。家臣たちには、私に暇を請わずに中津へ行ってよいと命じていますので、だれが伺候して、だれが伺候しなかったかをせんさくしてみます」（九月五日忠利披露状）と弁解した。

そのため、中津に、家臣たちが次々と殺到することになった。

忠興は、「こちらに用がなく、見舞わなくてもよい者まで代わるがわるに来ているようだ。その方が命じたのか。自分で考えてやっているのか。しょせん、国中の苦労になることだから、用のない者は見舞い無用である」と音をあげ、その後、「無分別にてむさとしたる儀を申し、後悔に候」（十月十三日忠興書状）と、うっかりしたことを言った軽はずみを反省している。

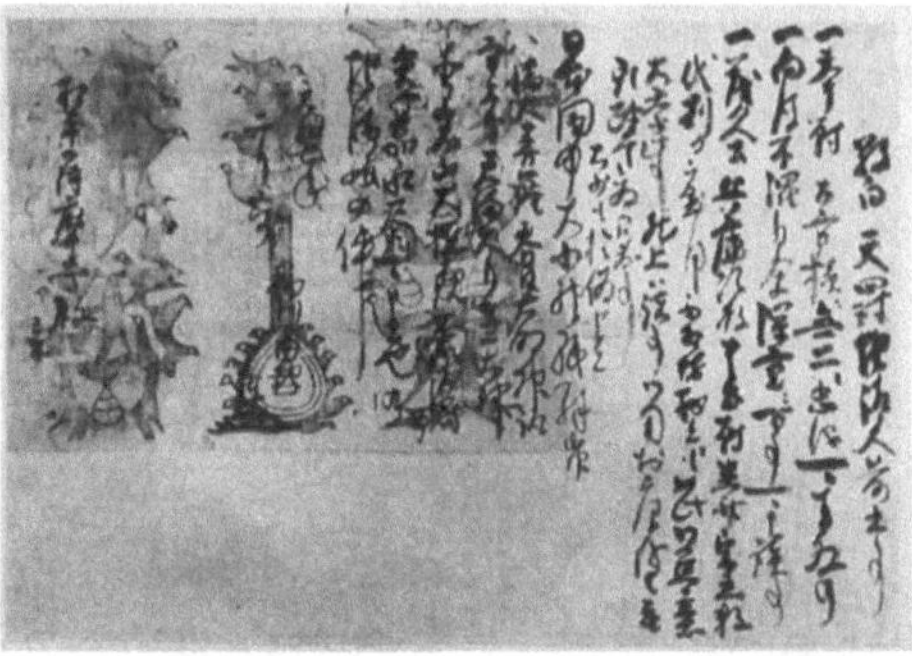

敬白　天罰起請文前書之事
一、奉対　公方様ニ無二ニ忠義可奉存事、
一、向後不混自余深重ニ万事可申談事、
一、義久公・兵庫頭殿・貴公、対幽斎・宗立数
代別而被懸御目候、不相替拙者ニも如此御懇意
大慶此事候、然上者諸事御用於被仰越者、毛
頭疎意存間敷事、
右少も於偽申者、
日本国中大小神祇、殊氏神
八幡大菩薩、春日大明神、諏
方上下、天満大自在天神、
愛宕山大権限可蒙御罰、弖
矢冥加相尽可申者也、仍
起請文如件、
元和七年　細川内記
二月六日　忠利（花押）
松平薩摩守殿
参

細川忠利起請文　島津家文書 御文書　家久公廿一〔東京大学史料編纂所蔵〕

ともあれ、忠利は、いままでの藩の機構を尊重しながら、藩主として、郡《こおり》奉行の上申書の裁可をはじめとする、さまざまな案件を決裁し始めた。

島津氏との起請文

意外なことに、このとき細川氏は、薩摩《さつま》の島津氏と起請文を取り交わしている（『島津家文書』）。大名同士のこのようなつながりは、幕府の憎むところであったが、あえて互いに親密な交際を約しているのである。

たしかに島津氏と細川氏は、忠利の祖父幽斎のときからの付き合いである。

元和六年、忠興は、江戸で忠利が友人の譜代大名を連れて島津邸に行ったことを聞き、次のような注意を与えている。

「島薩州（島津家久）へ本多美濃殿（忠政《ただまさ》）同道候由候、島津殿と余り内者《ないじや》ぶりはかたく無用に候、以来は互ひに大方《おおかた》にこれある様に仕《つかまつ》るべく候、この内証、われ〳〵は、はやとく伊兵少（伊勢《いせ》兵部少輔《ひようぶのしようゆう》貞昌《さだまさ》）まで申し候、その方も兵部まで内証申され、能《よき》かげんに仕らるべく候事」

――島津家久のところへ、本多忠政殿（平八郎忠勝の長男、播磨《はりま》姫路《ひめじ》十五万石）を連れていったとのことだが、島津殿とあまり仲のよさそうな様子を他人に見せてはならない。これからは、互いに並の関係であるように振る舞いなさい。このことを、私はもう島津家江戸家老の伊勢貞昌まで申しおいた。その方も貞昌まで内々に告げ、今後さしつかえない程度に付き合いなさい（九月十日忠興書状）。

このように、外様《とざま》大名同士の付き合いは、表立つようではいけない。とくに島津氏は、関ケ原合戦で西軍につき、その実力は幕府も一目おいていた。そのうえ、細川氏は大坂の陣のとき島津氏の監視を命じられている。そのような幕府の信頼を維持するためにも、親密な関係を悟られないように振る舞ったのである。

しかし、最後に頼みになるのは立場の同じ外様大名かもしれない。そのために、水面下では、親密な交際をつづけなければならなかった。とくに黒田や加藤ら九州の大大名と仲の悪い細川氏としては、なんとしても島津氏との友好な関係を保ちたかったのである。細川氏がことさらに島津氏の便宜をはかるのも、そのような思惑からであった。

4 忠利室の江戸居住

諸大名からの人質

慶長十四年（一六〇九）の結婚以来、忠利の室千代姫は、中津で暮らしていた。のち大名正室は江戸で暮らすのだが、慶長期には、まだ大名の妻子が江戸に詰めるという慣行はない。ましてや、忠利は世子であった。

しかし、忠利自身幼少のころから江戸で暮らしている。幕府は、大名が江戸に人質を出し、定期的に参府することを期待はするが、いまだ大坂には豊臣秀頼が健在であり、幕府としてもそのような命令を出せる時期ではない。そのため、母や妻子の江戸居住などは、大名の「自発的な意思」として個々に行われた。

徳川家への証人（人質）は、秀吉が死んだ翌年の慶長四年に前田利長が母芳春院《ほうしゅんいん》を提出したのが始まりである。つづいて堀秀治《ひではる》が子利重《とししげ》を、浅野長政が末子長重《ながしげ》を提出し、翌五年に忠興が三男忠利（光）を提出した。関ケ原合戦後は、諸大名が競って人質を提出するようになる。

証人は、当初、寺か町屋、あるいは徳川譜代の部将の屋敷に寄宿したが、江戸住まいが長引くようになると、江戸に屋敷地が与えられるようになった。慶長九年二月九日の忠興書状によると、このころから諸大名に屋敷地が与えられていることがわかる。細川氏もさっそく拝領を嘆願し、六、七番目にもらえることになった。

慶長十四年には、すでに弟正高《まさたか》を江戸に出している藤堂高虎が、妻子まで提出した。この趨勢《すうせい》は止まらないであろう。

妻子提出を誘導

元和期になると、ますます勢いがついてきた。豊臣家が滅びたからである。幕府の嫌疑を受けた黒田長政は、大坂冬の陣直後に、室大涼院《だいりょういん》、長女おとく、三男犬万《いぬまん》（長興《ながおき》）、四男万《まん》吉《きち》（高政《たかまさ》）らを江戸に出している。

細川氏にも、この情勢は無関係ではなかった。忠利が家督を継いだあと、千代姫は中津で暮らすわけにはいかなかった。

元和八年（一六二二）正月二十五日付の忠利披露状には、次のような記事がある。

「諸大名残らず妻子を江戸へ引つ越し申し候様に、その知音《ちいん》〳〵に申し候故、はやおほかた引つ越し申すになり候由、申し候間、我等も大炊殿（土井利勝）へ内儀尋ね候へば、引つ越し申し候て能《よく》候はん様に、大炊殿御申し候」

――「諸大名はすべて、妻子を江戸に住まわせるように、それぞれの知人らを通して告げられたので、はや大方江戸に引っ越してきたようである」と聞いた。そこで、私も利勝殿へ内々に尋ねてみたところ、「引っ越してもよいのではないか」とおっしゃいました。

大名妻子の江戸居住、すなわち人質提出というような幕府制度の根幹にかかわる政策が、たとえば江戸城に諸大名を集めて申し渡されるのではなく、「知音」すなわち具体的には付

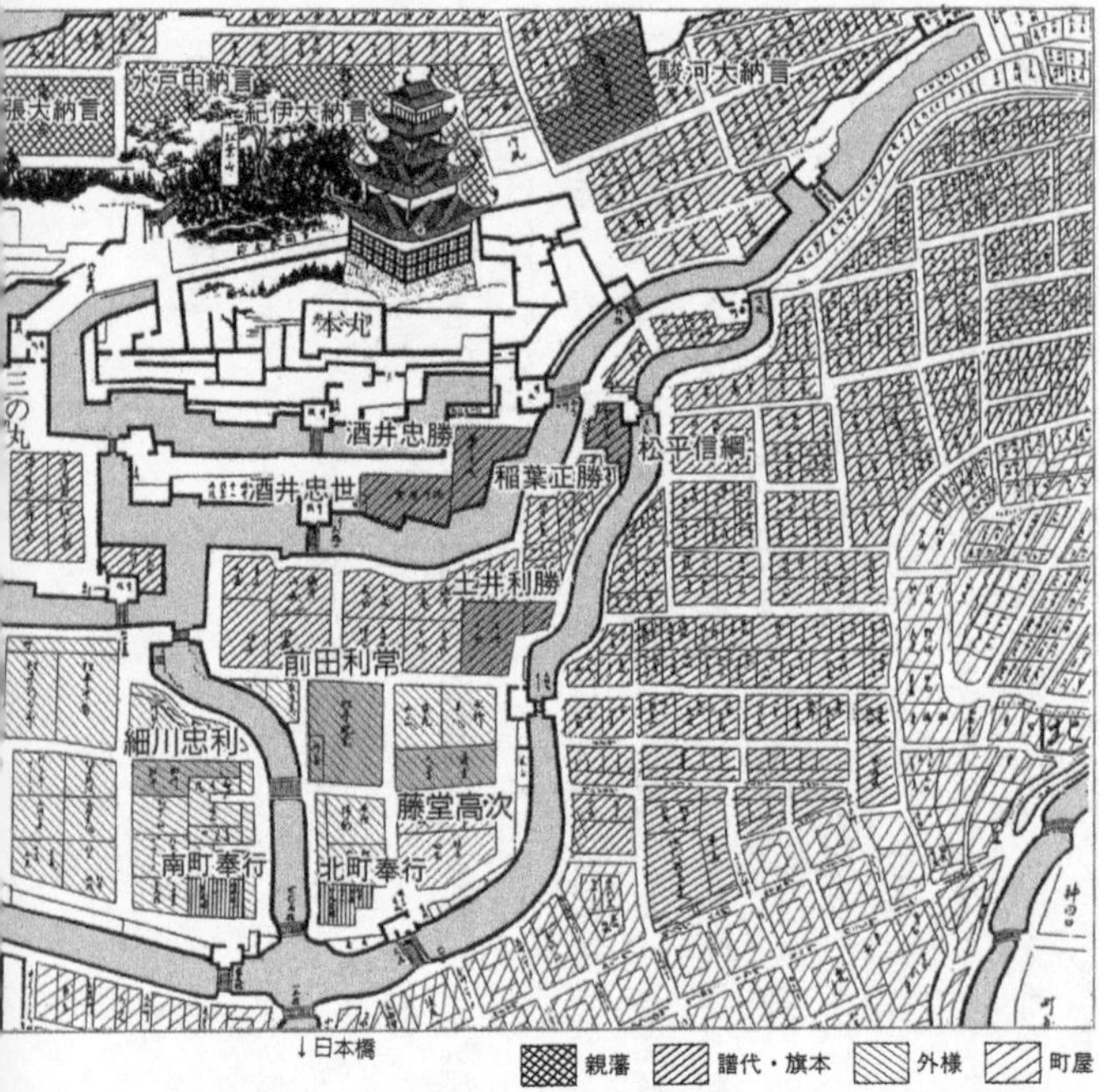

き合いのある旗本らを通して、大名たちに伝えられたのである。

いかに幕府とはいえ、なんの落ち度もない大名に、妻子を提出せよというような唐突な指示は出せない。しかしそれは、ぜひとも実現したい政策である。となると、幕府がそれを望んでいることを旗本などを介してそれとなく知らせ、有力な大名が「自発的に」従ってくれるのがいちばんいい。数人の大名が提出すれば、あとは放っておいても提出

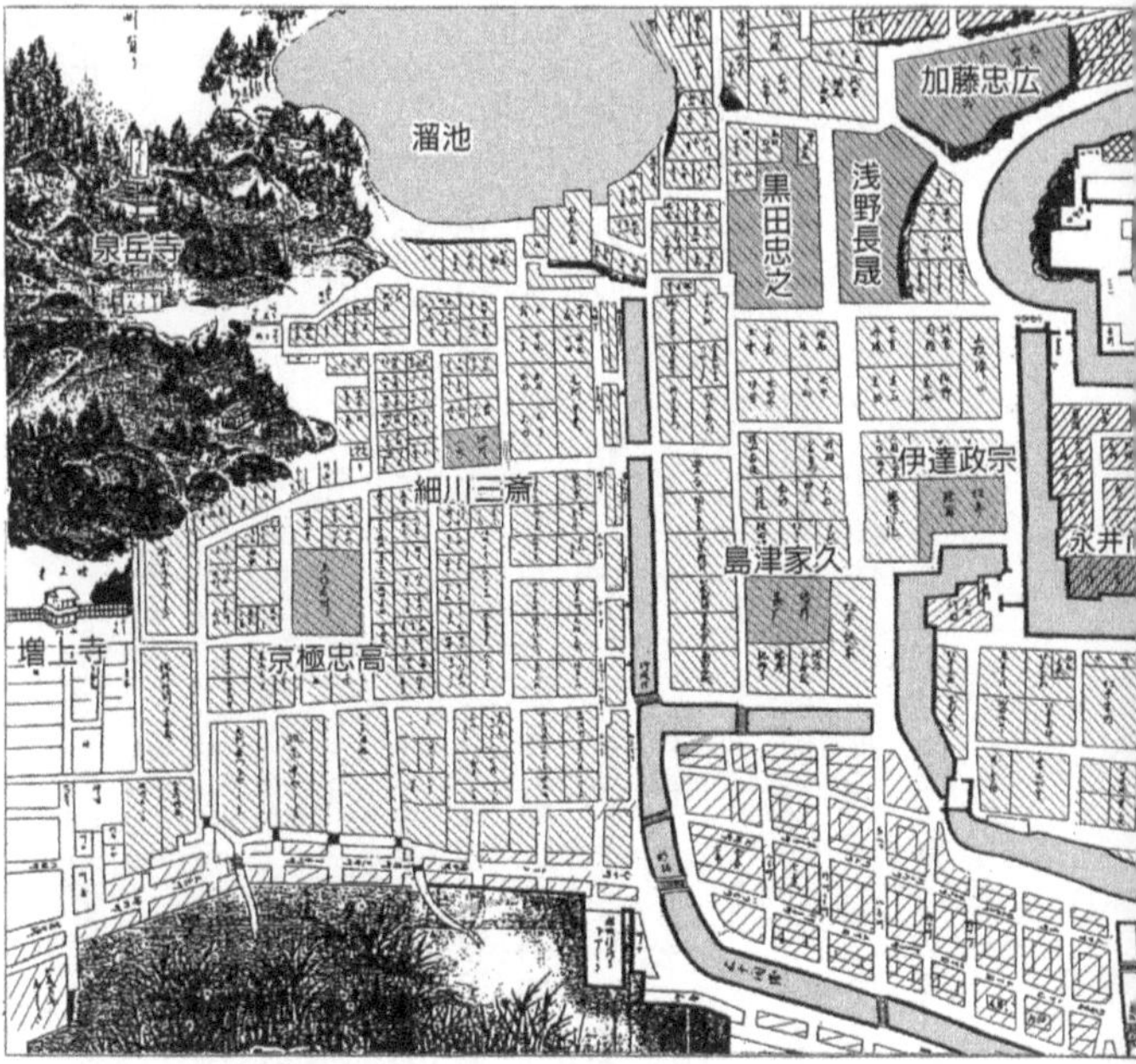

諸大名の江戸屋敷地図　『武州豊嶋郡江戸庄図』（寛永９年）による〔東京都中央図書館蔵〕

するはずだ。大名の体面をつぶすことなく幕府の望むよう振る舞わせる――これが土井利勝ら年寄の任務であった。

だから利勝が忠利にした返事も、「引つ越し申し候て能《よく》候はん」という、なんとなくあいまいなものであった。ぜひともそうせよ、というような言い方ではなかった。しかし質問した方からすれば、早晩従わなければならない、という重みのある返答であった。

大名妻子の江戸居住命令

正室を江戸に呼ぶからには、しかるべき屋敷も建てなければならない。忠利は、「当年は何とも成るまじく存じ候」と考えている。

忠利が躊躇《ちゅうちょ》した最も大きな理由は、室が病弱で、長旅に耐えられないのではないかと心配したことによる。かれらの結婚は政略結婚であったが、忠利は室を非常に大切にしている。のちに、国元から息子の光尚に手紙を送るときは、必ず「奥《おく》、気色《きしょく》如何《いかが》ござ候哉」――お母さんは元気か、と一筆入れていることでも、それがうかがえる。

しかし元和八年は、あとに述べるように非常に緊迫した年であった。幕府首脳としては、この緊迫した時期にぜひとも人質政策を実現したかった。

当時、忠利は、土井利勝を介して下屋敷拝領を願い出ており、許可されている。ところが、拝領を秀忠に言上するとき、伊丹康勝が頼みもしないのに(「我等頼みも仕《つかまつ》らず候つれども」)、忠利の意向としてこう申し上げたという。

「内々妻子をも引っ越し申すべき覚悟に付きて、下屋敷なども拝領仕りたく存じ候」

どうやら、妻子江戸居住命令は、非常に政治的な思惑のもとに出されたもののようである。将軍は知らない。土井利勝らの裏工作によって、内々に実現させようとしているもののようであった。

ほかにも「当年引つ越し然るべく」――今年、奥方を江戸に呼んだ方がいいですよ、というような助言がきている。忠利は、国元に内々引っ越しの用意をするよう命じながら、「然れども、来年に差し延べ申したく候」と忠興に述べている（八月十日忠利披露状）。

忠利、室を江戸に呼ぶ

翌元和九年、家光の将軍宣下に従って上洛した忠興と忠利は、そのまま国に帰った。そして、準備をととのえ、千代姫は十月十四日、小倉を出立することになった。

道中の付き添いとして、幕府からは伊丹康勝の家臣、小笠原家からも家臣が送られてきたが、どうも千代姫の体調が思わしくない。しかし、伊丹の家臣らは、「今之分の煩ひにては、道に罷り出候てござあるべく候哉」――今ぐらいのご様子でしたら、ご出立になってもよいかと存じます、と言う。

忠利は、「我等は、喜介殿《きのすけ》（伊丹）次第と申す筈《はず》にて罷り下り候故、留め申す儀もござなく候、多分十四日に罷り上るべきかと存じ奉り候」――私は、奥の参府については伊丹殿の考え次第というつもりですので、止めるわけにもいきません。多分、十四日に出ることになると存じます、と忠興に申し送っている（元和九年九月四日忠利披露状）。

光尚誕生と拝謁

忠利と千代姫の間には、元和五年に息子が生まれていた。忠利の幼名をとって六《ろく》と名づけられた。のちの光尚である。

光尚は中津で生まれた。のち小倉に移り、元和七年には忠利の初参府にともなわれて江戸に出ている。江戸に着いた光尚は、十二月二十一日、江戸城の大奥に上り、秀忠と御台所（お江与《えよ》、浅井氏）に拝謁する。時に三歳であった。

こんなに早く将軍に拝謁できたのは、やはり母が秀忠の養女だったことによる。秀忠夫妻にとって、光尚は孫にあたる。そのため奥で幼少な光尚の拝謁を受けたのである。光尚にとっては、前途を保証された登城であった。とはいえ、幼いかれが、江戸に下らなければならなかったのは、当時の政治情勢によるところが大きい。いかに厚遇されても、その本質は人質であった。

光尚にとって幸せだったのは、二年後には母も江戸に出てきたことであろう。その後、光尚は母とともにずっと江戸で暮らすことになる。

江戸の「宮廷社会」

諸大名が江戸に屋敷を与えられて隔年ごとに参府し、妻子は常に江戸に詰めるという体制

大名小路の華麗な景観　『江戸図屏風』部分〔国立歴史民俗博物館蔵〕

は、寛永十二年（一六三五）の武家諸法度で確立するが、もうすでにその原形ができあがっている。

封建領主たちがパリに邸宅をもち、ヴェルサイユ宮殿には部屋をもらった十六世紀のフランス絶対王政時代のように、日本の大名たちも、領地に足がかりをもちながら、江戸に屋敷をもち、江戸城の各部屋に控え席を割り当てられた。江戸城を宮殿とする「宮廷社会」が日本にも誕生したのである。

しかし、筆者が徳川時代の江戸を「宮廷社会」というのは、たんにそのような空間的類似のためだけではない。むしろ、そのような空間的特質から導きだされる、ノルベルト・エリアス言うところの次のような社会の構造、人間関係の図柄こそが、江戸時代にも特徴的なのである。

「誰もが他者に依存し、そしてすべての者が国王に依存していた。各人が互いを傷つけることができた。今日高位にある者が明日はすでに凋落《ちょうらく》の運命にあった。将来の保障などどこにもなかった。誰もができる限り高い宮廷的相場価値をもつ人との盟約を求め、不必要な敵対関係を避けねばならなかった。避け難い敵との戦いの策略を綿密に練り、自己の身分とか相場価値に応じて、他のすべての人たちに対する行動様式において、距離とか接近をこのうえもなく厳密に調節しなければならなかった」(『宮廷社会』一六四ページ)

妻子は江戸におり、大名の任務の中では領内政治よりも江戸での交際の方が重要になっていく。領地を治めるのは国元の家老に任せておけるが、幕府や他大名との交際は、大名自身でなければできない性格のものである。これは、忠興と忠利の往復書簡の内容を読んできた読者には納得できると思う。

そこで次章では、そのような「宮廷社会」の中で、それぞれの権力者がいかに生き、かれらの周辺にあった忠興・忠利父子らがどのように関わったかを見ていこう。

第二章　中央政局の変転

1　時代に遅れた悲劇の人々

忠利、初参府

元和七年（一六二一）十二月十四日、忠利は三歳になる光尚をつれて江戸に着いた。藩主として初めての参府である。それは、不穏な噂が渦巻いている動乱ぶくみの門出であった。将軍から、参府をねぎらう上使として永井尚政が遣わされた。十六日には登城して「鷹《たか》の鶴（鷹狩りで獲《と》った鶴）」を拝領、これは近々、年寄衆を招いて振る舞う予定である。

交代で帰国するはずの東国大名もそのまま江戸で越年した。大坂の陣で大活躍した越前福井の松平忠直（家康の次男秀康の長男、二十七歳）は、元和三年の上洛《じょうらく》以来、国を出ていない。これが悪い噂のもとであった。

将軍秀忠は近々西の丸に移り、本丸普請に着手するとのことであった。そろそろ将軍職を家光に譲り、家康のように大御所として政治を後見するつもりらしい。四月十七日は家康の七回忌であったが、大名が参列するかどうかまだ決まっていない。越前の松平忠直が病気を理由に参府しないことが、下々（大名たち）ではなにかと噂になっていた（元和八年正月十七日忠利披露状）。

忠興・忠利往復書状関係略年表（2）

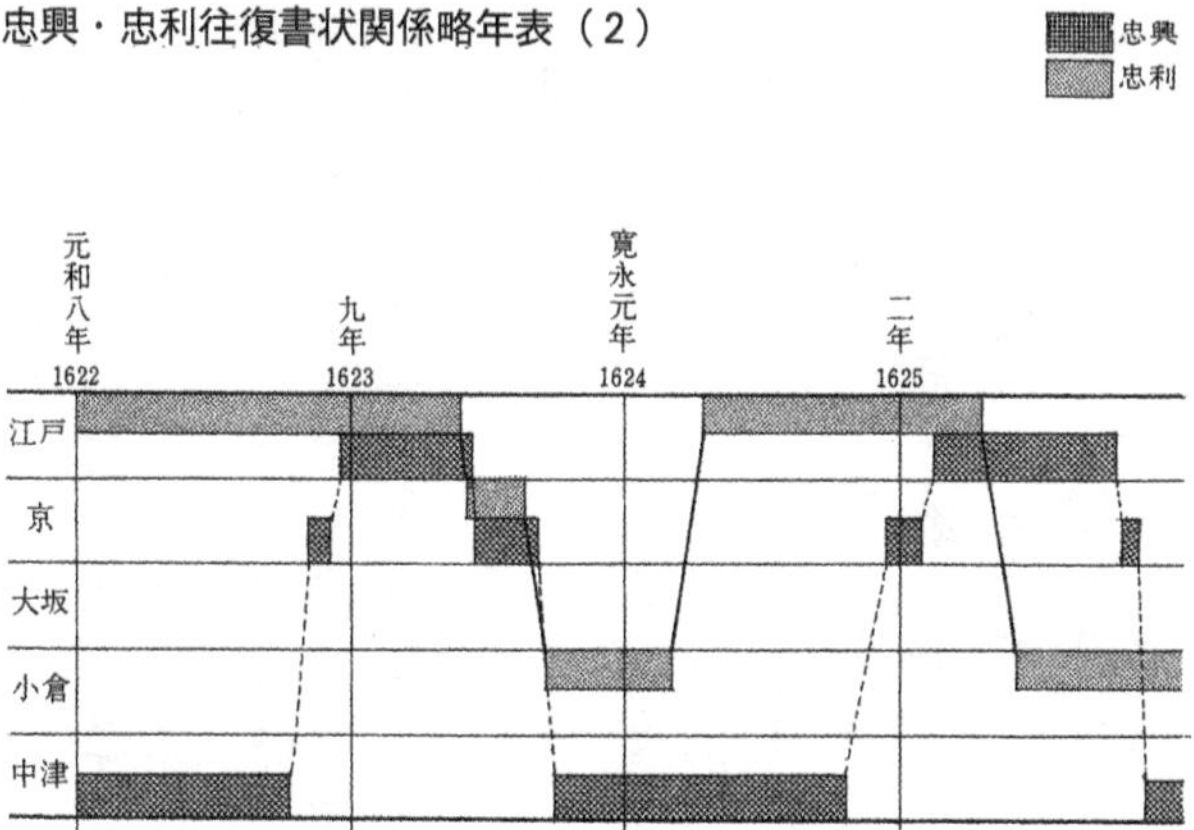

この年　黒田忠之の五百石積大船所持を小浜光隆告発。
4月27日　毛利輝元没(73歳)。
この年　忠興食欲不振に悩み、京にて静養する。
この年　忠興、甥の縁談をまとめるため尽力。
8月11日　徳川忠長、駿府城主となる。
7月27日　忠利、大坂城修理の速やかな成功を褒せられる。
10月14日　忠利室千代姫を江戸に移住させる。
9月　忠興、牢人召し抱えで忠利と摩擦。
8月4日　黒田長政没(56歳)。
5月—8月　秀忠・家光上洛。7月　家光、将軍となる。
1月10日　松平忠直、隠居・豊後萩原に配流。
12月　忠利、越中守となる。
10月5日　本多正純、下野宇都宮十五万五千石改易。
8月21日　最上義俊、出羽山形五十七万石改易。
7月　松平忠直、3月出国しながら関ケ原で参府を止める。
4月13—21日　秀忠、日光社参。

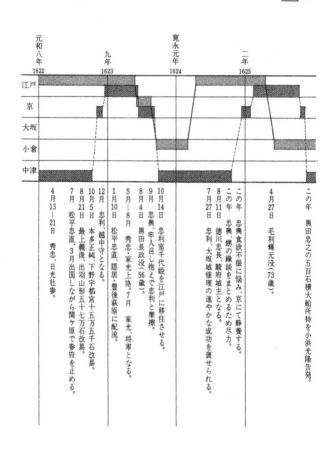

元和八年（一六二二）二月十一日、越前に使いにいった近藤用可《こんどうもちよし》が帰路落馬し、死ぬまぎわに、弟に「越前の儀、御煩ひにてござなく、日々夜々の御酒にて、跡先もなき儀」と言いおいた。これで忠直が病気でないことは伝えられたが、秀忠は、とりあえず病気ということで了承し、様子を見るつもりらしい（「先《ま》づ御煩ひ分になされ、御覧なされ候と見え申し候」）。越前に籠城《ろうじょう》の様子なども見えれば、本丸の普請どころではなくなるだろうと、大名たちも言いあっている（二月十三日忠利披露状）。

日光社参

三月下旬には、家康の七回忌にあわせて秀忠の日光《にっこう》社参が決まった。本丸普請は、石こそ集まっているが、まったく手がついていない。松平忠直が参府すれば、普請に取りかかり、東西の大名にも暇《いとま》が出るであろう、と城中では噂されている。

くだんの忠直は、三月二十一日に国を出立、一日に二里三里ずつ進んでいるらしい。しかし、元和七年初頭にも途中で引き返したから、江戸まで参府するかどうかわからない。もし、今回もまた帰国してしまうようなら、秀忠は日光から帰ったのち、五月に上洛し、大坂の縄張りを命じたあと、越前の儀についても処置されるであろう、と大名たちは取り沙汰《ざた》（噂）している。

四月十三日、秀忠は日光に赴いた。江戸で忠利が聞いたところによると、今回の社参はなぜか「事之《の》外、道すがら御用心」とのことであった。「日光にても事之外御用心にて、山をも二重三重にとりまわし、御番仰せ付けられ（中略）御供の人数も、御宮の役人かけて五、六万も」いた。このような尋常でない警戒のもとで、二十一日に江戸に無事帰着した（四月二十四日忠利披露状）。

年寄	年齢	城地	石高
酒井忠世	50	上野厩橋	95,000
本多正純	57	下野宇都宮	155,000
土井利勝	49	下総佐倉	65,200
安藤重信	65	上野高崎	56,600

秀忠時代の年寄（元和７年初頭）

松平忠直の動向

忠直は、四月十二日に関ケ原まで到着した。

鹿児島の島津家久は、年寄に使者を遣わし、「越前之儀、遠国にてたしかに承り届かず候、もし事実《ことじつ》も候《そうら》はば、ふと江戸へ御下あるべく候由」――もし越前の謀反が事実ならば、江戸に下るつもりです、と「内儀にて」申し越した。

九州の果てまで謀反の噂がとどいているのである。これは秀忠のお耳に入り、「事之外御機嫌」であったという（五月二日忠利披露状）。

その後、忠直は動かず、そのままずっと関ケ原に逗留《とうりゅう》する。

「病者につき隠居之御望み」であるとか「本々に御気ちがひ候由」で

あるとかの観測も流れるが、打つ手もなく、膠着《こうちゃく》状態になった。七月に至っても、忠直は関ケ原に逗留、江戸に詰めっぱなしの東国大名にもいっさい暇は与えられなかった。

本多正純が、島津家の留守居へ家久の参府の指示を行った。七月九日付の忠利披露状によると、次のような様子であった。

――島津家久殿は今年は国でくつろぐようにとの上意により、家老の島津久元《ひさもと》を遣わして五月にお礼を言上し、そのときも「在国するように」と仰せ出された。それなのに一昨日、本多正純殿は島津殿の留守居を呼び、「九州の大名衆は、みな江戸に参られた。細川忠興殿は、忠利殿が江戸にいるので参府が遅れてもかまわないが、島津殿は、さっそくに参府して下さい（「早々御下り候て然《しか》るべく候」）。九月の上旬に江戸に到着するようにお越しになるように」と告げた。

島津家の留守居は上意とのくい違いに当惑し、「それなら本多様より書状を遣わして下さい」と要求したが、正純は「それには及ばない。留守居より申し遣わせ」という。島津家の留守居は、「これはどうしたことでしょうか」と忠利に尋ねにきた。忠利もその真意をはかりかねた……。

ともかく在府（江戸）の大名には暇が出ず、在国の大名は江戸に呼び寄せられているのである。「国替えか、越前の儀か」――と、大名たちはみな噂しあっている。

名門最上家、断絶

七月晦日、出羽山形の最上《もがみ》家の大半の家臣が、不行跡な主君を弾劾しようとした御家騒動が裁決された。

秀忠の御意は、「最上義俊《よしとし》は、祖父（義光《よしあき》）が秀吉の時代から家康に心を寄せられ、父（義親《よしちか》）も幼少から江戸に詰めて奉公していたので、こんどについては、新しい領国を与えよう」とのことであった。

これで、話はすむはずであった。しかし、最上家中の収拾はつかず（「家中の者共、色々の儀申し候て、むさと仕りたる様子」）、最上家の家老両人は、もはや主君をもり立てていくことはできない、と言上した（八月十六日忠利披露状）。

せっかく由緒ある最上家を存続させてやろうというのに、家老がこれではどうしようもない。これを聞いて、秀忠も硬化した。「家中の者申し分あしくござ候」ということで、「最上身上も相果て申し候」——八月二十一日、ついに最上義俊は改易ということになった。

留意しておきたいのは、秀忠がいったん最上家の存続を決めていることである。そして、その大きな理由が「父も幼少から江戸に詰めて」いたことである。江戸に人質として詰めれば、城中での儀式の折節に、将軍の顔見知りとなることができ、かなり有利な立場を築くことができたことを示している。これは忠利も同様であった。

さて、十月、最上家「仕置」のため、本多正純と永井直勝《なおかつ》（尚政の父）が山形に派遣された。その留守中、全国を揺るがす人事が発令されることになる。年寄本多正純の領地召し上げである。

本多正純、悲劇の顚末

元和八年（一六二二）十月六日、忠利は忠興に、その事情を次のように伝えている。

――本多正純は、前の手紙で申し上げたように、最上へお仕置のため派遣されました。いまだ江戸に帰らないうちに、昨日、将軍が仰せ出されたことには、「正純は駿府で家康に仕えていたときから私の気に入らないことが多かった。しかし、父親の正信が私に仕え、そのうえ父家康のお側に仕えていたので、父の死後も知行を加増してやり、心を入れ替えるかもしれないと親しく召し仕っていたが、いまだに奉公ぶりがよくないので（「心をも直され候やと御懇《おねんご》ろに召し仕はれ候処、今に至り御奉公ぶり然るべからず候間」）、領地の宇都宮《うつのみや》十五万五千石を召し上げ、最上のうちの由利《ゆり》に四、五万石ほどを与える」とのこと。

権力者本多正純は、「奉公ぶり然るべからず」という漠然とした理由で、失脚したのである。正純は出羽由利五万石を辞退、翌年、出羽大沢《おおさわ》千石を与えられたが、寛永元年（一六二四)、佐竹義宣に預けられ、寛永十四年に横手《よこて》で病死した。

異例の理由説明

さしたる落ち度も見えない権力者へのこの処置は、諸大名へ動揺を与えかねない。秀忠は、土井利勝・酒井《さかい》忠世《ただよ》を有力大名に遣わし、処罰の理由を伝えた。十月十七日、黒田長政、加藤嘉明《よしあき》(伊予《いよ》松山《まつやま》二十万石)に事情説明があり、翌日には森忠政《もりただまさ》(美作《みまさか》津山《つやま》十八万六千余石)、池田忠雄《ただかつ》(備前《びぜん》岡山三十一万五千石)と忠利に説明された。そして、東国大名には帰国の暇を与えるときに直接仰せになるとのことであった。こうした事情説明のやり方も異例である。

――いつもこのような件では、諸大名を江戸城に集めて仰せになるのに、今回は面々に仰せになった。人により、仰せになることが変わるのだろうか……。と不審に思った忠利が聞かされた理由は、次のようなものであった(十月二十一日忠利披露状)。

判決の主文にあたる部分は、「上州(正純)の儀、日比御《ひごろ》奉公あしくござ候事」である。そして、その判決理由として、福島正則改易のときの行動と、正純自身の宇都宮拝領をめぐる行動があげられている。

――福島正則が法度を破って城を普請しているということが、二度、御耳に立った。「不届きであるから改易せよ」と秀忠が正純に告げたところ、正純は「尤《もっと》も」とお請《う》けをした。ところが四、五日過ぎて正純は、「福島を改易すれば、諸大名のうち十人ばかりが、福島に同情して、頭を剃《そ》り引き籠《こも》るでしょう」と言上したので、まずは改易を延期し、城の破却を命じようとしているうち、福島が江戸に参府した（元和五年四月）。秀忠は城の破却を命じ、福島もお請けした。

しかし、城の破却の仕方がなおざりであることが御耳に立ち、同年五月の上洛後、聞いたところでも、やはり不届きなありさまだったので、「たとえ、十人が福島に与《くみ》したとしても、急度《きっと》改易を命じよう」と決心し、にわかに命令を発し（六月二日）、城を受け取った。

こうして福島は改易されたが、頭を剃った大名がひとりも出なかったので、正純に尋ねたところ、証拠があることでもなかった。さては私を脅したのか、と秀忠は考えた。

さらに、かつて宇都宮の城を与えるとき、正純に尋ねたところ、「かたじけなき」との返事であった。それなのに、数年もたった今年の八月十六日になって「宇都宮は上州（正純）に似相《にあい》申さず」と直訴した。

このうえ正純を許したとしたら、なお咎《とが》が積もるであろう。そのときには、こんどは成敗せねばならぬ。しかし、父正信の奉公や家康の側に召し仕われたことを考えると、殺したくはないので、いま遠国に遣わすことにした。このほかにも不届きの儀は多いが、仰せ出すまでもない。

正純の立場

現代のわれわれの目から見れば、この処罰理由は不審である。秀忠が福島正則を改易しようとしたときの行動にしても、正純は、とりあえずお請けをし、秀忠の頭が冷えたときに撤回をもちかけたのだと解釈できる。大坂の豊臣秀頼を滅ぼしたあと、すぐに福島を改易したとしたら、豊臣系の大名の動向を気にするのは当然の配慮である。実際には頭を剃る大名がなかったとしても、状況判断として、正純の予想もありうることである。

百歩譲って実際にそのような情勢にはないとしてみても、それは正純が判断を誤った——すなわち、あまりに慎重すぎたということである。政治家としての資質は問われるかもしれないが、「奉公ぶりあしく」というようなものではない。

宇都宮城返上の件は、事情がいまひとつ明確ではないが、正純の言い方としては、自分には過大な知行であるから返上したいという謙虚なものである。これがこの年のことだとすれば、秀忠が自分を信頼していないことを感じた正純が、宇都宮を返上することによって保身をはかろうとしたのだと考えることもできる。宇都宮は十五万五千石、家康の側近から成り上がった者としては分不相応な知行であり、しかも日光の守備の要《かなめ》で、東国への押さえでもある。正純に重荷になったとしても、不思議ではない。

独断専行は、御意に入らず

しかし、このような発想法自体が、秀忠の「御意に入ら」ないのである。

将軍である秀忠が福島を改易すると言えば、そのまま改易を伝達すればよい。策を弄《ろう》して秀忠を思いとどまらせようというのが僭越《せんえつ》なのだ。宇都宮の件も同様、ありがたく拝領して、職務に励めばよい。

しかし、これはあくまで秀忠の発想にすぎない。組織を維持・運営する役目からすれば、主君の側にいる者として、主君の決断がかえって危ないと感じたら、それをなんとか思いとどまらせるのが務めである。いままでもそうしてきたし、当時もそう思ったであろう。あるいは問題は、やり方にあったかもしれない。

正純は、この年の島津氏への参府命令にも見られるように、自分の判断で事を行いすぎていた。福島正則に対して城普請を許可したのも正純である。福島がなおざりな城破却ですまそうとしたのも、正純の了解があると感じたからだった。このような独断専行のやり方は、主従の間に信頼関係がある場合はよいが、そうでない場合は疑心を招く。家康の側近であった正純は、秀忠にはうとましい存在だったのである（高木昭作『日本近世国家史の研究』）。

毒味の用心

秀忠は、正純の処分を決定する十月まで、非常な警戒をしていた。忠利が伝えるところによると、「上州と等閑《なおざり》なき者御そばに居り申し候も、人に御預けなされ候、只今《ただ》は事之外参り物など、どく（毒）の御用心きびしくござ候由」――正純と親しくしていたお側の者を人に預け、現在は食べ物なども毒の用心がきびしい、というのである（十一月八日忠利披露状）。

また、四月の日光社参のときの警戒ぶりもそうだった。永井白元《あきもと》らをひそかに宇都宮城に派遣して、「城のこしらへ」などを調査させている。秀忠が日光から帰るときも、予定の宿泊地である正純の城地宇都宮にきたとき、にわかに道中を急がせ、宇都宮をさけて壬生《みぶ》に宿泊した。このとき秀忠の側近井上正就一人が宇都宮城に入り、準備された宿泊施設を見分したという。

このような行動をみると、秀忠は、半ば本気で正純と松平忠直が呼応して謀反を起こそうとしていると疑ったのかもしれない。秀忠暗殺の陰謀、すなわち「宇都宮釣り天井事件」の話は比較的早い時期に成立している。

将軍と幕閣実力者

黒田長政は、本多正純と親しかった。というより、かれを通して幕府に取り入ろうとしていた。それが、一転して、正純と親しいことが弱点となったのだから、ひどく動揺した。しかし、幕府は、黒田家には次のように申し渡したうえで、正純の罪状を伝えている（十一月八日忠利披露状）。

「上州（本多正純）と等閑なきとて、きづかい仕りまじく候、御そばにめしつかはれ候者に別《わけ》て申し承る事は、何《いずれ》の衆も左様になくては成《なる》まじく候、少しも苦しかるまじく候」

——正純と仲がよいとて、気にすることはない。将軍のお側に召し仕われる者に特別懇意にすることは、だれであっても当然のことである。少しも問題はない。

これは、つまるところ、将軍のお側にある人物は、将軍と同一人格であって、その者と懇意を結び、その者の命令を将軍の命令のように承ることが大名の義務である、と言っているのである。逆に言えば、将軍の人格と離れがちであった正純を、秀忠が許せなかったのも当然だったといえよう。実力者本多正純の失脚は、かれの権力の源泉が将軍秀忠の信任にのみあったことを如実に示している。「宮廷社会」のなかでは、将軍の「御意に入らず」ということが致命的なことだった。

十一月十日に忠利が伝えるところによると、「黒田事、大炊殿（土井利勝）へはや取り入り申し候」ということであった。長政は、ちゃっかり、次の権力者である土井利勝に取り入ることによって、保身をはかろうとしているのである。

松平忠直、隠居・配流

さて、松平忠直であるが、結局、江戸に出てこないまま越前に帰ってしまった。越前では、十月八日、室の勝姫《かつ》（秀忠の三女）を殺そうとし、身代わりとなった侍女を斬殺《ざんさつ》した。城中は騒動し、老臣たちは相談のうえ、忠直を居室に幽閉し、交代で番をした。しかし十二月晦日には、老臣永見《ながみ》貞澄《さだずみ》一族をさしたる理由もなく、兵をさしむけ成敗させた（「津山松平家譜」）。

翌元和九年（一六二三）正月十日、忠直は二十八歳の若さで隠居し、西国に移住することを命じられた。賄料として五千石が給され、家督は長男光長《みつなが》に相続されることになった。三月、女子侍妾《じしょう》等を連れ北ノ庄《きたしょう》（福井）を出、敦賀《つるが》にしばし滞留して入道し、一伯《いっぱく》と号した。五月二日に配所豊後国萩原《はぎわら》に到着、豊後府内《ふない》藩主竹中重義《たけなかしげよし》が忠直を預かった。寛永三年（一六二六）正月二十日には府内に移され、幕府から定期的に目付が派遣される。これを豊後目付という。

もう一つの悲劇

忠直は、本来なら将軍になるべき家康の次男秀康（長男信康は自害）の長男であった。しかも、大坂の陣では、真田幸村をはじめ三千七百五十人の首を取り、真っ先に大坂城に攻め入るという殊勲をあげた。当然、新たな国郡を加増されると思っていたところ、従三位参議（大名としては破格だが、御三家よりも下）に任じられたのみである。

「自分の父は本来将軍になるべきところ、わずかに国一つを領すのみ。自分もその嫡子として家を継いだのだから、このような大功をまつまでもない。この程度の官位はもらってあたりまえ」と、将軍家の措置を憤り、凶暴さをまし、酒色にふけった。側近の者で手討ちにあった者は数知れない。

元和八年（一六二二）、関ケ原から国に引き返したのも、父の弟でさしたる功績もない秀忠に参勤することがばからしいと感じたからであろう。不満がつのったあげく、精神に少し不調をきたしていた。

当時は、必ずしも長子相続ではなかったとはいえ、兄の弟に対する権威は大きい。忠利も、藩主になりながら、廃嫡された忠隆へは非常に気をつかっている。叔父《おじ》である秀忠に対し、本来なら自分が……と考える忠直の心中は、自負心が強いだけに想像を絶するものがあろう。

いっぽう、将軍家としては、兄秀康一代の間は「制外の家」として自由にさせたが、将軍権力を確立させるためには、いつまでもそれを許しておくわけにはいかない。忠直には三女勝姫を嫁にやって気もつかっている。忠直がおとなしく参勤していればよかったが、それすら行わないようでは、もはや強硬手段を使うほか手がなかった。自分の立場を認識できなかった者の悲劇であった。

流されたあとの忠直は、人が変わったように穏やかになったという。慶安《けいあん》三年（一六五〇）九月十日、五十六歳にて没するまで、かれは豊後を離れることはなかった。

秀忠、大御所となる

こうして元和八年の危機を乗り越えたいま、秀忠は、徳川家の安定をはかるため、将軍の位を家光に譲り、政権の世襲をあらためて天下に示し、自らは大御所として政治をとるという、かねてからの方針を実現することにした。これは、父家康の方式をそのまま真似たものであった。

元和九年（一六二三）五月、秀忠は上洛する。ついで六月二十八日、日光の社参をすませた家光が江戸を出立、七月十三日に入洛し、伏見城に入った。そして二十七日、征夷大将軍《せいいたいしょうぐん》の位を譲られる。二十歳の新将軍の誕生であった。

秀忠が将軍になったのは、慶長十年（一六〇五）、二十七歳のときであった。実権が駿府に移った家康にあるのは、だれの目にも明らかだった。かれが独自の政策を実行するのは、家康の死（元和二年）後のことである。それから七年、秀忠はまだ四十五歳である。これは隠居ではなく、あくまで政権は把握したまま、将軍の位を家光に譲ったというにすぎない。

2 側近井上正就のつまずき

井上正就、出頭あがる

本多正純が失脚し、安藤重信も元和七年（一六二一）に病死していたので、翌年、年寄に井上正就と永井尚政が補充された。両者とも秀忠の側近で、将軍護衛師団長である小姓組番頭を務めていた。

すでに元和六年（一六二〇）六月二十六日、忠利は、井上正就について、忠興に次のように報告している。

「万主計殿《よろずかずえ》（井上正就）、忠興様の儀には御心入れとみえ候間、その御心得なさるべく候、弥《いよいよ》出頭あがり申し候、何も江戸中ほめぬ衆はござなく候事」

このとき正就は、大坂城普請の件について、大坂へ出張することになっていた。それにあたって、正就が忠興びいきであること、たいへん秀忠に気に入られ、今後、偉くなりそうな人物であることを、忠興に告げているのである。

正就は、天正《てんしょう》十七年（一五八九）、十三歳のとき秀忠にお目見えし、お側に仕え、百五十石を与えられた。父はもと家康の重臣大須賀《おおすが》康高《やすたか》に属した陪臣であって、家柄としてはたいしたものではない。それが、秀忠に気に入られ、加増を重ねられて、当時、一万石で小姓組番頭を務めていた。

忠興、甥のために努力

そのような人物であるから、諸大名はかれと縁つづきになろうと、かれの娘（四、五人いた）の争奪戦をくりひろげていた。黒田家の土井利勝を通した動きはすでに見たが、元和六年、細川家でも、細川興元の遺児興昌《おきまさ》に、正就の娘をもらおうと工作を始めていた。

興元は忠興の弟である。小田原攻め、朝鮮侵略、関ケ原合戦と、兄忠興に従って戦うが、その後、仲違《なかたが》いをし、小倉を出て、一時、京都で暮らす。

慶長十三年（一六〇八）、家康の斡旋《あっせん》により和解。秀忠に仕え、下野国《しもつけ》芳賀《はが》郡に一万石余を与えられる。大坂夏の陣では酒井忠世の手に属し、五月七日の決戦には忠世の子忠行《ただゆき》の軍を指揮し、自ら敵を討ち取り、首十四級を得る力戦をとげる。その功により、常陸《ひたち》国筑波《つくば》・河内《かわち》両郡のうちに六千二百石余の加増を受け、谷田部《やたべ》を居所とした。元和四年三月十八日に死去、五十七歳。十五歳の興昌に相続が認められている。

忠興は、この後ろ盾を失った若い当主のために、しかるべき縁談を調えてやろうと思ったのである。

忠興の人脈

このような場合、細川家から直接は願わず、仲介人を立てるのが一般的である。忠興は、父幽斎のときから細川家と親しい谷衛友《もりとも》と曾我尚祐に頼むことにした。

谷衛友は、永禄《えいろく》六年（一五六三）美濃に生まれ、父衛好《もりよし》とともに秀吉に仕え、数々の戦功を上げ、関ケ原の戦いでは細川幽斎の籠る丹後田辺城攻めに加わるが、ひそかに城内と内応し、戦後本領の丹波山家《やまが》一万六千石を安堵《あんど》された。いわば敵味方に分かれながら互いに気脈を通じて、両家とも戦中戦後の危機を乗り切ったという間柄で、非常に仲よく付き合っている。

いっぽう、曾我尚祐は、代々足利家に仕えた曾我氏の末裔《まつえい》で、織田信雄《のぶかつ》に仕え、のち父助乗《すけのり》の同僚であった細川幽斎の推挙により、秀吉に仕えた。慶長五年には家康に招かれて足利家の故実等を下問され、江戸で勤仕すべき旨を命じられた。知行千石。翌年から秀忠に仕え、つねに夜詰に候している。忠興は、かれから幕府内の情報などを得ていた。

この二人は、細川家とのつながりが深く、信頼のおける者たちだった。そして、くだんの興昌の父興元とも親しかったから、自然と仲介を依頼できたようである。

大炊殿次第

元和六年四月、尚祐と衛友は、さっそく井上正就に申し入れた。

すると、「方々より申し候へども、何《いずれ》も合点仕らず候、その子細は、大炊殿（土井利勝）に申し、その上、あと御耳に立ち申さず候ては、私として同心罷《まか》りならず」――いろいろな方から申し出を受けていますが、どなたにもご返事しておりません。というのは、利勝殿に申し出、そのうえで上様の許可を得る必要があり、私の一存で返事をすることはできないからです、とのことであった（四月十三日忠利・曾我尚祐・谷衛友連署披露状）。

秀忠の絶大な信頼を受けた利勝は、このころ七、八十人の大名から縁組斡旋を依頼されていた（三月晦日忠利・曾我尚祐連署披露状）。かれの権力の程を窺《うかが》うことができる。

この正就の反応は「一段宜《よろ》しき様に」見受けられたので、尚祐たちは利勝に願いの書付を渡した。利勝の感触もよく、書付を受けとり、懐中に入れた。その後、正就にも直接この件を申し入れたところ、「大炊殿次第」との返答であった（六月二十六日忠利他二名連署披露状）。

細川興昌の縁談なる

しかし尚祐と衛友の尽力にもかかわらず、正就の娘との縁談はうまくいかなかった。元和八年（一六二二）三月二十六日、尚祐より不調との返事がきている。あまりにも、競争相手が多かったためであろうか。

そして寛永元年（一六二四）、興昌は、加藤貞泰《さだやす》の娘を娶《めと》ることに決まった。

加藤貞泰は、もと豊臣系の大名で関ケ原のとき東軍に内応、のち伊予大洲《おおず》六万石に封じられる。外様《とざま》大名の興昌としてみれば、相手としては正就の娘よりもふさわしい。しかも、元和九年（一六二三）五月二十二日には父の貞泰が四十四歳で死去、十三歳の弟が跡を相続したから、新婦も興昌同様後ろ盾がない。そのへんのところが配慮されて実現した縁談だったのかもしれない。

井上正就、遭難

すでに述べたように、元和八年、正就は年寄にすすみ、五万二千五百石に加増され、遠江《とおとうみ》の横須賀《よこすか》城主となった。寛永三年（一六二六）の秀忠の上洛の際には、「両（小姓組・書院）番頭をかねて」供奉《ぐぶ》している。いまや秀忠の最も信頼する側近であった。

しかし寛永五年（一六二八）八月十日未《ひつじ》の刻（午後二時過ぎ）、江戸城西の丸において、幕府目付豊島信満《としましまのぶみつ》に脇差で突き殺されてしまう。その場にいた青木義精《あおきよしきよ》は信満を抱きとめたが、信満は腹に刀を突き立て、後ろの義精ともども刺し貫いて絶命した。将軍家光には、とりあえず「豊島信満の狂気」と報告された。

信満もその場で死んでしまったため、正就を恨みに思った理由は明らかでない。しかし、当時いろいろと噂されている。

――黒田忠之が正就の娘を嫁に取りたいと思い、信満に仲介を頼んだ。信満は、正就の内諾を得て忠之に報告したが、その後、正就が変心し、この縁談はうまくいかなかった。これを信満は無念に思い、正就の仕打ちを「事之外心にかけ」ていたという。あるいはまた、信満が千五百石加増のうえ、堺《さかい》奉行を命じられそうになったのを正就が反対し、お流れになったともいう。

これらの噂は、同時代の近い人間によるものだけに、真実の一端を物語っていると思われる。

同僚目付らのもみ消し

信満の息子主膳《しゅぜん》は連座により成敗され、信満の家屋敷が調査された。すると、いまだ蔵もあけないうちに、銀千枚余（金にして七百両以上）、小判五百両余、刀・脇差が百四、五十も発見された。ただごとではない。これに関して、忠利は、興味深いことを忠興に伝えている（九月二十五日忠利披露状）。

「何《いずれ》も俄《にわ》かにたまり申し候、御耳にも立ち申すべく候とて、其なみの衆、色々年寄衆へ才覚にて、女《むすめ》に下され候様に成りかかり候由、申し候事」

――この財産は、最近急にたまったということである。同僚の目付たちは、これが将軍の耳に入ることを恐れ、年寄に表沙汰にしないよう工作し、結局その財産はそのまま信満の娘に渡されるようになるらしい。

つまり、この調査結果が知れるにつれて、同僚の目付たちは、信満が金持ちになった理由を即座に理解した。大名たちの用を果たすことにより、金品を受けとっていたのである。そして、心あたりのある者もない者も、これが将軍に報告された場合、自分たちも疑われるに違いないと考えたということであろう。

目付の蓄財

実際、大名たちのためにいろいろと便宜をはかった場合、そのお礼をもらうことは公然の秘密であった。信満の財産のうち、刀・脇差がそれをよく示している。自分一人のために刀や脇差はこれほど必要ない。いっぽう、このような品物は、贈答用によく使われる。つまり、これは、大名の依頼をはたしたあとに進呈された品物に違いない。

これを受けとることは必ずしも不正とはいえないが、それとともに多額の金品を要求したりしていたとしたら、やはりそれは不正である。

秀忠時代においても、職務権限にかかわる進物受納は、禁止されていた。しかし、それ以外については、折々の贈答として普通に受けとっており、信満のように急に金持ちになることもできたのであろう。少々やりすぎて、正就にとがめられ、地位を脅かされる恐怖にとりつかれたのかもしれない。

信満は目付であった。目付というのは幕臣の監察を行う要職である。しかも、目付を務めたあとは、堺奉行、長崎奉行などの遠国奉行に、ひいては町奉行、大目付などに出世していくエリートである。そのかれが金品を集め、それを知った同僚がそれをもみ消そうとする……たしかにこの時期は、想像以上に金品が飛び交う時代だったようである。

細川家と旗本たち

細川家も、幕閣とのパイプ役となる豊島のような旗本の世話になっている。

細川家に助言してくれる旗本は曾我尚祐のほか、加々爪民部少輔《みんぶのしょう》忠澄と内藤外記《げき》正重《まさしげ》らがいた。加々爪は当時目付、四千五百石の知行取りで、寛永八年（一六三一）には町奉行となり、その翌年五千石もの加増を受ける。内藤は当時持弓頭《もちゆみがしら》で千九百石、大名家への上使をよく務め、のち五千石に加増される。かれらは、伊達家など他の大名家史料にもよく顔を出す人物である。

大名と旗本のつながりは重要な意味をもった。とくに幕府には知られたくない他家との紛争については、これらの旗本が積極的に働くことになる。

たとえば、忠興の台所人近藤三右衛門《さんえもん》が黒田領に逃亡したとき、忠興らは、まず加々爪忠澄に相談しようとし、「若又《もしまた》、加々爪いづかたへも御使に参り候はば、内藤外記（正重）をもつて理《ことわ》り申すべくと、別紙に状を調《ととの》へ候」（寛永七年二月二十七日忠利披露状）と、加々爪不在の場合、内藤に依頼する手はずを調えている。加々爪への信頼感が絶大であったのである。

利発な者たち

大名に出入りする旗本は、どのような者が選ばれたのであろうか。

親の代からの友人といった親密な関係にあったり、あるいはなにかの機会に知り合いになって交際がつづくというのが一般的であるが、とりわけ頼りにされる旗本は、大名からみて非常に有能だという評価があった。

萩藩が頼りにした安倍正之《あべまさゆき》という旗本は、藩主秀就《ひでなり》から、「物の当たりはやき人」と称されている（拙著『江戸お留守居役の日記』）。打てば響くように目端のきいた人、といったところであろうか。

そしてこの加々爪も、同様の才覚をもった人だった。しかも町奉行、のち大目付という、旗本としては最高の顕職についている。のちにかれが江戸の大火事の消防の指揮をとっていて不慮の死をとげたとき、忠興はこう感慨を述べている（寛永十八年二月十四日忠興書状）。

「加々爪事、扨々《さてさて》笑止千万、我々などは力を落し申し候、事の外利発、その上御用にも立つべき仁と存じ候つるに、上様もをしく思《おぼ》し召さるべくと存じ候」

——加々爪の死は、本当に残念なことで、私などは力を落としてしまった。たいへん利発で、そのうえ幕府のためにも有能な人物だったので、上様も惜しい者をなくしたと思っておられるだろう。

このように、親身になってくれるというつながりのほかに、やはりその才覚が大名に珍重されたのである。

家格・序列の貫徹

ところで書状の原文を見ると、忠興らは、かれら旗本を呼ぶのに、「加民」とか「内外記」といったように呼び捨てにしている。

黒田長政が息子の忠之に出した書状でも、

「その方文躰《ぶんたい》には、四郎二郎《しろじろう》などに殿と書き候事は入らざる儀に候、惣別（もっぱら）人の位相応の文躰よく吟味候て、調へ申さるべく候」

――その方の文章では、中山《なかやま》四郎二郎などの幕府役人に殿をつけているが、その必要はない。そうじて人の位にふさわしい呼び方をよく吟味して手紙を書くようにせよ。

と教諭している（福田千鶴「慶長・元和期における外様大名の政治課題」）。

丁重なあつかいをするとはいえ、宮廷社会においては、それぞれの家格に応じた呼称で互いの序列を確認する必要があったのである。

3　土井利勝の人心掌握法

年寄の助言の重み

幕府年寄の権力は、大名に大きな影響力をもっていた。そして、秀忠時代には、一人ひとりの年寄の権限がそれぞれ強い。あとに見るような、家光時代の合議制の権力ではない。

たとえば、大名が江戸に参府するときの手続きを見てみよう。

元和七年（一六二一）十月、忠利は、参府時期について、「父忠興が中津城に移るのが十一月上旬であるので、父に祝儀を申し上げてから国元を出発したい」と土井利勝と伊丹康勝に申し入れた。すると両人が相談して、「苦しからず候間、御祝儀申し上げ候様に」と伊丹から返答がきた（十月二十五日忠利披露状）。

のちの家光時代なら、必ず「年寄衆相談の上にて」と明記された年寄連署奉書で返事がくるところである。伊丹は勘定頭（のちの勘定奉行）だから、このような指示をする立場にはないが、ここで動いているのは、おそらく細川家の相談相手であったことと、土井利勝の右腕的存在であったことのためであろう。だからこの返答は、利勝個人の指示のようなものである。

参勤交代は、いまだ大名の義務でない。だからといって、自発的行動に任されたのでは、大名としても勝手がわからない。行きたくなくとも、何年かに一度は行かなければならないだろうし、他の大名が頻繁に行っていると聞けば、毎年でも参府しないと後れをとることになる。

たとえば、寛永六年（一六二九）五月二十一日、忠興は、一年半も帰国が許されているのに不安をおぼえ「あまりに永々在所におかせられ、空おそろしく存じ候」と述べ、これは利勝の好意ゆえだと考え、次回の参府には、なにか特別な贈り物を用意しようとしている。

このような不安がなくなるように、大名としてこうすれば将軍に気に入られるという助言をしてくれるのが、本多正純や土井利勝らの年寄であった。

ただし、その「助言」に従わなかったらどうなるだろうか。かれら年寄は、将軍の言葉を代弁する存在であるから、それは将軍への反抗とみなされるかもしれない。重ねていうが、ここに、かれらの権力の源泉がある。助言が、かれらの胸三寸によって行われるとしても、将軍の信任を受けている以上、大名たちにとってそれは将軍の意思であり、従わなければならない。

土井利勝の権勢

秀忠の寵臣《ちょうしん》であった井上正就が死ぬと、政局は土井利勝一人の観を呈した。寛永五年（一六二八）十二月十九日、参府した忠利は、一年留守にした江戸の変わりようを次のように伝えている。

「藤和泉殿（藤堂高虎）・堀丹後（直寄《なおより》）・脇坂淡路《わきさかあわじ》（安元《やすもと》）、大炊殿別して間能《よく》なり候て、方々振る舞ひにも、右の衆にてござ候由、申し候、何事三人申し合わせ、大炊殿へ申すべきと、事の外気遣ひいづれも仕る由候、弥《いよいよ》大炊殿（土井利勝）一人にてござ候」

——藤堂高虎（伊勢津三十二万石余）・堀直寄（越後《えちご》村上《むらかみ》十万石）・脇坂安元（信濃飯田《いいだ》五万五

千石）の三人が、利勝と非常に親密になって、方々の接待にも、連れ立って出向いている、と江戸城中では噂されているのである。また、三人が申し合わせて、利勝になにごとかを申し入れているというので、他の大名たちは非常に気遣いをしているという。幕府の政治は利勝一人にて決まる。そんな印象がある秀忠大御所時代の江戸城であった。

これを聞いた忠興は、「大炊殿事に候間、心に合点はめされ候はんずれども、つれ悪しく候て、笑止に存ずる事」——利勝殿のことだから、心からかれらと仲よくしているというわけではないだろうが、連れが悪く困ったことだと思う、と反応している（寛永六年正月十三日忠興書状）。

忠興も、利勝が、自分たちとあまり間柄がよくない者たちと付き合っていることに、不快の念を覚えているのである。しかし、あの利勝殿のことだから、なにか考えがあってのことだろうと、希望的な観測をする。

これほどに、利勝の動向は諸大名の注視の的であった。

藤堂高虎の奉公ぶり

先の三人は、忠興たちと同じく豊臣系の大名であった。なかでも藤堂高虎は、豊臣時代から家康によしみを通じ、外様大名としては別格的な扱いを受けていた。とくに城普請の名人として知られ、江戸城をはじめとするさまざまな城の縄張りを担当し、元和六年（一六二〇）の大坂城普請のときも、秀忠から「折々見回れ《おりおり》」と命じられている（正月十五日忠利披露状）。同年の秀忠の娘和子入内《じゅだい》などにも奔走し、忠利なども、入内につき家光の上洛があるかないかを高虎に尋ねている（二月五日忠利披露状）。

すでに述べたように、細川氏と藤堂氏との仲はよく、忠利は高虎の行動を手本にしていた。しかし元和八年ごろより、高虎と黒田長政の間柄が好転し、利勝までが長政と仲よくなったとの噂を聞いた（元和八年四月七日忠利披露状）。驚いた忠利は、高虎へ手紙など出すときも、そのことを踏まえて出して下さい、と忠興に注意している。

寛永六年（一六二九）には、利勝が内々に藤堂高虎に遣わされて「何やらん御談合」を頻繁にしており、最上（出羽山形）の国替えのことらしい、という情報があった（五月十九日忠利披露状）。高虎の動きからは目が離せない。

この件について、忠興は「いまの国主の鳥居忠恒《とりいただつね》は重病であるから、必ず国替えがあると思う」と推測している（六月八日忠興書状）。大名の国替えについて高虎が諮問に与《あずか》っているとしたら、疎遠になりかかっているだけに、忠利たちも内心穏やかであるはずがない。

しかし高虎は、ほどなく中風を患い、永の暇乞いのつもりで登城したのち、政治の表舞台から消える。このころも、小姓を呼んで、そのまま用を忘れ、眠り込むといった状態（寛永六年五月十九日忠利披露状）で、翌七年十月五日には没する。享年七十五であった。

高虎は、死ぬ前、まだ正気だったころ、領地三十二万石余のうち、長男高次に十万石、次男高重《たかしげ》に一万石、残りは「公儀次第に」と申し出た。これには秀忠も非常に機嫌よく、悪いようにはしないという感触であったという（「一般御機嫌にて、わろくはなされまじく候」）（寛永八年正月九日忠利披露状）。捨て身の保身術なのか、忠義なのか。ただし長男高次の妻は、将軍家光の筆頭年寄酒井忠世の娘だった。このような相続のときに最も力を発揮するのが有力な縁戚《えんせき》である。これは当然、計算されていたであろう。案の定、相続は認められ、高次も取り立てられることになる。

利勝、進物を受納

利勝はまた、細川家に対しても好意を示すことを忘れなかった。

寛永六年五月、利勝は、忠興から書院飾りの道具を贈られた。

「御志に候条、則《すなわ》ち留め置き申し候」――お志ですから、ありがたく頂戴《ちょうだい》いたします、と江戸の忠利に家臣を遣わし受納を伝えてきた。

これをきいた忠興は、大いに喜んで「御留め置き候て大慶だと私が言ってきたことを、利勝殿に伝えておいてくれ」と指示している（六月八日忠興書状）。大名からの進物は返納されることが多かったから、これは文字どおり「大慶」である。

そして、これらの道具は、秀忠・家光が利勝邸に御成があったとき、書院の間を飾ることになる。

利勝邸に家光の御成のあったのがこの年八月二十八日、秀忠は九月二日である。両上様のご機嫌は上々であった。

その前日、忠利は、見舞いのため利勝邸を訪問した。他の大名も大勢参上していた。それなのに、利勝は、忠利ひとりだけに、「御成の間へ通り候へ」と呼びかけた。

「なんだろう……」と不審に思いながら御成の間について行くと、御成の間には少しも絵がなく、床の上段には鳥の子紙の張付壁、そこに忠興が贈った牡丹《ぼたん》の掛け物、香台、香灯、はいおし(灰押)などの道具が残らず飾ってあった。

利勝の真骨頂

息を詰める忠利に、利勝は、「忠興殿からのお志ですし、そのうえ見事なお道具であったので、このように飾りました。掛け物の絵を鑑賞するため、床座敷には絵を描かせませんでした。ごらん下さい」と言う。忠利は「きもをつぶし」てしまった。

その場に、大名茶の総帥小堀遠州《こぼりえんしゅう》(政一《まさかず》、近江小室《こむろ》一万石余、室は藤堂高虎の養女)がいた。

利勝は、「小堀らはいろいろ絵を描かせるとよい、と申したが、この掛け物を飾るためにそれには従わなかったのだ。どうだ、これで合点がいったであろう」と小堀に話しかけた。

「このうえない首尾でありました。忠興様からもお礼状を出して下さい」と忠利は忠興に申し送った（九月四日忠利披露状）。

「それ程気に入り候つるか！　満足この事に候」と忠興も大喜びで、利勝に丁重な礼状を送った（九月二十九日忠興書状）。利休七哲に数えられる茶人忠興には、利勝の常識を超えた工夫が嬉《うれ》しかった。人の気持ちを摑《つか》むのに長《た》けた利勝の真骨頂であろう。

4　酒井忠世との対決へ

本丸筆頭年寄酒井忠世

秀忠は大御所となってから、駿府には隠居せず、江戸城西の丸で政務を後見している。いまの皇居新宮殿のある場所である。

本丸の家光と西の丸の秀忠は、それぞれ自分の年寄と家臣団をもっている。年寄は一二一ページの表のとおりであるが、この中で最も実力を持っていたのは秀忠の筆頭年寄だった利勝である。将軍は家光であるが、実際の政治権力は大御所の秀忠にあったから、当然のことであろう。

しかし、秀忠は、家光への政権委譲をスムーズに行うため、家光の地位を尊重し、なにを決めるにも、いちおう家光の意思を確認した。これは年寄についても同様で、奉書（大名への指示文書）を出す場合でも、本丸年寄と西の丸年寄が連署して発給する慣行になっていた。

その効力のおよぶ範囲によって連署の仕方はいくつかあり、本丸年寄のみ、あるいは西の丸年寄のみのほか、全員が連署するものと、双方の筆頭年寄が連署するものがあった（藤井譲治『江戸幕府老中制形成過程の研究』）。本丸筆頭年寄は、酒井雅楽頭《うたのかみ》忠世であった。

酒井家は、譜代大名中最古参の家柄で、忠世と同じく本丸年寄だった酒井忠勝《ただかつ》（讃岐守《さぬきのかみ》）は、いとこである。

忠世は家康・秀忠に仕え、元和三年（一六一七）七月、上野厩橋《こうずけうまやばし》（群馬県前橋市《まえばし》）藩主八万五千石。同八年には十二万二千五百石余に加増され、翌九年二月より家光に付属された。このとき、五十二歳。文字どおりの年寄として家光を補佐する任務を与えられたのである。

本来、忠世と利勝は同等、家格を考えれば、むしろ忠世の方が上であるように思われるが、政治的には影が薄い。もちろん文書加判の上では同等なのだが、いままで見てきたように、諸大名が頼りにしたのはほとんど利勝であった。

しかし忠世も、次の事件で細川氏が苦慮するように、なかなかの実力をもっていた。

谷衛友の遺言

忠興の友人谷衛友《もりとも》（出羽守、丹波山家一万六千石）は、寛永四年（一六二七）十二月二十三日、六十五歳で死去した。長男衛成《もりなり》、三男の衛勝《もりかつ》を失っていた衛友（次男吉長《よしなが》は徳川秀康に仕え、当時、行方不明）は、幼少な末子の宇兵衛《うへえ》（衛冬《もりふゆ》、当時十六歳）に知行を渡したいとの遺言の書置《かきおき》を残していた。

しかし遺言は考慮されず、結局、翌寛永五年（一六二八）十月、年長の四男の大学《だいがく》（衛政《もりまさ》）が領地を継いで一万石余を領し、長男の子衛之《もりゆき》に二千五百石、三男の子衛《もり》清《きよ》に二千石、弟宇兵衛には千五百石を分与した。

忠興は、すでに述べたように谷衛友とは深い付き合いで、生前、五男の内蔵允《くらのじょう》（衛長《もりなが》）を千石で召し抱えるなど友誼《ゆうぎ》をむすんでいる。衛友の死と相続の結果を遠く国元で聞いた忠興は、この遺言については「年寄衆心にさのみ相《あい》申すまじく候」――年寄衆のうけはあまりよくな

	年寄	年齢	城地	石高
西の丸	土井利勝	56	下総佐倉	142,000
	井上正就	52	遠江横須賀	52,500
	永井尚政	42	下総古河	79,100
本丸	酒井忠世	57	上野厩橋	122,500
	酒井忠勝	42	武蔵川越	80,000
	内藤忠重	43	無城	20,000
	稲葉正勝	32	無城	20,000

秀忠大御所時代の年寄　（寛永５年初頭）
＊西の丸は秀忠付き、本丸は家光付き年寄

いだろう、としながら、その内容を知っていただけに忠興には不満であった。翌六年（一六二九）初頭、忠興は、谷家の事情をさらに詳しく知って色めきたった。

——谷家の家督を継いだ大学が、女房衆に預けられていた父の書置を無理に奪い取って、自分のところに隠し、好き勝手なことをしているとのことだ。これは、直接上様のお耳に入れば改易にもなるほどのことである（「是《これ》は直《じき》に御耳に達し候はば、御改易もあるべき儀に候」）。このことを酒井忠世殿と土井利勝殿に知らせ、さては不届ものと思ってもらえるようにしたい（正月十三日忠興書状）。

親友の遺志をないがしろにする大学に対して、強い怒りがわいたのである。

御耳に立つということ

少し道草になるが、忠興が「直《じき》に御耳に達し候はば、御改易もあるべき儀に候」と述べていることに注目しておきたい。

これには、逆に言うと、年寄は事実をありのままには上様に言上しないだろうから、改易にはならないだろう、との判断がある。年寄たちが、自分たちの得た情報を、すべて将軍に言上するわけではないと、大名からも考えられているのである。

年寄たちの任務の本質は将軍への「取次」であったが、それはたんにAをAとして伝えるのではなく、aにしたりA′にしたりして伝えるところに、この時期の特質があると私は考えている。そして、それはある程度必要なものとして認められていたように思う。ここに年寄の権力操作の秘訣《ひけつ》があった。

谷家の内紛

幕府との交渉は、国元にいたのではらちが明かない。寛永五年十二月十八日、江戸の下屋敷に着いた忠利は、翌日宇兵衛の家老を呼び、事情を聞いたうえで、翌二十日、土井利勝と酒井忠世を訪問した。忠興にも詳しく知らせるため、忠興の留守居二名も召し連れている。

忠利は、このときのためにかねてから準備しており、言うべきことはすべて言上した。利勝はいちだんとよく請け負った。忠世の意向には合わないようだったが、理屈は納得してもらった（「雅楽殿気色にあひかね申し候躰に見え候へども、理屈はとくと申し届け」）。また、この応対で、大学がかねて「忠世殿がお申しになった」などと言ったことは、すべて嘘であることが明らかになった（「大学かねて雅楽殿御申し候などと申し候事、悉《ことごとく》はげ申し候」）。

大学は、酒井忠世の言葉とやらを盾にとって、いままで好き放題のことをしていたのである。しかし忠世は、いまでも大学の肩をもっていた。

忠利の言い分

事実関係でいえば、衛友の遺言では、宇兵衛は、いままでどおり父のいた屋敷に住むようにということであった。それを、大学は、家督を譲られたのだから自分のものだとし、自分の住んでいた屋敷を宇兵衛に渡そうとしていた。この点についても、忠世の説明は大学の言い分と食い違っていた。

遺領の配分についても、大学に任されたというのは嘘で、宇兵衛がもっとよい知行を取ってもいいはずであった。

財産としての二千石（三百トン、現在の米価で約八千万円）の古米は、宇兵衛に渡せというのが遺言であった。大学はこれも渡そうとしない。「今年の年貢ではないのだから、遺言どおり宇兵衛に渡すべきです」と忠利は主張した。

これは利勝も忠世も知らないことであって、これには忠世もいちだんと迷惑そうな顔をした。そこで、「古米のことは大学との示談にてすませようと考えています」と申したところ、忠世は「おお、それがよい！」と満足そうに同意した（「一段満足がりの躰にて、事の外よく御うけおい」）。

大学が父の遺言に背き、蔵の封を切り、中の財産をほしいままにしていることも、詳しく言上した。

蔵の中にあったもののうち、名物有明《ありあけ》の茶入は、すでに大学から忠世を通して家光に献上されていた。これは、言上すればするほどこちらに不利になり、しかもすでに受納されたようだから、もはや返してはくれないだろうということで、忠世には一言も言わなかった。ただし、利勝には内々に話している（十二月二十三日忠利披露状）。

おそらくこの茶入を献上するときに、蔵の中にあった名物などが、忠世の懐にも入っていたのであろう。忠世は、あくまで大学びいきであった。

酒井忠世を相手に

しかし、そのように大学の非が明らかになり、その身もあぶないぞと警告しているというのに、少しも理非も恥もわからない者であるため、一日一日と解決を延ばす。忠利は、「思し召しの外、人間の様なる仁《じん》にてござなく候事」とあきれ果てている（寛永六年正月十八日忠利披露状）。

せめて古米の件だけでもと思ったが、いくら言っても解決しない。大学を問い詰めたところ、雅楽殿より「知行高に割りて取り候へ」と言われたとふてぶてしい。大学がこのように言いたい放題のことを言う（「か様に申し度《たき》ままを申し候」）ので、調停を頼んだ加々爪忠澄に告げたところ、「今は、大炊殿・雅楽殿御相談にて御やり候」――現在は利勝殿と忠世殿が相談してやっているとと、忠世殿が言ったとのことであった。

「はじめからご両人がご存じでそうしたのであれば、私たちから御理《おことわり》するようなことはない。ご存じないということだったから、大学が私曲をかまえていると思い、御理をしたのだ。この段、加々爪より申し上げてくれ」

と忠利は怒りながら言った。

しかし、加々爪は、「現在は、雅楽殿もそのことを知ってお申しになっているのだから、私としても言いようがない」と困難なことを告げた。

「とかく只今達《たつ》て仰せられ候へば、雅楽殿を相手になされ候様に成り下り申し候間、先《まず》この分にて申し理《ことわ》らず候」

——この件を強いて解決しようとすれば、忠世殿を相手にするような形になってしまうので、とりあえずいまのままでがまんしました、と忠利はあきらめざるをえないことを忠興に告げた（十月十九日忠利披露状）。

酒井忠世があくまで大学の肩をもつ以上、細川家としてはどうしようもなかったのである。利勝と忠世は対等であり、忠世ががんばるかぎり、それをくつがえすことは困難である、というのが実情であった。

膠着状態つづく

この話は、寛永八年（一六三一）になっても解決しない。古米の件は、本来宇兵衛が受けとるべきところを、忠世の言で、知行の割合で分割することになった。屋敷の件は、伊丹康勝まで頼んで取り返そうとしたがだめで、しかも大学の旧屋敷には、衛勝の子衛清も入ることになった。家屋敷を半分に分けることはできないから、なんとか宇兵衛一人に渡すようにと交渉するが、それも不調であった。

忠興は、「親の残した財産をすべて取られ、そのうえ屋敷まで取られ、体面ある生活をすることすら困難（「罷り出《いで》候こともあまりに迷惑」）なので、よくよくご考慮下さい」と利勝に訴えている。利勝は、請け合ったが、これもなかなか実現しそうもなかった。

「屋敷を宇兵衛一人に渡せないというなら、古米を処分した代金を、分け取った者から屋敷分として出させたい、このようなこともできないのだろうか……。理があっても役にたたぬ世の中ならば、どうしようもない（「理を持ちてもやくにたたぬ浮世に候へば、別に分別仕り様もこれなく候事」）」

と、忠興は、鬱憤《うっぷん》を忠利にぶつけている（五月十一日忠興書状）。

結局、忠利らも努力はしながら、事態を静観する作戦に出た。宇兵衛が屋敷に不自由しているることがわかれば、新しい屋敷がもらえることもあるかもしれないからである。

酒井忠世の権限

この時代は、大名の参勤・嘆願などならば、取次の年寄に頼めばそれで解決した。のちの家光親政《しんせい》時代のように、年寄全員の合意は必ずしも必要なかった。改易・転封などの大きな政治判断は、年寄の意見を聞いたうえで、大御所と将軍が行う。もちろん、実質的には大御所秀忠が決定権をもっていた。

したがってそれらの問題については、西の丸筆頭の土井利勝の見解が大きな力をもった。しかし大名家の内紛の処理などは、年寄たちに委任されている部分が大きく、本丸筆頭の酒井忠世が一方に加担したとすれば、利勝も手が出せないほどの力となった。

この谷家の内紛に、それがよくあらわれている。

諸大名は、それぞれ頼りにする取次の年寄をもっており、それが利勝に集中していたのは事実である。しかし、忠世を頼む者もおり、年寄の見解が分かれた場合は、なかなか有効な解決法がない。そのような場合は、利勝も譲るしかなかった。幕政は、秀忠の主導で行われたが、個々の訴訟の処理などに関しては忠世と利勝に任され、双方の合意がないと解決しなかった。

これまで見てきたように、忠利も両者に申し入れをしている。だから、利勝が大名の人気を一身に集めていたとしても、将軍家光を後ろ盾とした忠世の存在がある以上、なんでも一人で決するわけにはいかなかったのである。

第三章　江戸の大名生活と細川氏

1　江戸城と大名

寛永四年の参府

大名たちは、江戸でどのような政治生活をしているのであろうか。寛永四年（一六二七）の忠興を例に、参府・賜暇《しか》の手続き、江戸城内外での大名同士の交際、大御所・将軍との関係を見ていこう。

寛永四年初頭、忠興・忠利とも国元にいた。前年、秀忠・家光が上洛《じょうらく》したため、忠興・忠利とも京都に上り、九月、暇を与えられていたのである。

今年は、江戸に参府しなければならない。

忠興は、例によって土井利勝に、いつごろ参府すればよいかを問い合わせた。すると、「三月ごろ中津を立てばよい。ただし、越中殿（忠利）が西国衆同様に（三月）参府するのであれば、三斎殿（忠興）は暖かくなってから参府されて結構です。越中殿が国の仕置のため忙しく遅れるようであれば、早々お立ち下さい」との返事であった。

忠興は、「私は此方（中津）になんの用もいっさいない。去年在京のときから、其方を在国させ、私が代わりに参府するつもりだと、内々申していたとおりだ」と、できるだけ忠利

忠興・忠利往復書状関係略年表（3）

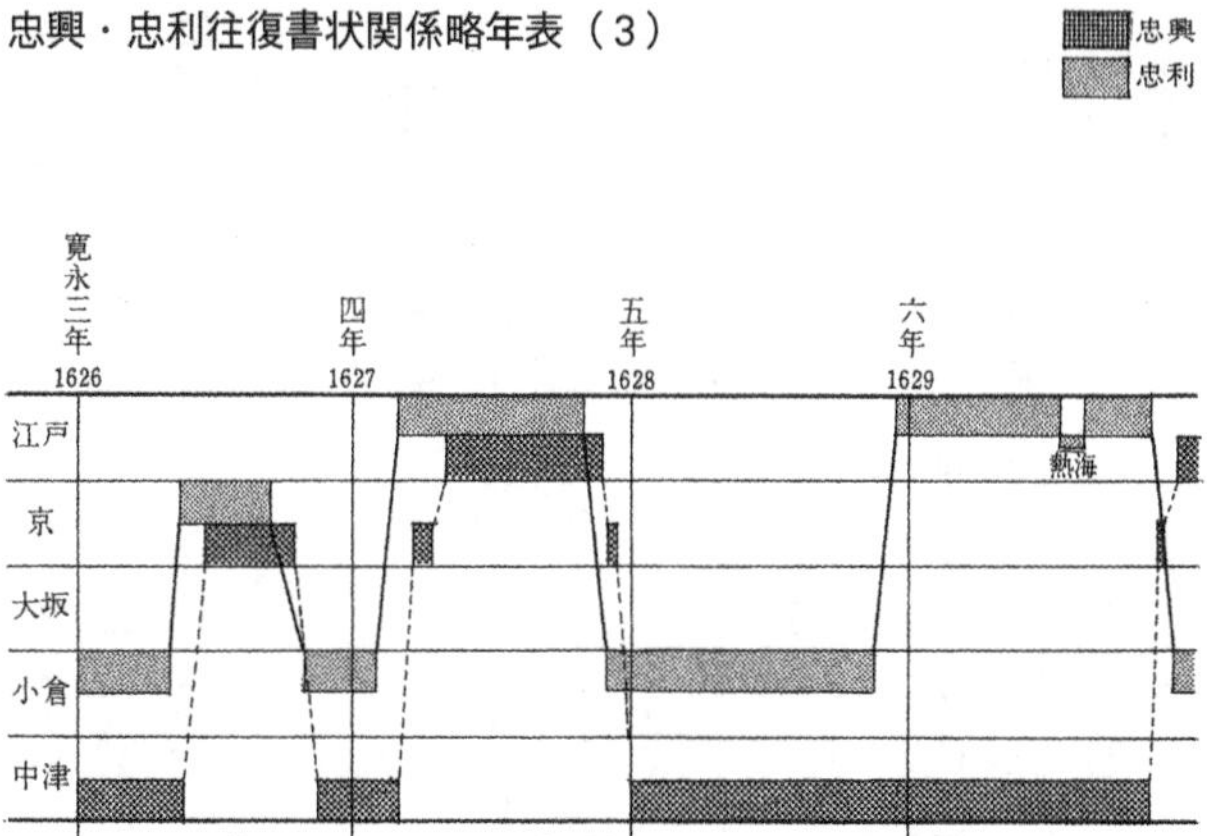

7月—10月　秀忠・家光上洛。

3月　忠興、眼病と癪を患い京に逗留。

7月　忠興、数寄屋の御成を辞退。

9月　忠興、能を興行。忠興「邯鄲」光尚「夢の舞」を舞う。

12月23日　谷衛友没。忠興、遺言の実行のため尽力。

8月10日　大御所の年寄井上正就、西の丸で斬殺される。

この年、忠興、江戸城普請の助役に隠居領の負担を拒否。

閏2月　家光疱瘡。忠興、国元の宇佐八幡に祈禱立願。

6月　江戸に辻斬り横行。辻番所を設置する。

8月　土井利勝、家光の御成に忠興寄贈の書院飾りの道具を飾る。

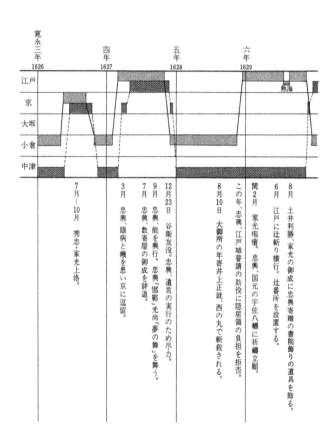

が長く国元の政治に当たれるよう配慮した（正月十八日忠興書状）。

しかし、忠利は、二月五日に小倉出船（大坂までは海路をとる）と決め、忠興にそのように申し送っている。父に甘えて参府を延ばすようなことはけっしてしない人物である。二十八日には江戸に着き、三月朔日《ついたち》、秀忠・家光に拝謁している。

忠興の参府遅れる

三月、忠興も京都まで着いたが、目を患い、少しよくなっていざ江戸に出立しようとすると、こんどは癪《しゃく》が差し出してきた。医師の通仙院《つうせんいん》（半井成信《なからいなりのぶ》）の診察を受け、だいぶよくなった。道中再発しないぐらいによくなれば出発するつもりであるが、参府の時期は当初の予定より大幅に遅れることになった。土井利勝らは、長く京都に逗留《とうりゅう》していることを、さだめて不審に思っているであろう。

忠興は忠利に、

「此由、大炊殿（土井利勝）をはじめ加々民（加々爪忠澄）・内外記（内藤正重）、その外我我等閑《なおざり》なき衆へ御申し候て給《たま》ふべく候」

と申し送っている（四月五日忠興書状）。

忠興は隠居の立場であり、大名ほどその行動を制約されてはいない。しかし、参府が遅れるのは、幕府によけいな疑心をいだかせるし、それ以上に他の大名らの噂がこわい。なぜ参府しないかを口々に穿鑿《せんさく》するのである。たとえ本当に病気であっても、仮病であると噂されることもある。

だから、土井利勝にきちんと理由を説明しておくとともに、「等閑なき衆」――親しい友人たちにその旨を知らせ、妙な噂があったときには訂正してもらわねばならない。大名たちは、このようにその行動をいちいち弁明しなければならなかった。悪い情報は、命とりになりかねない。

江戸到着のあと

四月十四日、忠興は京都を立ち、二十七日、江戸に着いた。普通ならすぐに秀忠・家光に拝謁することになるのだが、体調はまだよくないし、家光も病気であったため、しばらく拝謁がかなわない。しかしそのまま二十日もたつと「御目見え仕らず候へば、何共きうくつに御入り候」――なんとも気づまりだ、ということで、五月十八日にせめて秀忠の拝謁だけでも受けようと土井利勝に談合している（五月十五日忠興書状）。

拝謁は、年寄が「誰々が参府しました」と将軍へ披露し、将軍が上使を派遣して道中をねぎらい、大名がお礼に江戸城に参上するという形でなされる。細川家の場合は、幕府も好意を寄せているので、江戸屋敷に着くとすぐに将軍の御耳に立ち、翌日、呼ばれることが多い。しかしこのときは、忠興の体調が悪いため、利勝らが配慮して、忠興の江戸到着を秀忠らに披露していなかったようである。

このような儀礼的な拝謁は、表の世界でのできごとであり、江戸に着いていても、正式な言上がないかぎり、江戸にいないものとして扱われる。「何共きうくつ」というのは、その間、公然と姿をあらわせない宙ぶらりんの状態にあるときの実感であろう。

建前と実際

逆の場合もある。寛永二十一年（一六四四）六月、萩藩主毛利秀就（三十七万石）が暇を与えられ、九日に江戸出立と届けた。ところが急に腹を患い、江戸にしばらく留《とど》まることになった。

六月二十九日、かねて願っていた三田尻《みたじり》港の船入り拡開許可の老中奉書が来た。このとき、江戸留守居の福間《ふくま》彦右衛門《ひこえもん》は、すでに九日出立を届けているから建前では藩主不在なので、「追々御国より請状《うけじょう》が参る筈《はず》」と辻つまをあわせて答えている。正式な出立届けをした場合は、あくまでそのように振る舞わなくてはならず、幕府は事実を知っていてもそのように扱ってくれる。

これには後日談がある。秀就の病気が長引いたため、老中も見て見ぬふりができなくなった。一ヵ月以上たった七月十三日、「腹中煩ひにて逗留」のことが上聞に達し、将軍から見舞いの上使が派遣される。翌日、彦右衛門は、秀就の在江戸が明らかになったからと、三田尻の件の奉書の請状を松平信綱《のぶつな》まで持参している（萩藩『公儀所日乗』）。日付はおそらく老中奉書の日付の翌日にさかのぼっていたであろう。これで萩藩が叱責《しっせき》されたわけでなく、事実を訂正して、また元どおりの生活が始まるのである。

外様国持大名の登城

外様《とざま》国持大名が江戸城に登城するのは、正月二日、五節句（人日《じんじつ》・上巳《じょうし》・端午・七夕・重陽《ちょうよう》）、八朔《はっさく》（八月一日、家康の江戸入国の日）、嘉定《かじょう》（六月十六日）の祝日のほか、毎月一日、十五日の定例の登城日である。

江戸城での詰席が公式に発表されたのは、万治《まんじ》二年（一六五九）、明暦《めいれき》大火で焼けた本丸御殿が再建されたあとだから、寛永期の諸大名詰席は正確にはわからない。だが、国主・城主・万石以上という序列は存在しているし、外様・譜代の別もあったから、のちの大名詰席と同じように、序列に応じた部屋が与えられていたであろう。

たしかな史料でこの時期の部屋の使い方を概観すると、ふつう将軍が大名を召して申し渡しをするのは、「白書院《しろしょいん》」か「大廊下」が使われる。たとえば、寛永十六年七月四日、ポルトガル人追放を伝えたのは白書院で、万石以上がみな登城し、将軍も出御した。同年八月九日に忠利ら九州の有力五大名に沿海防備を命じたのは、大廊下である（このときは老中が申し渡した）。

幕府役人、たとえば番頭などに仰せを伝えるのは、より将軍の御座所（中奥）にちかい「黒書院《くろしょいん》」が使われる。将軍が特定の人物を呼び出すのは中奥の「御座の間」で、長崎に派遣される上使などは、ここで直接申し渡しを受ける。

老中などの役職にある大名は、毎日、江戸城の御用部屋に詰め、譜代大名は交代で部屋に詰めているが、外様大名にはその義務はない。鷹《たか》狩りにでも行くのでないかぎり、江戸の中では自由であった。ただし、大御所や将軍が病気ということになると、連日一、二度と登城し、西の丸や本丸に詰めることになる。

正月の御礼、勅使や朝鮮通信使の接待などには、大広間が使われる。また、寛永十二年の武家諸法度の申し渡しも、全大名を集めて大広間で行われた。大広間は、幕府の行事において、もっとも重要で、晴れがましい部屋であった。

大広間で家光親裁

このほか、この時期の大広間で特徴的なことは、将軍の親裁が行われることがしばしばあったことである。たとえば、朝鮮への国書偽造事件である柳川《やながわ》一件は、寛永十二年三月十一日、大広間に対馬藩主宗義成《そうよしなり》と家老柳川調興《しげおき》が呼び出され、直々に対決（審問）が行われた（田代和生『書き替えられた国書』）。

このときの大広間の座配《ざくばり》（一四一ページ図参照）は、大広間中段に家光がすわり（取次の者の言上をよく聞くため、上段にしなかったのだろう）、同じく中段の向かって左に大老・年寄らが、右に御三家、伊達、前田、島津ら中納言以上の大名、下段左に譜代大名の歴々、右に越前家、毛利、細川、鍋島以下、西国衆・東国衆がならび、松の間には旗本千石以上の者が着座した。対決は公開され、国持大名をはじめとする諸大名がすべて登城し、それぞれの役職・出自・家格などによって、整然とした座順が決められていることがわかる。

この大広間での対決は、大名処分が恣《し》意的なものではなく、事実関係の厳密な調査と当事者の主張の聞き取りによって判決が行われることを諸大名に示したものであった。翌日、宗義成は土井利勝邸に呼ばれ、「領地・諸事、前々のごとく」と無罪を申し渡され、柳川調興は松平信綱邸で津軽《つがる》への流罪を申し渡された。

判決そのものは、朝鮮との国交継続を意図した政治的なものであった（田代、前掲書）が、幕府は「公儀」としての立場を明確にし、そこに列席した諸大名も「公儀」の構成員としての地位を認められていたと言うことができる。

なお、江戸城内の警備は、書院番・小姓組番の両番の士が交代で行い、譜代大名も各部屋に交代で詰めていた。厳重なものだったと思われるが、寛永十二年（一六三五）十一月には、次のような驚くべき事件が起きている（十一月三日忠利披露状）。

「二、三日以前に、御城中歴々の御番所を通りぬき、知れざる侍御居間まで参り候を、つかまへ候へば、黒田者の由に候」

黒田家の家臣が、江戸城内の将軍の居間（御座の間）まで侵入したというのである。城内に「歴々の御番所」があったことなど貴重な記録となっているが、広い城内のこと、突然乱心して廊下や各部屋を走り抜けるのをつかまえるのは、けっこう難しかったのかもしれない。

素人能の好きな将軍

正月三日夜の御謡初《おうたいぞめ》をはじめとして、江戸城の各種儀式でも能が演じられることが多いが、各大名家でも娯楽のため能を興行し、仲のよい大名を招いた。

大御所や将軍の御成のときは、能を興行する。また、翌日には年寄らを招いてねぎらいの能を演じさせた。

秀忠は、心底能が好きで、とくに喜多《きた》七太夫《しちだゆう》長能《ながよし》（喜多流の祖）がお気に入りであった。

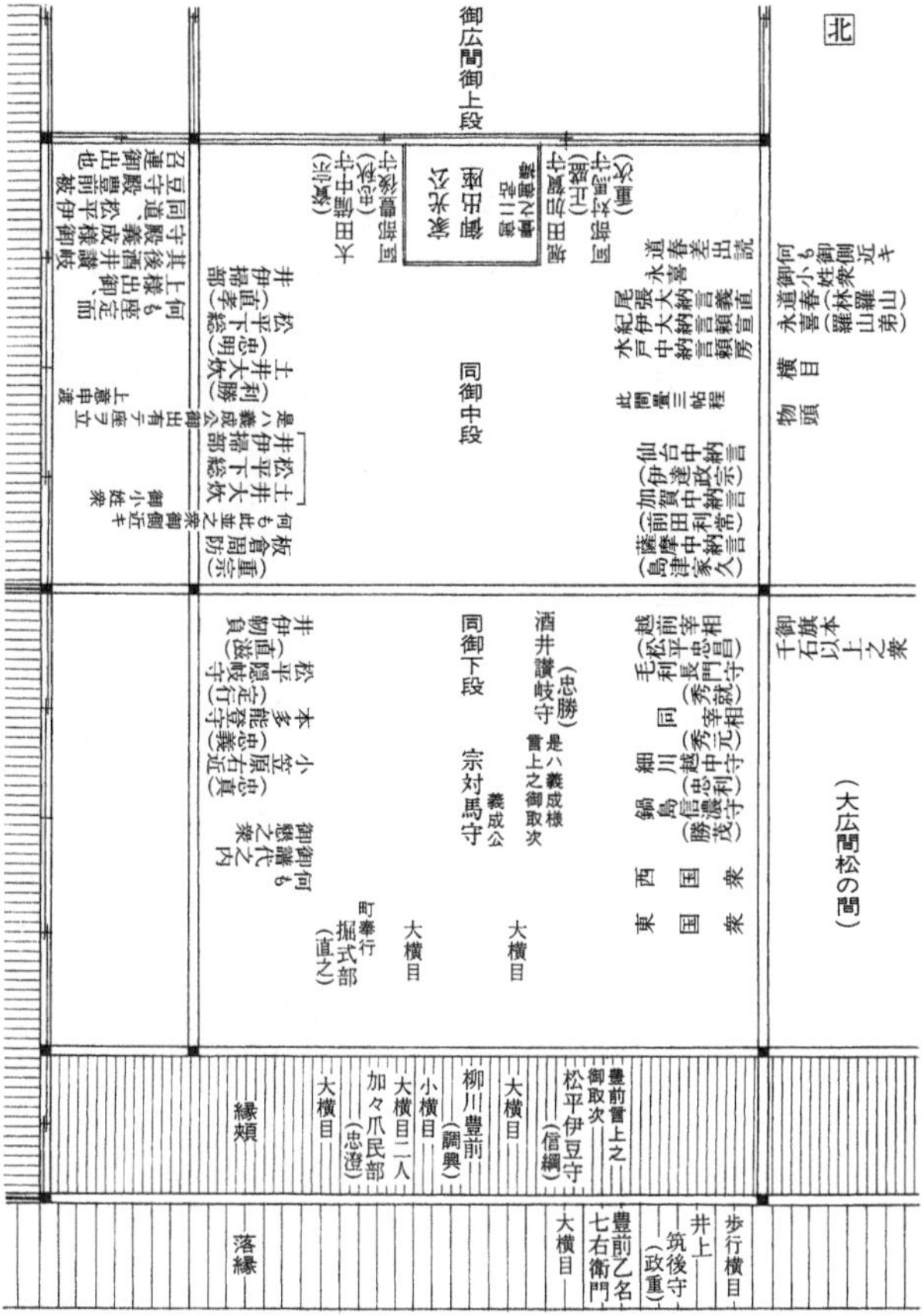

家光親裁のときの大広間座配　「公事対決之御座配絵図」〔東京大学史料編纂所による〕

忠利らも七太夫をひいきにしており、寛永六年の在府時には、たびたび七太夫を招いて演じさせ、その芸風は「弥《いよいよ》和《やわらか》にふかくなり候」と感嘆している。

いっぽう、家光は、能を見る機会が多すぎていささか食傷気味で、正式の能よりも、家臣や大名に演じさせる素人能が好きであった（表章「北七太夫長能をめぐる諸問題」）。

当時の大名たちも素人能を好む者が多く、よく演じている。寛永四年も九月十四日に忠興が能を興行し、森忠政らが訪問した。このとき忠興は、「邯鄲《かんたん》」を舞い、孫の光尚（九歳）には「夢の舞」を舞わせている。

カラオケなみの能稽古

現在の能は位があがり、当時の能に比べてはるかに重々しいという。当時は、もっと軽妙で、気軽に楽しめる娯楽だったようである。こうした能の興行などを政治の場にあまり引きつけて考えるのはよくないが、仲のよい者同士の懇親の場として大きな意味があった。とくに家光の素人能に招かれることは、将軍と個人的に付き合えるわけだから大名にとって非常に大きな意味をもつ。

秀忠の死後、家光は、長府の毛利秀元《ひでもと》や久留米《くるめ》の有馬豊氏《とようじ》らお咄衆《はなししゅう》とした大名たちを江戸城に招き、能を演じさせている。このような将軍との親密さがあったから、支藩主である毛利秀元が本藩である萩藩に反抗しても、本藩から手が出せなかったのである（拙著『江戸お留守居役の日記』）。忠興や忠利も、秀元らとともに招かれて、江戸城で舞ったことがある。

将軍の近臣も同様で、命じられれば、たとえ不得手でも舞わねばならない。

寛永七年（一六三〇）六月、永井直清《なおきよ》（尚政弟、のち山城長岡《ながおか》二万石）と浅野長重（浅野長政三男、常陸笠間《かさま》五万三千余石）は、家光の前で舞うよう命じられ、練習するため下屋敷の能舞台を貸してくれと忠興に頼みにきた。

快く貸した忠興は、あるとき練習風景を見て、「伝十《でんじゅう》（永井直清）能、上り申さず候」――直清はなかなか上手にならない、と苦笑している（寛永七年八月二日忠興書状）。カラオケ好きの上司に誘われ、しかたなく練習しているサラリーマンのようなものである。

能役者たちを叱責

大御所や将軍が率先して能に狂っているのだから、大和四座（観世《かんぜ》・金春《こんぱる》・金剛《こんごう》・宝生《ほうしょう》）に組織された当時の能役者たちは、引く手あまただった。幕府から扶持《ふち》をもらい、大名家からも扶持をもらい、そのうえ、多くの援助を受けた。

いきおい、その態度も尊大なものになる。武士のように道具を持たせて行列し、武士に対しても慮外な振る舞いをするようになった。

身分序列を重視する年寄酒井忠世は、これに腹を立て、
「六、七人もさやうのもの、島へ遣はされ候はば然《しか》るべき」
――六、七人もその手のものを流罪に処してやればよいのです、と将軍に申し上げた。そのうえ、能役者たちは諸大名から物を取り、金持ちになって、屋敷も京都で並ぶ者がいないほど豪奢《ごうしゃ》なものだという。

忠世は「沙汰《さた》の限り」――とんでもない振る舞いだ、と激怒していたが、これを受けた家光は、自分が後援している手前、あまり厳しい処置はとりたくない。

そこで、「慮外の段は曲事《くせごと》に思《おぼ》し召し候、方々へ参り、物などもらひ候儀は、むかしよりその分に候間、その段はかやうにも仕るべく候、おごり候段曲事」――慮外な振る舞いはけしからぬと思う。方々へ招かれ物をもらうことは、以前からそうして生活してきたのだから、しかたがないだろう。奢《おご》りはけしからぬ、と言明し、それですませることにした（三月五日忠利披露状）。忠世への義理で出された仰せである。

観世新九郎《しんくろう》（豊勝《とよかつ》）などは、一町四方の屋敷を構え、石垣を築き、金銀の間をつくるなど、たいした結構であった。これは黒田忠之が建ててやったということで、新九郎が譴責《けんせき》されれば、黒田も不調法ということになるであろう。家光としては、そのような処罰は本意ではない。ただこのような仰せを出したことによって、少しは能役者の奢りがおさまればそれでよ

日　時	招　待　者
7月16日	浅野長晟・杉原長房・平野長泰・浅野長重・木下延俊・妻木之徳・忠利
7月27日	板倉重宗・久貝正俊・加々爪忠澄
8月9日	稲葉正勝・榊原職直
8月16日	浅野長重・木下延俊・平野長泰・朽木元綱
10月15日	浅野長晟・森忠政・杉原長房・平野長泰・忠利
?月18日	立花宗茂
?月19日	土井利勝・板倉重昌・島田利正・伊丹康勝・松平正綱

寛永４年の忠興茶会　　＊『細川家史料』による

かった。

江戸での茶会

隠居後の忠興は、三斎宗立としての生活を楽しんでいる。他大名との交際は、茶会に招いたり、招かれたりというのが多い。

寛永四年七月の盆過ぎには、安芸《あき》広島藩主浅野長晟《ながあきら》（浅野長政次男、四十二万六千余石）を茶に招き、忠利も呼んでいる。相客として杉原長房《すぎはらながふさ》（但馬《たじま》豊岡《とよおか》二万五千石、室が浅野長政の女《むすめ》）・平《ひら》野《の》長泰《ながやす》（五千石、もと豊臣秀吉の家臣）・浅野長重が呼ばれ、勝手へ（つまり接客側に）細川家と親しい木下延俊・妻木《つまき》之徳《ゆきのり》（千石、もと織田信長家臣妻木貞徳《さだのり》次男）らを呼んだ。

茶会は、あくまで懇親のためだから、親しい友人を選んで主客とし、その接待にふさわしい人物を相客にして行う。また、儀礼的に呼ぶ場合もあるが、これもその人物と親しい交際を望んでいるからである。

茶会では、政治的にはあたりさわりのない話が多かったと思われるが、世間話の中に高度に政治的な噂が出ることもあり、気安い者同士の情報交換の場になっていた。年寄を招いたり、年寄に呼ばれたりといった場合は、その年寄との関係を深めるための重要な場である。忠興の場合、利休七哲の一人という声望と隠居の立場であるという気安さのため、招くと土井利勝らでもきてくれる。これは、大きな政治的財産となった。

この年の在府時に招いた客は、外様大名では浅野長晟・森忠政・立花宗茂《たちばなむねしげ》（筑後《ちくご》柳川《やながわ》十万九千六百石）、幕臣では、稲葉正勝・伊丹康勝・榊原職直・加々爪忠澄らで、木下延俊・妻木之徳・朽木《くつき》元綱《もとつな》（隠居料三千二百四十石、もと足利義昭《よしあき》家臣）らは、客というより家族同様の付き合い方であった。

茶会はよく開かれるが、それほど交際の範囲は広くない。ただし、幕府の要職にある者とは意識して交際しようとしており、京都所司代板倉重宗と大坂町奉行の久貝《くがい》正俊《まさとし》が江戸に帰ったときは、両人をさっそくに茶会に呼んでいる。かれらの任務をねぎらうとともに、西国の情勢を聞こうとしたのであろう。

ぜひとも数寄の御成を

この年七月二十三日、忠興が土井利勝邸を訪問したとき、伊丹康勝から「数寄《すき》の御成《おなり》をなさるように（将軍を茶に招いて下さい）」と勧められた。

「さやうの儀は誠に忝《かたじけな》き儀たるべく候へども、我等家にては一切なり申すまじく候、中々念もなき事」――それはまことにかたじけないことですが、私の家（のような粗相な所）ではとてもできません、いたらないことですが……、と忠興は断った。

するると伊丹は、翌日の晩、忠興の家を訪れ、台所まで見て回り、「これにてもなるべく候、ぜひとも御成仕り候へ」――これでも十分できますから、ぜひともおやりなさい、と勧めた。

忠興は不審に思った。「いな事と存じ候、もし御内せうも御ざ候や、あのやうには申されまじき儀に候」――妙なことだ、あるいは将軍から内々に命じられているのかもしれない、そうでなければ、あのようには言わないだろう、と考え、加々爪忠澄に、「大炊殿へ談合したき儀があるので、今日中か明日二十六日の午前、二十七日朝のうち、お手すき次第においで下さい。忠利も呼びます」と申し遣わした。

加々爪は、「二十七日の朝、板倉重宗殿・久貝正俊殿とともに茶に呼ばれていますので、そのとき一緒にきて、両人が帰ったあと一人残り、相談にのりましょう」と答えた（七月二十五日忠興自筆書状）。

この相談の内容は記録が残されていないが、加々爪と相談したうえで、忠興は、忠利を利勝に遣わし、御成について断りの返事をした（七月三十日忠興自筆書状）。

御成は一代の面目

忠興は、なぜ名誉な御成を断ったのだろうか。それは、隠居所である愛宕下《あたごした》の中屋敷のような粗相な作事では、とても将軍を呼べないと考えたからである。御成を受ける大名の準備はなかなかたいへんなものであった。

たとえば寛永七年の島津邸への御成では、島津家は、御成門・御主殿《ごしゅでん》・御寝殿《ごしんでん》・御数寄屋《おすきや》などの作事を、幕府作事方の甲良豊前守《こうらぶぜんのかみ》の指導をえて二年前からはじめ、寛永七年二月、家久は、参府の途上、江戸留守居家老伊勢貞昌に「今度の儀ども、一代の面目にて候」と、万端遺漏なきを命じている（『薩藩旧記雑録』後編巻八十一）。将軍（大御所の御成もセットで行われる）が大名屋敷を訪問することは、それほどに大事業なのである。

御成の予定は、家光が四月十八日、秀忠が二十二日であったが、島津家の準備について、忠興は、次のように語っている（寛永七年四月十七日忠興書状）。

「作事のみごとさ、御成《おなり》道具残るところなき用意にて候、主《あるじ》は一円存じられず候、兵部（伊勢貞昌）一人して万事仕廻《しまい》申すの由候、あの様なる臣下これあるまじき儀と御年寄衆申さるの由に候、去りながら、あまり仕《つかまつ》り過ぎ候様に見え候事」

――屋敷の造りや飾り道具、言うことのないほどの出来栄えであった。家久はまったくタッチせず、貞昌一人で万事を行ったとのことであった。これを内々に見分した年寄たちも、

「あのような家臣はどこの家にもいないだろう」とのほめようであったという。しかし、少しやりすぎのようにも思える。

貞昌は、自分の家に伝わった旧記により、室町《むろまち》将軍以来の本格的な「式正御成《しきしょうおなり》」をしようとしたのである。しかし、秀忠や家光の御成は茶席から入る数寄屋《すきや》御成で、島津家も前田家などの前例に従うようにと年寄から指示された。だから、忠興には、「あまり仕り過ぎ」に見えたのだろう。

ただ、だれにも苦手はあるものである。貞昌は茶の心得があまりなかった（「初心に御ぃり候」）。家久も同様で、よくわからないと急に忠興に聞きにきた。忠興は、ちぐはぐでやっと間にあわせたような数寄屋を見て、おかしくなった（「やくたいなくやう〳〵取り合はせ申す躰に候、おかしく候」）。そこで、「数寄屋まわりの造作は、幕府の御茶道衆にお任せになってはどうか」と助言している。

帰国賜暇

さて、寛永四年（一六二七）十一月、忠興に暇が与えられる。六ヵ月ぐらいの在府であったが、まだ参勤交代は制度化しておらず、帰国は不定期であった。国持大名の帰国には、年寄が上使として屋敷まで派遣される慣例である。忠興は隠居であるが、当主のときと同じ扱いがされている。

十一月十三日、忠利は、明日、上使に稲葉正勝が派遣されることを忠興に報じている。

家光から上使に任命された稲葉が、友人の忠利に速報したのであろう。上使に任命される者は、その大名家との関係がそれなりに配慮されていた。翌日、忠興邸を訪問した稲葉は、威儀を正して帰国賜暇の口上を述べたあと、忠興や忠利と歓談したことであろう。

忠興と秀忠

そして、忠興は、その御礼を言上するために登城する。いろいろと拝領物があって仕合《しあわせ》よく、ことに秀忠は、忠興を奥の間（御座の間か）に招き入れ、「病気でもあることだし、在所に帰り、心のままに養生せよ。生きてさえおれば満足」と言い、落涙した。忠興は、ありがたさのあまり、涙にむせび「かたじけなき」とさえ申し上げることができなかった（十一月十五日忠興書状）。

大御所と大名という間柄でも、二人には、ともに戦ってきた長い年月の間に強い連帯感が生まれていたようである。たしかに老人の忠興であるから、こんどまた江戸であえるかどうかわからない。このような心の交流の中で、忠義の心情もはぐくまれるのであろう。

大名当主の役割

大名と幕閣の交流を見てきたが、茶会や能は、宮廷外交の華やかな表の世界である。裏工作などの内々の折衝は、江戸留守居役が担当する体制ができつつあり、大名自身がことさらに動く必要はなかった。

もちろん大名でなければ処理できない情報もある。忠利は旗本との交際を重視し、留守居に任せていない。トップ・シークレットの重要さを、なにより認識していたのが忠興父子である。だが寛永期には特異な存在になりつつあった。

一般の大名にとっては、ここで見たような交流を通して、互いに親密な関係をつくりあげること自体が重要であった。留守居が情報を集めるために奔走する場合、その大前提になるのは、大名と幕閣、あるいは大名同士の親密な関係である。これがなければ、年寄の用人や他家の留守居役の協力が得られない。その意味で、茶会とか能の興行は、楽しみながら良好な関係をつくることができる最高の場であっただろう。

2　噂の世界——江戸の大名たち

忠興、久々の参府

寛永四年（一六二七）の暮れに中津に帰った忠興は、しばらく在国を許された。あまりに長く国にいたため、少し不安になったことは、すでにふれたとおりである。

寛永六年十一月、忠興は、お暇を許された忠利と交代で江戸に参府することになり、十二月二十二日夜に江戸に到着した。

翌日、大御所・将軍の御耳に立ち、酒井忠世と土井利勝が上使として派遣された。そして二十四日、忠興は江戸城に登城して、大御所・将軍に拝謁した。

翌年八月十四日には帰国が許されたから、今回は八ヵ月ほどの在府であった。このときの在府中に忠興を驚かせたのは、他大名の行状に関する噂である。

往復書状の醍醐味

ところで、忠興と忠利の往復書状（手紙）は、読者の方々にも感じられるように、政治過程や人の感情が非常に詳細にわかるという利点がある。しかも書状は、日記とならぶ第一次史料で、信頼度は抜群である。

ただ難点をあげるならば、当事者同士の共通の話題は、説明が省かれること、両者ともに同じ場所にいるときは、数が激減することである。これは書状という史料の限界である。

また、情報源が噂によっていることがある。その場合、書かれていることがすべて真実かどうかわからない。われわれ歴史家が書状をあつかう際には、他の史料で、極力、裏づけすることによって、事実と認定し、叙述をすすめる。しかし、史料自体が断片的にしか残らないのであるから、その史料にしかあらわれないからといって、その記述を消し去ることもできない。事実を伝えるただ一つの貴重な証言かもしれないのである。

そして、噂の内容が真実ではないとしても、当時そのような噂が流れたということは事実である。当時そのように思われたことが、政治的な影響を及ぼすこともあるし、それが信じられるような状況であったことは、考察の対象になりうる。

このような綱渡り的な作業が、じつは当時の第一次史料を使う醍醐味《だいごみ》である。この点に留意しながら、当時の噂の世界をのぞいてみよう。

京極忠高の失態

若狭小浜《わかさおばま》藩主（九万二千百石余）の京極忠高《きょうごくただたか》は、室町幕府の「四識《ししき》」という高い家柄を誇る。父高次《たかつぐ》の姉は秀吉の側室松《まつ》の丸殿《まる》（龍子《たつこ》）、忠高は文禄《ぶんろく》二年（一五九三）生まれ、徳川秀忠の四女初姫《はつ》を娶《めと》っている。

初姫は、京極家に嫁いでから「若狭の御姫様」と呼ばれている。秀忠は、この娘を非常にかわいがっていた。ところが、寛永七年（一六三〇）三月四日、初姫は死去した。秀忠は、しばらくは食事ものどを通らないほどの嘆きぶりであった。

初姫の葬儀は、小石川《こいしかわ》の伝通院で、秀忠によって行われることになった。これは異例である。第一この寺は、家康の生母お大《だい》の方の菩提寺《ぼだいじ》で、京極家の墓はない。しかも忠高は、葬儀にはかかわらないように、との命令まで出された（三月十四日忠興書状）。

少し時間がたって、初姫の臨終のときの様子が忠興らの耳に入ってきた（三月十七日忠興書状）。

その日、忠高は、人を招いて相撲を興行していたという。相撲は、能以上に武士が興じた娯楽であり、大名によっては多くの相撲取りを召し抱えている者もあった。忠興の曾孫綱利《つなとし》も大の相撲好きで、万治二年（一六五九）、京で吉田追風《よしだおいかぜ》を五人扶持・二十石で行司として召し抱えている。のちこの吉田司家《つかさけ》は、横綱免許を与える権威ある家となる。

忠高の相撲熱も並ではない。妻が危篤だというのに相撲に興じ、奥より何回も呼びにいったが、取り次ぐ者もなかった。

いっぽう、奥からは秀忠の西の丸にも、直接「初姫危篤」の注進が出ていたので、秀忠のもとから急を知った酒井忠世・土井利勝・永井尚政ら歴々の年寄が馬で京極家に駆けつけた。秀忠の初姫寵愛《ちょうあい》ぶりがうかがえる。

忠高は広庭に相撲取りを数十人並べ、多くの見物人と観戦に熱中していた。ちょうどその場へ、年寄衆がどやどやと入ってきた。これを見た忠高は、あわてて奥に逃げ入り、相撲取りや招待された者たちは、クモの子を散らすようにあちこちに逃げ隠れ、目もあてられぬ様子であったという。

客の中には青木一重《かずしげ》（摂津麻田《あさだ》一万二千石余）の子重兼《しげかね》ら、しかるべき地位の人間もおり、逃げることもできず、その場に棒立ちになっていた。これを見た年寄らは、かれらをどなりつけるという大騒動であったという（「にげ候事もならず、たたずみ居り候由候、雅楽殿か信濃殿か、事の外しかられ候由候」）。

春日局、言上を阻止

初姫の病の始まりも奇怪な話で、忠高邸の下々が長屋で初姫の悪口を言っていたのを塀越しに聞いた侍女が、なぜか初姫に告げ口をし、ショックを受けた初姫が興奮して病に落ちたという。

忠興は、「これはただごとではない。お姫様のおられた座敷と下々の長屋の間には、粗相な塀が一枚しかなかったらしい。このような住まいは、若党の小者もしないところなのに……。不審だ」という。

また、初姫は、臨終にあたって、看《み》とった西の丸の女房衆に、忠高がつらくあたったしうちを父の秀忠に伝えてくれと頼んだ。それを彼女らが秀忠に言上しようとしたところ、春日《かすがの》局《つぼね》が止めた。

女房たちが、「さては春日殿、申し上げるのを止めようとなさるのか」と抗議すると、春日局は、「そのとおりです。なぜなら、たしかにこれはどうしてもお耳に入れておくべきことですが、いまお亡くなりになったばかりで取り紛れているときは、まずご遠慮なされ」と答えたという。秀忠が、悲しみと怒りにまかせて忠高を処分するのを避けようとしたのであろうか。緊迫したやりとりが目に浮かぶようである。

忠興は、「この儀、事の外隠密《おんみつ》にて候事」とくぎをさしている。

四月十五日、忠興は、「この前申した相撲のこと、あれほどのことはなかったらしいが、どちらにせよ似たようなものだったらしい。言うべき言葉もない。お姫様の残された言い置きは、いつかは御耳に立つであろう。忠高一代の禍根になるだろうが、今回は別儀もなく通るかもしれない」と述べている。

忠興の予言どおり、今回の事件については忠高に咎《とが》めはなかった。いかに将軍の娘とはいえ、室に冷たくあたったことで改易という処分はできなかったのであろう。

政宗流の戯れ言

もう一人、忠興を驚かせたのは、奥州の雄、独眼竜伊達政宗（陸奥仙台六十二万石余）である。政宗は寛永七年（一六三〇）に六十四歳、このころひどい「酒狂い」と伝えられていた（以下、五月二十二日忠興書状による）。

寛永七年四月六日、家光が伊達政宗のところに御成になることに決まった。寛永元年二月二十日、寛永五年三月十二日についで三度目である。前日は、打ち合わせもかねて、年寄たちが見舞いに行く。

明日の進物の話になり、政宗は、脇差を二つ出し、「どちらが進物によいだろうか」と尋ねた。酒井忠世と土井利勝は、「ひとつは少し短いので、長い方がよい」と答えた。

政宗は、この答えが気に入らなかったらしく、「この小さい脇差は、私がたいへん気に入っているものだ。これでも脇腹を突き通すぐらいはできるぞ（「事の外主《ぬし》秘蔵にて候、是《これ》にてもほつはらは通すべし」）」と暗に（ただたいへん不作法な言い方である）短い方を献上したいと要求したが、年寄たちは、相手にせず、笑ってごまかした。

さて、話が終わって、年寄たちが帰るとき、政宗が玄関まで見送りにでた。そのとき、供の者が大勢聞いているところで、忠世にいろいろと聞くにたえない戯《ざ》れ言《ごと》をいいかけたので、忠世は頰を紅潮させて怒りをおさえていたという（「色々様々聞かれざるざれ事ども雅楽殿へ申し懸けられ、雅楽殿もかほをあかめて迷惑がりの由候」）。

また、そのとき、一緒にきていた加々爪忠澄の頭を、ぱしんと張った（「ざれ事のやうにかしらをはられ候」）。加々爪はよく伊達邸に招かれており（『伊達家文書』一一二一〜一一二三号）、これは政宗がよくやるスキンシップだったが、無礼なことこのうえない。少し前に、公衆の面前で毛利高政（豊後佐伯二万石）の弟吉安《よしやす》（二千石の旗本）の頭を張ったことがあったが、そのときは吉安がぐっとがまんした。

しかしさすが加々爪で、このとき、そのまま政宗の頭を張りかえしたという。

家光、政宗邸へ御成

翌七日、家光が政宗邸に御成をした。

御成はまず数寄屋での茶事からはいる。この日の相伴は、丹羽《にわ》長重《ながしげ》（陸奥白河《しらかわ》十万石余）と立花宗茂であった。両者ともお咄衆《はなし》として家光のお気に入りであり、政宗との関係も配慮されている（長重は六十一歳で同じ東北大名、宗茂は六十二歳、その嫡男忠茂《ただしげ》は政宗の嫡男忠宗《ただむね》の長女を娶っている)。

島津家の例では、「御鎖の間」で茶道具などを見たあと、寝殿で主人と「式三献《しきさんこん》」があった。このとき、進物の献上などが行われる。なかでも太刀の下賜と献上は、将軍への服属の表明と大名への権限の委譲を象徴する儀式であった(村田千絵「将軍の大名邸御成」)。

伊達邸では、政宗に銀千枚、袷《あわせ》百、青江《あおえ》の刀、奥方へ銀二百枚、綿百把、四男宗泰《むねやす》に袷二十、孫虎千代丸《とらちよまる》(嫡男忠宗の長男、この年八月に死去)に貞宗《さだむね》の脇差が下賜され、政宗からは、銀五百枚、羅紗《ラシャ》二十間、猩々緋《しょうじょうひ》十五間、順慶長光《じゅんけいながみつ》の太刀、守家《もりいえ》の刀、馬一疋《ぴき》が献上された。

そのあと、広間で能を鑑賞する。この日の能の題目は「翁《おきな》」「三番叟《さんばそう》」など十番あり、「舟《ふな》弁慶《べんけい》」は虎千代丸が舞った。能のあとは、寝殿で七・五・三の膳《ぜん》がだされる。酒も振る舞われ、にぎやかに行われる(御成の膳部はお付きの家臣の分も含めて四千ほども用意される)。おそらくこのとき、政宗は酒に酔い、どうした経緯か、酒井忠世を枕にして(膝枕《ひざまくら》?)寝た(「御前にて雅楽殿を枕にしてねられ候」)。これには家光も、愉快そうに笑ったという。

招待客は、心配して、「奥でお休みになってはどうか」といろいろ勧めたが、政宗は聞かない。機転のきく土井利勝が、「ただ酒を勧め、まったく性根がなくなるほど、酔わせてしまおう」と、ひたすら酒を勧めた。そして、酔いつぶれたあと、ためし物(新刀で罪人を斬ること)でもするときのように、手足をひっぱり、奥に引き込ませた。

政宗は、その日の将軍への（御成に対する）御礼もできなかったという。

政宗の勧進能見物

また某日、政宗が、喜多七太夫の勧進能（一般興行）を見物にいった。能が終わって、役者たちはみな帰り支度をはじめた。

政宗は七太夫に使いを立て、「海士《あま》」と「舟弁慶」をぜひ演じてもらいたい、と申し入れ、見物客に向かって、「政宗が能を所望するぞ！　いま少し待って、見物していけ！」と金の扇をひろげ、わめいた。

しかし、「一座の者がみな帰りましたので、能はできません」と座元がおそるおそる告げたところ、そのあと七、八度も使いを出し、「鼓《つづみ》がなければ、手鼓で能をやれ！」と言いはなち、また桟敷《さじき》から高声で、「政宗ほどの侍が能を所望すると頼んでいるからには、しないといってもさせてくれよう。刀を出せ！」といい、桟敷から舞台に飛びおりた。ちょうど具合よく、能役者が帰ってきて、能がはじまった。見ていた者は、「もし役者が帰ってこなかったら、その刀でどうするつもりだったのだろう」と、のちに噂した。

政宗は、それから町奉行島田《しまだ》利正《としまさ》が警護をつけているところへも使いを立て、戸をあけて外にいる者たちにも見物させよ、といったため、いままで能を見たことがないような「雑人」たちまでが押しかけてきて、上を下への大騒ぎになった。

能を演じている最中、政宗は舞台へおり、杖《つえ》で命令したり、役者をたたいたりした。そして、桟敷から酒の大樽《おおだる》五十を取り出し、演じている者に、「飲め」と強い、樽から酒を汲《く》むのが遅いと、自分で樽の鏡を割り、酒をのませ、また用意した飯、饅頭《まんじゆう》、肴《さかな》を見物席に投げ込んだ。それが頭にあたった侍などは、またそれを政宗に向かって投げ返した。政宗は、わめきちらしながら、そのような喧騒《けんそう》を楽しんでいた。

その後、また銭をたくさん取り出してきて、芝居見物の者にまいて与えたため、あとから入った「雑人」たちが、取りあってつかみあいをはじめるといった、大騒ぎであった。

さすがの忠興も、この話をそのまま伝えると信じてもらえないと思ったのか、「これはあまりに嘘みたいな話だが、丹羽長重殿と立花宗茂殿が私に話してくれたことだ（「これは余りうそさうなる事に候へども、丹五郎《ごろうざ》左殿・立飛《ひだ》驒殿、我々へ物語りにて候」）」と、忠利に、話の出所は信用できることを伝えている。

政宗、島津家久を茶に呼ぶ

政宗は、五月二十二日に島津家久（五十五歳）を呼んで茶会を催そうとした。家久に「私の家臣に能を演じさせましょう」と申し入れたところ、「ぜひ参ります」ということであった。

さて、政宗は、喜多七太夫に使者を立て、「二十二日、私のところに島津殿を呼び、能をやるから、役者を貸してくれ」と申し入れた。素人能も素人だけでやるわけではない。

七太夫は、「あいにく、その日は勧進能の最中でございますから……」と断りを入れたところ、「貸さないというのであれば、おまえたちをみんな斬り捨ててやる。もし上様が能役者に味方し、私に非を問うとしたら、それはその時のことよ（「もし猿楽に思し召し替へられ、曲事と仰せられ候はば、その時の事よ」）」と放言した。奢りたかぶっていたといわれる能役者も、政宗にかかっては形無しである。

これを聞いて心配した家久は、立花宗茂や寺沢広高《てらざわひろたか》（この両人は豊臣時代以来、島津家久と親しい）と相談し、にわかに腹を患ったことにし、政宗に延期を申し入れた。しかし政宗は、「たとえご病気だとしても、一番ぐらいはお見物して下さい。そうしないと、相客として招いた方へも面目が立ちません」と申し越した（この手紙は忠興も見て「言語を絶し、あきれ申し候」と告げている）。

しかし、行くことにすると、どのような顚末《てんまつ》になるかわからない。家久は固辞し、おそらく立花らがいろいろとなだめて、どうにか能は二十七日まで延期されることになった（この話は、家久自身が知らせてくれたものである）。

稲荷殿の知音？

忠興は政宗とは親しく付き合っていた（『伊達家文書』一一四九～一一五六号）から、このあまりに非常識な政宗の行動に、たんなる「酒狂い（酒乱）」ではないだろう、さては狐でも憑《つ》いたか（「稲荷《いなり》殿の知音《ちいん》かと申す事に候」）と好意的に解釈し、忠利も、「酒のあげくに、坂崎《さかざき》出羽（直盛《なおもり》）のようなことをおこさないだろうか」と心配している（八月二十九日忠利披露状）。

坂崎出羽は、秀忠の娘千《せん》姫が本多忠刻《ただとき》（姫路藩主本多忠政の子）に輿《こし》入れするとき、その輿を奪おうとして果たせず自邸に籠《こも》って自害した有名な人物である。

このような場合、現代の刑法でも精神機能障害による心神喪失のため責任無能力者として、罰をうけない。前近代においても、「狐憑《きつねつき》」という便利な解釈があって、本人の人格とは関係ないことで処理されたのである。

たしかに常識では考えられない行動であったが、あまりに常識はずれであるがゆえに、（しかも政宗というだれもが一目おく老武将のすることだからと）どれひとつとして咎めは受けずにすんだようである。

しかし、江戸では政宗についての落書が出回っていたし、政宗が江戸城へお礼に登城したときも、諸大名はなにかと後ろ指をさした。家光もかれを心配したのだろうか、「鷹でもつかって楽しむように」と休暇を与えた（八月十六日忠興書状）。

秀忠大御所時代の世間

この一連の政宗の行動そのものは、酒乱や「ぼけ」で片づけてしまえるかもしれない。しかし、このようなことが書き留められたことによって、普通は史料にあらわれないさまざまなことが知られる。

御成の前日の年寄衆の訪問、そこでのやりとり。当日のありさま――政宗が酒井忠世を枕にして寝てしまい、それを家光が見て笑う姿は、想像しただけでおかしい。

御成はしゃちこばった儀式だと思われがちだが、酒もはいるし、案外楽しい交流なのである。そう考えないと、なぜこのころ秀忠や家光が、気に入った者だけを相伴として好んで多くの大名邸に御成をしたかが理解できない。忠興に粗末でもいいからと数寄の御成を勧めたのも、おそらく忠興邸に行って楽しみたかったのであろう。

しかし、御成になれた政宗ほどの「豪傑」はともかく、普通の大名は、将軍の御成にたいへんな緊張感をもって対した（政宗の場合も、かれ一流のもてなし方だったのだろう）。御成はしかるべき外様大名を選んで行ったから、うけた大名の名誉心を満足させ、忠誠心を喚起することによって、将軍の権威が高まるという政治的効果があった。

また、病気の妻をほったらかして藩邸で相撲観戦に興じる大名、勧進能の様子――これは繁華な場所でやっており、町奉行所の者が警備し、戸を開けると「雑人」どもがわっと入ってきている――など、当時の江戸の雰囲気が伝わってくる。

さらに大名の私邸で能を興行するときの役者の呼び方、行きたくない事情があったときの断り方（仮病をつかう）、忠興と丹羽長重、立花宗茂、島津家久らとの交遊とやりとり。これらは豊臣期以来の付き合いで、一種の情報交換のルートでもある。

とにかく、秀忠の大御所時代というのは、世の中も安定し、幕府政治も少し弛緩《しかん》して、世間にはさまざまな娯楽が興行され、将軍・大名も含めて人間臭い生活が謳歌《おうか》できた時代だった。まさに、あの民衆の活力を前面に出した出光美術館所蔵の『江戸名所図屏風《びょうぶ》』の描く世界が展開されていたのである（拙著『寛永時代』）。

3　忠利の子、光尚の結婚

光尚の縁辺

寛永六年（一六二九）初頭、忠利は、数えで十一歳になったわが子光尚の縁談について、父忠興の意見を求めた。烏丸光賢《からすまみつかた》に嫁いだ妹万《まん》の次女禰々《ねね》と婚約させようというのである。年齢は十歳、光尚にはいとこにあたる。似合いのカップルである。万の長女は同じ公家《くげ》の飛鳥井《あすかい》家との縁談が前年暮れに決まっている。

忠興は、大賛成で、次のように申し送っている（二月吉日忠興書状）。

——烏丸光賢殿の二番目の娘と六（光尚）を婚約させたいとのこと、一段もっともだと思う。万のところへ内密に打診してみよう。おそらく先方も満足するだろう。その間、こちらから申すまでは、堅く隠密にするようにせよ。娘の名は禰々といい、たいへん利発な子だから、なによりだ（「そう一りはつに御入り候間、かたがた然るべく候」）。土井利勝殿と相談しておいてくれ。

忠興は、京都に滞在するときは、必ず娘の万を訪れ、いろいろと話をしていたから、こんど京都に上ったとき、話を決めようと考えたのである。

縁談は、まだ決まらないうちから周囲に騒がれるとうまくいかないものである。当時でも、現代のマスコミに匹敵するような情報網がある。忠利たちがつかんでいる情報をみても、他家の縁談の噂が多く、噂に上った件に限って実現していないものが多い。根も葉もない噂もあっただろうが、なかには表沙汰になったためにお流れになったケースもあるのではないだろうか。

縁者ごのみは悪し

同じ書状に、忠興の縁辺についての意見が書かれている。

「そこ元の様子を見られ候に、ゑんじや（縁者）ごのみを仕り候はあ（悪）しさうに御入り候由、さやうにこれあるべく候、たがひに力に成るごとくのゑんじやは、しう（衆）のためにはわるき事候、又、公儀むきその外おもはしからぬ衆と申し合はせ候は、事の外いやなる儀に候、むかしより、ゑんじやにつき、よきことはまれ成る物に候、心安く候て、物の入らざるが上々にて候」

——江戸の様子を見るにつけ、有力者を相手に選ぼうとするのはよくないように思えるというその方の意見は、そのとおりだと思う。互いに力になるような縁者は、皆のためには悪いことである。また、幕府などに対して評判の悪い家と縁を結ぶのは、とりわけ避けたいことだ。昔から、有力者と縁を結んでよいことはまれなものだ。気安い相手で、物入りにならない相手が上々である。

忠利が念頭においているのは、有力者との縁辺を求める黒田家であろうか。おそらくそうだと思われるが、黒田家に限らず、江戸では、互いによい縁辺を求めて噂が飛びかっていた。それを忠利は、「あしさうに」と述べているのである。そして、それは忠興も賛同するところであった。

忠興の妻は明智光秀《みつひで》の娘玉《たま》（ガラシャ）である。光秀が信長を殺したとき、忠興らもさそわれたが加勢せず、妻を離縁して家を守った。秀吉のはからいで復縁したが、このときの苦悩は相当なものであったろう。そのような経験が「ゑんじやごのみ」は悪しという理由であろうか。

意表をついた婚約の許可

その後、忠興は、中津を発し、京都に滞在した。このとき、禰々との婚約を烏丸家に申し入れ、同意を得た。この年の暮れに参府した忠興は、寛永七年（一六三〇）正月二十四日に「六（光尚）縁辺、大方相済み」と忠利に伝えている。

忠興は、ついでのあった折に土井利勝に家光の承認を申し入れた。利勝は、「奇特《きどく》なる分別にて候（殊勝なお考えです）」といちだんと機嫌がよかった。やはり、大名同士の縁辺よりも、幕府のうけはよいようである。

同年四月三日朝、忠興は、土井利勝・酒井忠勝・伊丹康勝・内藤正重らを招いて茶席を設けた。婚約の当人を引き合わせておく潮どきでもある。

茶を点じたあと、酒を出し、利勝が忠興に盃《さかずき》を勧めたとき、忠興は光尚を座に呼び出し、

「これに盃を取らせてやって下さい。我らは讃岐殿（酒井忠勝）の盃を受けましょう」と答えた。そのとき、伊丹が口をはさんだ。

「尤《もっと》もの儀に候、御六殿縁辺の儀も、御前相済み目出たく候あひだ、大炊殿（利勝）御さかづき御六殿納め然るべし」

――もっともでございます。光尚殿の縁談も両上様の許可が出たことですし、めでたいので、お盃は光尚殿が受けられるのがよい。

これには忠興もあわてて問い返した。

「その儀はいまだ私は承らず候、大炊殿へは内々申し入れ候」

――上様の許可は、私はまだ聞いておりません。利勝殿へは内々に申し入れましたが……。

すると、すかさず利勝が答えた。

「その事に候、三斎・越中父子ともにきどくなる分別仕り候と、両上様御感にて、目出たく候、讃岐殿も御存じのことに候」

――そのことでございますよ。忠興・忠利父子ともに奇特な分別をしたと、両上様はたいそう感心なさって、めでたいことです。忠勝殿もご存じのことです。

忠興は、かしこまって答えた。

「大炊殿・讃岐殿これにござなされ、初めて承り候、両上様よりの御使いと存じ、かやうのかたじけなき大慶、満足この上はござなく候」

――利勝殿と忠勝殿がおいでになって、初めて承りました。さては今日のご訪問は両上様よりのお使いのようなものでしたか。このようなかたじけなきこと、めでたく、これ以上の満足はございません。

利勝らを招いた茶の席が、祝儀を伝える上使接待の場に早変わりしたのである。利勝や康勝の演出も心にくく、細川家としては本当にめでたい席になった。

うちわの祝言

忠興の主張で、祝言はうちわにて簡素に行うことにした。江戸でやると、屋敷の新築をはじめとしていろいろと出費がかさむし、他家からの祝儀にこたえなければならない。だから、小倉であげることにした。費用を惜しんでいるというよりも、江戸でことごとしく行うことは、好ましくないと考えたからであろう。

忠興は、禰々を中津に呼び（禰々は忠興の孫だからこれは簡単である）、小倉で祝言をあげさせ、そのうえで江戸に引っ越しさせればよい、と忠利に告げている（寛永七年十月二十四日忠興書状）。

翌寛永八年（一六三一）正月二十七日、禰々は中津に下った。しばらくして光尚に帰国の許可を受け、小倉で祝言の予定であった。しかし、秀忠の病状の悪化があり、両人の結婚はしばらく延期され、寛永十一年三月八日、江戸で質素に行い、幕府に報告した。

島津家の縁辺

同じころ、島津家でも、嫡子光久《みつひさ》の縁談が話題になっている。相手は、驚くべきことに、家臣伊勢貞昌の娘であった。

島津家のような名門の、しかも惣領《そうりよう》息子の妻が家臣の娘というのはあまり例がない。忠興は「よき分別にて、他所《よそ》の縁辺これなき事、きどくと存じ候」とほめているが（寛永七年三月十四日忠興書状）、驚きも強かった。細川家でも有力者との縁辺は求めなかったが、相手は親類とはいえ公家である。島津家の相手は家臣の娘である。「きどく」と称賛してみたものの、あまりのことに少し忠興もとまどった。

島津家は、江戸での交際をあまり好まなかった。この点で、いろいろと知り合いを増やし、情報収集をして自家の安全をはかろうとする細川家と対照的である。家久は、島津家当主だった伯父《おじ》義久《よしひさ》の娘と結婚し、養子となって家を継いでいる。多くの子女も、ほとんど家臣に嫁がせている。

徳川家との関係は、養女を久松松平家の定行《さだゆき》に嫁がせたことぐらいである。久松松平は、家康の生母伝通院の子定勝《さだかつ》に始まる家で、定行はその嫡子である。島津家が徳川家に従ったときに結ばれた縁談で、人質的な要素が強かった。松平家との関係が悪いわけではなかったが、家久の代にはそれほど親密な交際はしていない。むしろ家久が頼りにしたのは、細川家であった。幕府へのつきあい方など、家久としては心強い友人であった。

忠興や忠利も、島津家との交際を重視し、さまざまな情報を提供していた。このように家久の代には親密な両家だったが、次代の光久は家久に輪をかけた江戸でのつきあい嫌いで、細川家とも疎遠になっていく。それについては、またあとに触れることになろう。

毛利家の縁辺

いっぽう黒田家や毛利家は、有力者との縁辺を求めた。

寛永八年(一六三一)八月三日には、毛利秀就の息女が松平忠直の長男光長と祝言をあげたことが報じられている。光長の母は、先に出てきた秀忠の三女勝姫。光長は、父忠直が豊後に流されてから、幼少を理由に越後高田《たかだ》(二十六万石余)に移されている。

忠利は、この結婚について、次のように論評している。

「毛利殿国向きの豊後に、一伯殿(松平忠直)ござ候に、色々訴訟にて相調えられ候、かやうの不調法なる儀ながら、毛利殿生まれつき故、苦しからず候とのさんだん(算段)にてござ候事」

――毛利殿の領国近辺の豊後に、松平忠直殿が流されているというのに、毛利家が苦心して嘆願し、やっと許可されました。このような不調法な縁談ですが、（不調法なのは）毛利殿の生まれつきだから構わない、とのことであったようです。

幕府に対して反乱の嫌疑をかけられ流罪にされた忠直の子を、忠直の流刑地近くの大大名が婿にしようとする――これはたしかに「不調法」なことだっただろう。それを秀就は、「色々訴訟」してまで実現させたのである。

これが許可されたのは、「毛利殿生まれつき故」であるという。秀就なら、反乱を起こすほどの器量はなかろう、と考えられたのか、あのようなうつけ者だから、こんな縁談を願うのだろうと呆《あき》れ果てて許可したのか、いま一つはっきりしない。しかし、藩主秀就が支藩の毛利秀元との間に深刻な内部対立まで起こして実現した越前家との縁辺が、このように評判の悪いものだったのかと思うと、いまさらながらに、秀就のうかつさと、その留守居役福間彦右衛門の苦労がしのばれる（拙著『江戸お留守居役の日記』）。

しかし毛利家としては、そうまでしても幕府の有力者と縁を結びたかったのであろう。たしかに越前家の人々は、毛利家の力になったのである。

4 忠興・忠利の世代間格差

忠興の隠居領

すでに述べたように、元和七年（一六二一）、忠興は隠居して、中津城に入る。かれの隠居領は無役で三万七千石であった。ちなみに小倉藩は三十九万九千石余である。以下、藩主と隠居の関係を眺めてみよう。

忠興の隠居領は、本藩の行う検地や人畜改めなどがなされず、独自の裁判権をもち、軍役賦課もなされない。幕府との関係も、支藩のような独立した大名ではないが、大名に準ずる前藩主の礼遇をうけて参勤する。つまり、小倉藩内にありながら準「他国」並の特殊領域であった。

しかし忠興の家臣のあり方は少し事情が違う。

忠興の家臣は「中津衆」と位置づけられ、忠興と主従関係を結ぶ独自の組織なのだが、元和七、八年『豊前御侍帳』によれば百二十八人、知行高にして四万二千石余の給付はすべて本藩から与えられた。一方の忠利の家臣「小倉衆」は三百六十二人、知行高二十一万四千石余、忠利の蔵入地（直轄領）は十万五千石余である（宮崎克則「幕藩制確立期における隠居領の問題」)。

この点で忠興の隠居領は支藩とは違う。支藩は、自己に認められた領知高の中から家臣の知行を宛行《あてが》い、支藩がとりつぶしになれば、その家臣は浪人する。しかし隠居領は、忠興が死ねば消滅し、家臣は本藩に帰参することになっていた。

当時の主従関係は、殉死の慣行などに見られるように、非常に個人対個人の関係が強い。放っておくと「中津衆」は、本藩の家臣ではないと考えるようになる。将来を見越して忠興は、家臣の知行を本藩から出させたのである。

忠興の配慮

隠居後まもない元和七年九月十九日付の書状に、忠興の配慮がよくうかがえる。

「中津にいる知行取りどもの小物成を、惣国なみにその方が取るようにと目録を遣わしたところ、私にくれるという。満足なことだ。しかし、無役の隠居領のほかは、中津にいる者もすべてその方のものだ。その小物成をその方が取らず、私にくれるとなると、中津の者たちは私の家臣のようになってしまう。（中略）ただし、中津にいる者がその方の家臣ではないと考えるような理由があるなら、この小物成は私が受けとろう」

年貢のうち、「小物成」というのは、年貢以外の産物や山野河海の用益に関して賦課され、本来、将軍に上納されるべきものであった。ただし、国持大名をはじめとする大名には領地とともに小物成も与えられた。小物成をだれが徴収するかによって、その土地と人が、だれに帰属するかがはかられるのである（高木昭作『日本近世国家史の研究』）。

忠利は、三男で家を継いだということもあって、父の忠興に遠慮していた。本来、藩主のものである小物成を忠興が取るようにと申し送ったのも、そのような意識のあらわれである。しかし、忠興は、そこに見える忠利のうかつさを叱責し、家督を譲ったからには、家臣も、知行に付属する小物成も、全部その方のものだと、強く伝えたのである。中津の家臣が忠利を主君と思わないようでは、細川家のためにならない。

そのうえで忠興は、「惣別に付き、少しの事もその方へ取らるべき物は、取らるべく候、取られまじき物は、取られまじく候、われ〳〵も同前に候事」とくぎをさしている。

たとえば寛永五年（一六二八）、忠利が幕府の江戸城普請の助役を命じられ、忠興に石船負担を賦課しようとしたとき、「今まで卒度も（少しも）役仕らず候、今度の船役ばかり仕るべきわけにてこれなくと存じ候」と強く拒否したのも、隠居領に軍役はないという忠興の筋を重視する発言だった。

父親として苦しいときの援助はしてやりたいが、無役である以上、援助はできない、というのが忠興の主張である。このような行動を通して、忠興は、忠利に藩主とはどういうものであるかを教えているのである。

大坂牢人の召し抱え

しかし、忠興も、いつもそのような教育的配慮だけで行動していたわけではない。ときには、忠利を困らせるようなこともあった。

元和九年（一六二三）九月、京都所司代板倉重宗より、大坂牢人《ろうにん》の構い（士官禁止）が解除されたので、だれであっても抱えてよい、との指示が来た。それまで秀頼に召し抱えられていた者は、どの藩も召し抱えてはいけなかったのである。新将軍が誕生した恩赦なのだろうが、それまでの幕府の警戒ぶりもうかがえる。

好機到来とばかりに、忠興は、小河《おがわ》四郎《しろう》右衛門《えもん》ら三人の召し抱えを忠利に依頼した（元和九年九月二十一日忠興書状）。すると、忠利は、「去々年より以来、手前の借銀千貫目にあまりござ候」ということで、この出費が多い時期に、勝手に召し抱えを約束され「迷惑」だと答えた。

この意外な回答に、少し気色ばんだ忠興は、「その方が高禄《こうろく》で新参者を召し抱えているから、小河らへの知行もあるかと思い、申し入れたのだ。この三人は小身者であり、私の無役のうちから知行を遣わすから、気遣いするな」と申し送った。

あわてたのは忠利である。無役の隠居領から知行を与えたとしたら、かれらは小倉藩の家臣ではなくなる。

忠利は、「聞く耳を持たないような書状を遣わしまして、お詫《わ》びの言葉もございません。せっかくの忠興様のお約束を違《たが》えるようなことになると、聞こえも悪く、また家中の者の評判もございますので、ぜひ知行は拙者の方から遣わすようにさせて下さい。とくに余裕もない忠興様の蔵入から、この者たちに知行を遣わしたとすれば、なおさら迷惑に思います」と丁重に忠興に申し入れをし（元和九年九月二十六日忠利披露状）、小河に千石、ほかの二人にそれぞれ五百石、四百石の知行を与えることにした。

勝手に約束した忠興も忠興だが、最初忠利も少しかたくなであった。家督を継いでから赤字つづきで、少し神経質になりすぎて配慮を欠いたようである。

家光の疱瘡快癒祈願のこと

しかし、平素は、まさに二人三脚で情報を交換し、細川家の存続と発展を期していた二人であった。ただし、両者の間には、世代の差、育ち方の差による意見の食い違いも見られる。

寛永六年（一六二九）閏《うるう》二月、将軍家光が疱瘡《ほうそう》（天然痘）にかかった。当時、疱瘡は生きるか死ぬかという恐怖の伝染病であり、家光も一時、危篤に陥った。家光の乳母春日局が回復を願って薬断ちを決意したのは、このときのことである。

忠利は、江戸では、大名たちが、寛永寺《かんえいじ》の天海《てんかい》や伊勢神宮などに祈禱《きとう》を依頼していることを告げ、国元の忠興も伊勢か宇佐に立願し、御札を献上するように、と告げた。親戚《しんせき》の阿波《あわ》藩の隠居蜂須賀蓬庵《ほうあん》（家政《いえまさ》、嫡男至鎮《よししげ》は、室が小笠原秀政の娘で忠利の相婿）からも、祈禱したことを忠興に告げてきた。

だが忠興は、「尤もその分に候へども（そうすべきなのだろうが）、何とやらん我々などには似合い申さず候」と少しニュアンスが違う（寛永六年三月十三日忠興書状）。

忠興の意地

――その方は南光坊《なんこうぼう》（天海）に金子十枚を進じたという。これで私の分もすむと思うが、だからといって私一人だけが祈禱していないというのも、「ひとり立ちの様」でよくない。それなら、当国宇佐・彦山《ひこさん》両所へ立願しよう。しかし、江戸の年寄衆にかようのことをわざわざ申し入れるのもどうかと思われるので、「立願したが、年寄衆へは伝えるな」とその方に申し遣わしたことを判紙に書き（判紙を使って忠興の書状を代筆し）、それを（このような書状が来ましたと）年寄に見せたらどうだろうか。それでよければ、そうしてくれ。また、そのようなことをしなくてもよければ、祈禱はしないことにしたい（「同じくは祈禱の儀、無用に仕りたく候」)。とにかく、その方の判断にまかせる。

忠興は、なぜ祈禱が自分に似つかわしくない、というのであろうか。

おそらくかれは、将軍が病気になったからといって、祈禱をしましたと幕府にことごとしく報告するのが嫌なのである。あまりに幕府におもねりすぎている、と思うのであろう。そんなことは、できればやめにしたい。細川家の分は忠利ですんでいる――これが、忠興の本音であった。

もちろん、忠利の方は、このような行動になんの疑問ももっていない。さっそく忠興の書状を代筆し、伊丹康勝に忠興が宇佐・彦山に立願したと伝え、年寄へも申し入れ、将軍の御耳にも立った。また、酒湯《ささゆ》をかけた祝儀として忠興の使者を仕立て、樽肴を献上している(五月七日忠興書状)。

江戸で育った忠利にとっては、ごく当然の行動であっただろう。このような点で両者は異なる。かつては徳川家と肩を並べていた忠興の自負心を垣間見《かいまみ》る思いがする。

庭に池を掘ること

寛永十一年(一六三四)六月二十七日、忠利は、忠興が八代城の新しい屋敷の庭に池を掘ろうとしているのを聞きつけ、幕府年寄に届けたかどうかを問い詰めた。

意外な忠利の反応に、忠興は問い返した（六月二十七日忠興書状）。

「私は、城の防備にかかわることはするまいと考えてやっている。庭に泉水を掘ることが曲《くせ》事《ごと》になるのなら、どうすればよいのか。年寄衆に届けろとは合点がいかぬ」

八代城

忠利は次のように事情を説明した（七月二日忠利披露状）。問題は腰石垣の修築にあった。

「八代の池のことですが、地震のときのためにお家の縁側に石垣を築かせると聞きました。そうしないと、家は崩れ放題になるとのことはよくわかります。おそらく問題はないと思いますが、石垣は浜辺の塩堤さえ許可を得て築いていると、最近聞きました。家屋敷の腰石垣など許可はいらないと存じますが、とにかく一度、年寄衆に聞いてみるべきです。いまの御代《みよ》は、忠興様などがとるに足らないと思われることまで大事をとっておられるほど満足なさいます（「何ほども当御代は、三斎様など謂《いわ》れざる所までも重んじなされ候ほど御満足なさるべく候」）。私がこのように言ったから、石垣にしないで板で押さえた、とてもご報告になってはいかがでしょうか。石垣は、崩れたことの方がよほど公儀への聞こえはよいようです」

すでに秀忠が没して、家光の親政が開始されているころである。忠利は、これだけ細心の注意を払って、幕府に対応していた。これは、秀吉時代から徳川家と付き合っていた忠興には思いもかけないことであった。それほど時代は変わっていたのである。

われわれから見れば、忠興の言葉の方が道理と思えるが、そこを一段下がって忠利のように幕府に届けたとしたら、幕府の印象も、それだけのことでよくなるであろう。幼少時から江戸で人質生活を経験した忠利の、卑屈ともいえるような幕府への対処法であった。

大名家の生き方

これまで見てきたように、大名にもさまざまなタイプがある。徹底した恭順から見苦しいほどに幕府に取り入ろうとする黒田家。武功と築城技術に秀でたことから幕府の信頼を獲得し、中枢に進出している観のあった藤堂家。当主の資質のため、他家から嘲《あざけ》りを受ける毛利家。自主独立で、幕府も一目置いていた島津家など……。

細川家は、幕府への姿勢は恭順を貫きながら、おもねるような行動を嫌った。その細川家の行動は高く評価されていた。

特に忠利については、「藤堂高虎のように江戸に常駐することになるだろう」といったような噂すらあった（「我等儀、和泉〔藤堂高虎〕ごとくにそこ元〔江戸〕につめ申すべくと、専ら申し候、いな事を申すと存じ奉り候」）（寛永七年六月二十一日忠利披露状）。

——妙なことをいう、と言いながら、まんざらでもない忠利であった。外様大名の典型的な優等生と自他ともに認めていたのである。

第四章　肥後熊本に転封

1 秀忠の死と政治の転換

徳川忠長の乱行

寛永八年（一六三一）、家光の弟、駿河《するが》大納言徳川忠長（駿河・遠江に五十五万石、二十五歳）は、駿府城に帰ってからますますその行状が荒れ、多くの家臣が手討ちになっていた。

二月初めには、家臣として付けられていた小浜光隆の子を斬った。忠興はこれを聞き、「民部（光隆）は西国の船がしら（頭）に仰せ付けられ置かれ候に、あまりなる事に候」と仰天している。

忠長の行動は、二、三年前からだんだんひどくなっていた。忠興は、当時江戸で頻発していた辻斬《つじぎ》りを、その場で斬り殺さず捕らえよ、という幕府の法度をかねがね不審に思っていたが、「今存じ当たり候」と納得している。「大納言殿切々辻伐《つじぎり》もなされ候由」――忠長殿はときどき辻斬りをしているらしい、という事情があったのである。

幕府の年寄たちは、きつく意見したが、まったく効果がなかった。一時は、兄家光より有力視されながら、将軍になれなかった身を恨んで、酒に日をあかすようになったためらしい。自分の行動にもう自覚がなくなっていた。家臣を斬っておいて、明くる日、またその殺した

忠興・忠利往復書状関係略年表（4）

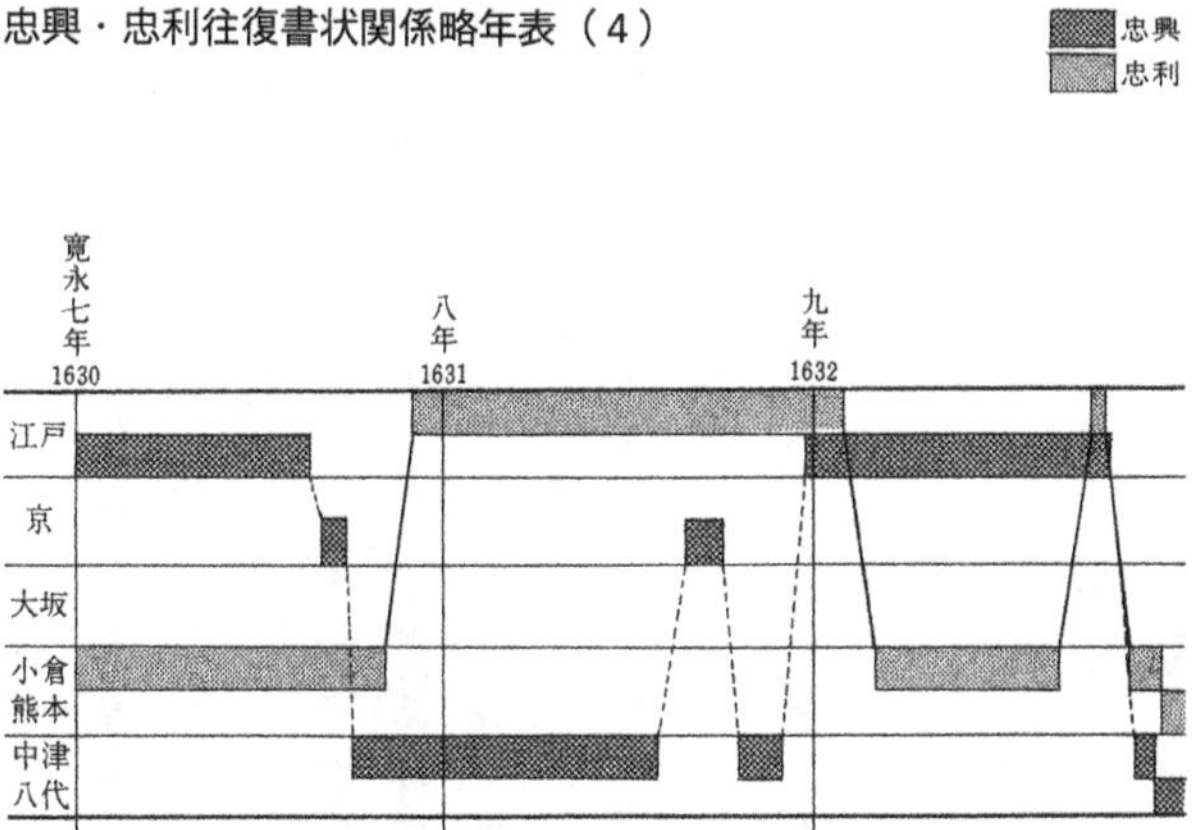

寛永七年（1630）

1月24日　光尚（11歳）、烏丸光賢次女禰々（10歳）と婚約。
4月　島津家久、家光の数寄屋御成のため、忠興の助言を請う。
5月　伊達政宗の「酒狂い」が噂の種。
6月　永井直清、忠興の能舞台を借りて猛練習。
7月　飛脚、光尚縁談の書状を遺失するが特赦。
10月5日　藤堂高虎没（75歳）。

八年（1631）

1月27日　禰々、京より中津に下る。
2月　駿河大納言徳川忠長、家臣を多く手討ちにする。
3月—5月　天変地異続発。お家騒動激発、不隠な噂も広がる。
5月29日　徳川忠長、甲府へ蟄居。
9月　秀忠、重病。全国の大名、江戸城に参集して込み合う。

九年（1632）

1月24日　秀忠没（54歳）。
3月　家光、年寄の独断を禁止し政務停滞。
4月　加藤光広の謀反事件起こる。
5月　加藤父子処分。肥後五十一万石改易。
6月　黒田家老栗山大膳、忠之の謀反を告発（10年3月敗訴）。
10月4日　忠利、肥後五十四万石の太守となる。
12月9日　忠利、熊本城にはいる。17日　家光、大目付創設。

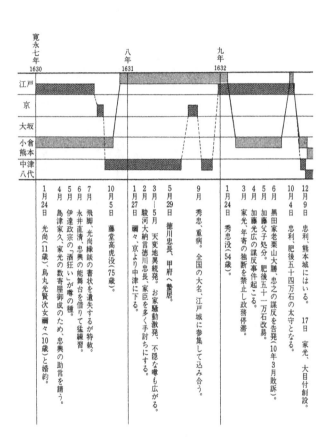

家臣を呼んだりする。八年前が思い起こされる。上下ともに、「ほどなく一伯殿（松平忠直）のようになるだろう」と噂をしていた（二月二十九日忠興書状）。

三月に入ると、いよいよむら気になってきた。年寄酒井忠世と土井利勝は、駿府に使者を遣わして意見した。

しかしこれがかれを刺激した。忠長は、にわかに具足《ぐそく》・甲《かぶと》をつけ、「おまえが知らせたのだろう」と、お傅役《もりやく》として付けられていた内藤政吉《まさよし》（年寄内藤忠重《ただしげ》の弟）を成敗しようと、追いまわした。政吉は、かろうじて逃げたが、その後、仕えていた禿《かむろ》（少女）を唐犬に食わせたり、侍女を酒で責め殺したりと、正気ではなかった。

側近の者も、主人がすぐ具足をつけて成敗してやると言いだすので、病気と称してだんだん出仕しなくなった。そのためかえって機嫌が悪く荒れ狂い、ついには小さい子供が一人、側にいるだけで、だれも出仕しなくなった（三月二十八日忠利披露状）。

忠長、甲州へ蟄居

三月末、忠長は、家老として付けられていた朝倉宣正を切腹させるようにと、秀忠に訴えてきた。秀忠と家光は相談して、「このままでは宣正も忠長に出仕できまい。忠長をどこかに預けるから、宣正はそのまま駿河におれ」と命じた。

すると宣正は、「家来を斬ったとて、両上様に対しての反逆ではございません（「両上様に対し慮外にてもござなく候」）。お手討ちにあうまで、どこまでも御奉公せねばならぬ私でございます。忠長様をどこかにお預けなさるのであれば、私に切腹を仰せ付けられたあとにしてください」と嘆願した（四月一日忠利披露状）。

宣正が忠長の召し預けに同意しないので、秀忠らはきつくしかり、切腹を命じようとしたが、年寄らが仲介し、酒井忠行が宣正を預かることになった。そして忠長は、付《つけ》家老の鳥居忠房《ただふさ》の所領甲州《こうしゅう》谷村《やむら》に蟄居《ちっきょ》することになった。忠長が甲州に旅立ったのは、寛永八年五月二十九日のことであった。

天変地異は天下の大乱

近年噴火のなかった浅間山《あさまやま》が噴火した。浅間の方から風が吹くときは、江戸にも灰が飛んできた。「浅間は、関ケ原・大坂事の時は大焼け、越前事（忠直事件）の時は少し焼け」たとのことで、こんどの噴火も忠長の乱行によるものとみなされた。また、三月十三日には、大きな光り物が二度見えた。

加藤嘉明の領地会津では、烏が群集して、互いに食いあった。五月八日には、江戸に雷雨があり、大雹《おおひょう》が降った。八王子《はちおうじ》では、雹のため、狐や狸、鳶《とび》、烏などが多く死んだ。鎌倉《かまくら》にも雹が降り、家を打ち抜き死人まで出たという。忠利は、「秀頼十七年忌、ことに五月八日右の仕合《しあわせ》」と、これが秀頼の祟《たた》りではないかと考えている（五月十五日忠利披露状）。

この時代、自然現象は、なにか大きな政変の兆しと、もっぱら受けとられる。江戸では、具足などが数もなく売れた。町人たちは、陣道具を誂《あつら》えるのにいそがしい。調達先は、不穏な情勢を見越して、戦いの準備をしているいくつもの大名家だった。

またあとに述べるように、長崎からは奉行竹中重義の悪政を訴える告発が行われていた。福岡の黒田家では、内紛が激化し、老臣の栗山大膳《くりやまだいぜん》（利章《としあき》）と全面対立の様相を呈している。対馬の宗家でも、老臣柳川調興《しげおき》が、主人宗義成が朝鮮への国書を改竄《かいざん》していると訴え出ている。このほかにも内紛を抱えた大名家は多く、なんとも不穏な情勢であった。

秀忠、病む

そのようななか、寛永八年九月ごろから、秀忠は癪《しゃく》を病むようになった。毎日灸《きゅう》を据えないと、さしこみがあった。病状は公開されないが、忠利は、秀忠の侍医通仙院と懇意であったので、かれあたりから病状を聞き出し、さらに秀忠の側近からも情報を得て、「通仙御申し候よりは、御気色はおもきやうに、たしかに承り届け候」――病気は通仙院が言うよりも重いとたしかに聞きました、と報じている（九月二日忠利披露状）。

その後、秀忠は、胸が痛み、手も不自由になってきた。病名は寸白《すばく》（寄生虫による病気）で、かなり病状は重い。大名たちは連日、見舞いに登城し、込み合った江戸城の玄関で刃傷《にんじょう》沙汰《ざた》も起こっている。

秀忠危篤ということになれば、国元にいる大名たちは見舞いのため、いっせいに参府してくることになる。幕府は、もし危篤の場合でも、外様《とざま》大名と境を接している譜代の者は、領地に留《とど》まるようにと、諸国に命じた（九月二十三日忠興披露状）。

この年は、西国大名が在府している年で、東国大名が参府してくれれば、西国大名にお暇が与えられるはずであった。まだ制度化はされてないが、東西の大名が交互に在府する慣行になっていた。十一月中旬、秋田の佐竹義宣、米沢の上杉定勝《さだかつ》、仙台の伊達政宗ら有力大名が続々と参府し、下旬にはみな江戸に揃った。

かわりに、佐賀の鍋島勝茂や長州《ちょうしゅう》萩の毛利秀就、伊勢津の藤堂高次らに暇が与えられたが、秀忠の病状が悪化したため、そのほかの西国大名には暇が与えられず、江戸で越年と決まった。暇が出されていた鍋島らも、国に帰るに帰れず、江戸に留まった。

秀忠の死

加賀の前田光高《みつたか》も近日中に参府する。御三家紀伊の徳川頼宣《よりのぶ》は在府の年である。国元に留まるはずの尾張《おわり》の徳川義直《よしなお》にも、参府の命令が下された（尾張・紀伊も交代で在府する慣行である）。

いま国に残っているのは、薩摩の島津家久だけであった。鹿児島は遠いから、別格的な扱いがなされていたのである。心配した忠利は、薩摩藩江戸家老の伊勢貞昌に土井利勝と相談させた。すると翌九年二月に参府せよと命じられ、貞昌は急いで国元に飛脚を下した。こうなれば忠興も参府しないわけにはいかない。

忠利は忠興に、これらの動きを伝えたうえで参府を促した（十二月二日忠利披露状）。急ぎ国を出た忠興は、十二月二十四日、江戸に着いた。

こうして、諸大名が見守る中、翌寛永九年（一六三二）正月二十四日、ついに秀忠は他界した。享年五十四であった。

細川氏のもとには、侍医の通仙院ほか、さまざまな者からこの知らせが報じられた。他の大名家もほぼ同様であったろう。その日のうちに江戸中、そして全国にこの知らせが走った。

家光、年寄の独断を禁ず

大御所秀忠が死んで、政治の流れは大きく変わっていく。

いよいよ将軍家光が親政《しんせい》を行うことになった。

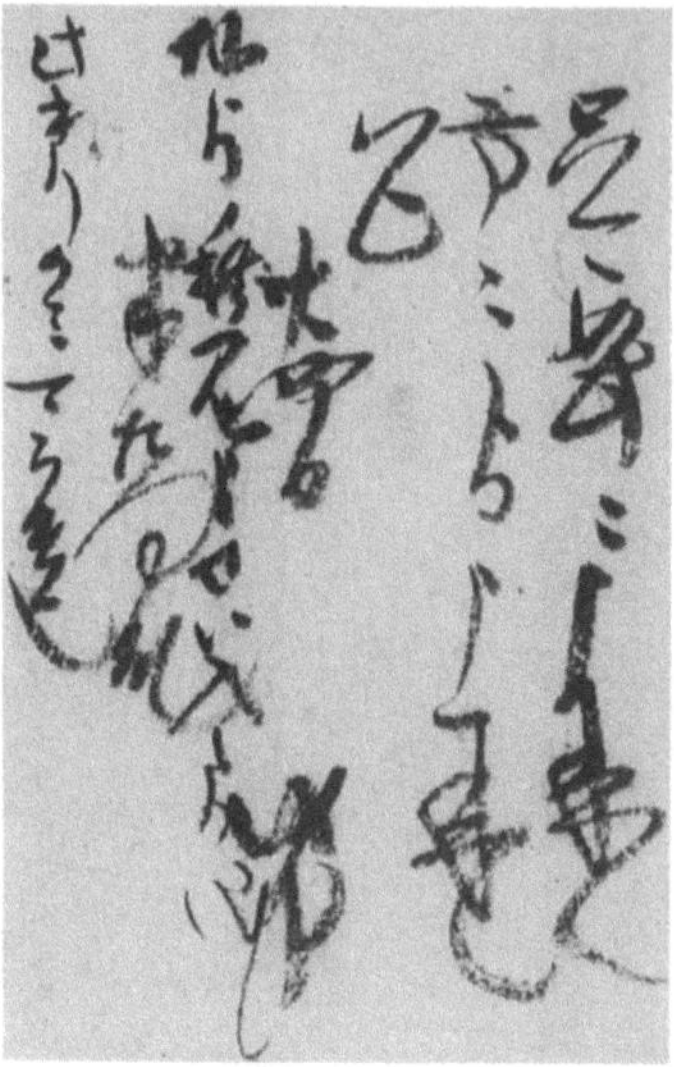

只今如此ニ申来候、
方ミから申来候、
以上
廿四日　越中
（忠興返事）
「仙からノ撚見申候、せい入たる儀候、
半左衛門尉殿
此きりかミ可被遣候也」

細川忠利自筆書状幷忠興書入返事（小切紙）　細川家文書　廿四印十番　〔永青文庫蔵〕
＊半左衛門尉＝貴田半左衛門尉（忠興の側近）
＊読み終えた書状の行間に返事を書いて返送した
＊仙＝通仙院（半井成信）

家光の政治で最も特徴的なことは、年寄たちの独断を許さなくなったことである。早くも寛永九年（一六三二）三月二十七日、忠興は、国元に帰っていた忠利に、次のように報じている。

「今は、かりそめの進物程の事も、雅楽殿（酒井忠世）・大炊殿（土井利勝）・讃岐殿（酒井忠勝）と揃い候はでは、御披露もならざる躰に候」

――いまは、ちょっとした進物などでも、三人の年寄衆が揃わなければ、上様への披露もできないありさまだ。

たとえば、この三月、三河衆《みかわ》（譜代大名）に暇が与えられた。かれらは「権現様（家康）の十七年忌なので、将軍の日光社参前か社参後かに日光に社参し、それから領地に向かいたい」と酒井忠世に願った。すると、忠世は、「大炊殿（利勝）・讃岐殿（忠勝）にも申し入れられよ」と答えた。そこで、利勝に申し入れたところ、「雅楽殿（忠世）・讃岐殿にも申し入れられよ」との返事、忠勝に申し入れても同様の返事であった。しかたなく、三人一緒にいるときを見計らって願おうとしたが、大勢が願おうとしているので、なかなかそのような機会が回ってこない。

万事、この調子で、独断を禁じた結果、幕府への願いが処理されないで、大渋滞を招くようになっていた。

秀忠時代の終わり

秀忠の大御所時代は、よほど事情が違っていた。寛永七年九月、忠興は、忠利の参府を少し延期させてほしい、と土井利勝に頼んだところ、請け合ってもらえ、その後、利勝が秀忠に言上して許可されている。翌八年正月にも、光尚が親戚《しんせき》の細川興昌の領地で鷹狩《たかが》りしたいと利勝に願うと、そのまま両上様のお耳に入り、許可された。

しかし家光は、年寄三人の合議の上でなければ、幕府の結論を出してはならないと、固く命じたのである。また、諸大名への御触《おふれ》などは、年寄か担当の奉行のほかは、大名に伝えてはならない、と命じた。それまでは、幕府からの御触も、親しい旗本などを通して大名に知らせていたのである。これは公式には禁止となった。当然の指示とも思われるが、細川氏が、加々爪や曾我からどれほど情報を得ていたかを考えると、今後、ある程度の自粛が必要になるであろう。

もっとも、この指示は幕臣になされたもので、そのような指示が出たことを忠利に知らせてくれたのは、旗本の曾我古祐であった。

加藤光広謀反の筋書き

秀忠が死んで三ヵ月ほどたった寛永九年四月十九日、幕府代官井上新左衛門《しんざえもん》に謀反を呼びかける書付が渡された。渡した者を捕らえたところ、肥後熊本の加藤家の嫡子光広《みつひろ》の家来であった。井上は、光広の碁友だちであった。

書付は、酒井忠世がある人に語ったところによると、「上様は、日光社参を利用して土井利勝誅伐《ちゅうばつ》を計画しているから、先手を取って、日頃申し合わせているとおり、上様を殺害しよう」と書き、起請《きしょう》のうえで、名乗りを「信康」とし、血判を据えていた。宛名は井上である。

この内容は、酒井忠世が人に話し、それを聞いた人がまた他の人に話し、その人がさらに忠興に話してくれたものである（「この儀をさる所にて雅楽殿語られ候、それを又さる人に語り申したる由候て、その二番目の口より我等直《じか》に承り候事」）。

話は、この調子で広まっていく。

忠興は、「この内容は、最初から合点がいかない。上様が大炊（利勝）を果たそうと思えば、なんの手間もいるまい。こんな計画など必要がないはずだ」あるいは「権現様の十七年忌の日光社参だし、まだ相国様《しょうこくさま》（秀忠、相国は太政大臣の唐名）の百ヵ日もすんでないのに、大炊など誅伐なさるはずがない」とこの書付をまったくの偽物としながら、「相国様御在世のときには、大炊殿一人だったので、大炊殿を頼まない者は、大小につき一人もいなかった。石田三成が太閤様の信任を受けていたとき、大名たちを自分の家来のように動かし、ついには思わぬことをしでかした（「畢竟《ひっきょう》不慮を仕出し候」）。大炊殿も、時節によればこのようなことをするかもしれない、と上様がお考えになったのだろうか」と、万一のことを想定している（五月十五日忠興書状）。

利勝ら年寄の地位は、ひとえに家光の信任にかかっていたのである。

加藤父子の処分

五月二十四日、家光は、伊達政宗・前田利常《としつね》・島津家久・上杉景勝・佐竹義宣の五大名を特別に江戸城に召して、かの書付を見せ、「御代始《みよはじ》めの御法度に候間、急度仰せ付けらるべく」と言明した。同席していた大老格の井伊直孝も、「かやうの儀は、急度仰せ付け候はでは叶《かな》はざる儀」と言葉をそえた（五月二十四日忠興書状）。

処分を発表するにあたって、これが幕府の恣意《しい》的なものではないことを、有力大名にはあらかじめ知らせておいたのである（この年は東国大名在府の番で、島津はこちらのグループと在府することが多かった）。忠興は隠居だから呼ばれなかった）。忠興は、「今朝の内、切腹たるべくと存じ候」と推測している。

同月二十九日、加藤忠広父子の処分が発表された。熊本五十一万五千石は改易、忠広は堪忍分（生活費）一万石を与えられ、出羽庄内《しょうない》藩の酒井忠勝（宮内大輔《くないたいふ》、年寄とは同名の別人）にお預け、子の光広は飛彈高山《たかやま》藩の金森重頼《かなもりしげより》にお預けとなった。直接の罪はないはずの忠広も、江戸で生まれた子供を許可なく国元に連れ帰っていたことが、「事の外曲事《くせごと》」との判決であった（六月朔日忠興書状）。

この処分が、城中で五万石から十万石内外の大名へ申し渡されたとき、次のような光景があったと、その席に出席していた浅野長重から教えられた（六月二十四日忠興書状）。

「堀丹（直寄）、かやうの儀は承る儀と申し、声をあげ、なき申し候由に候、その躰、井掃部《かもん》殿（井伊直孝）見られ候て、松下総殿（松平忠明）と目を見合はせ、きもつぶしの由に候、そのわきに脇坂（安元）も居り申し候て、声は出さず、ことのほか落涙仕る由に候」

――堀は、「このようなことはもう承っておるわ！」と言い、声をあげて泣きはじめ、申し渡しの席に臨席した井伊直孝は、同じく大老格の松平忠明と目を見合わせ驚いていた。その隣にいた脇坂も声をおさえはらはらと落涙した。

堀は、光広の事件を知ってから異様な行動が多かったが、忠興は、「これほども相腹中にて候哉、このなき（泣）様、諸人合点申さず候、誠に狂気と相見え申し候」と評している。

忠興は、すでに述べたようにかれら三人とは仲が悪く、「父子ともに御成敗候はで叶はざる所、御免じ候事、御慈悲故と申す事に候」――死罪にならないのはお慈悲ゆえだと、それほど同情はしていない。

徳川忠長に自害を命ず

加藤光広の反乱というのは、実体のないいたずらであった。そもそも計画自体が本多正純事件のパロディーである。しかし、政権を握ったばかりの家光にとって、諸大名が自分に従うかどうかは、予断を許さないものであり、神経質にならざるをえなかった。

翌十年九月から十月にかけて家光が重病にかかったとき、世間に忠長や紀伊の徳川頼宣の反乱の噂がかなりのリアリティーをもって飛び交ったように、家光政権は決して安定的なものではなかったのである。

ために、病気の回復した家光は、十月、甲州に蟄居させていた忠長を、馬一匹と鑓《やり》一本、近習わずかのみで安藤重長《しげなが》の領地上野高崎《たかさき》に移した。そして阿部重次《あべしげつぐ》を密使として派遣し、自害を命じた。忠長が高崎の大信寺《だいしんじ》で自害したのは、年も押し詰まった十二月六日のことである。享年二十八であった。

忠長の行動はそれほど改まらなかったと伝えられているが、秀忠存命中は金地院崇伝などを通じて絶えず赦免を願っていた。噂は別として、反乱を企てたという事実もない。なぜこの時期に、と考えれば、やはりこれは家光の危機感によるものであろう。

自分の後を狙う資格のある者は忠長しかいないのである。秀忠も弟松平忠輝《ただてる》や甥《おい》松平忠直を排除し流刑に処したが、殺すことまではしなかった。忠長が死ななければならなかったのは、ひとえに家光政権の不安定さ（これはとくに家光自身の認識が大きい）による。

大目付の創設

だから、反抗の芽を摘みとるために、家光は江戸中に目付を放ち、小さなことでも報告させた。

寛永九年（一六三二）五月十七日の暁、島津屋敷の小さな材木小屋からぼやがあったとき、屋敷の者がまだ気づかないうちに幕府の目付がかけつけ、屋敷の門をたたき、「内に火事参り候」と呼ばわったので、屋敷の者が気づき、火を消したという（五月二十三日忠興書状）。島津屋敷などは、幕府がもっとも注意して見回っていたのであろうが、江戸中がこの調子で、大名たちは目付の動きに神経を尖《とが》らせている。

また、この年十二月十七日、水野守信《みずのもりのぶ》・柳生宗矩《やぎゅうむねのり》・秋山正重《あきやままさしげ》・井上政重《まさしげ》ら旗本の歴々四人に諸大名・旗本の監察が命じられ、条書が渡された。これが大目付の濫觴《らんしょう》である。

大目付は、のちには大名の監察にあたる任務になるが、このころには、家光の目や耳になって年寄たちをも監察の対象としていた。忠利は、年寄たちが「大横目（大目付）に怖《お》じ恐れ」ていると伝えている（寛永十年十月十三日忠利披露状）。

家光自ら情報を把握

秀忠の時代には、とくに外様大名の行動に注意が払われていた。忠興らの行動なども、さまざまなところから幕府に報じられている。

寛永八年秋、忠興は、中津を立って江戸に向かったが、このことは、松平忠直に付けられた豊後目付から、すぐに江戸に注進されている。忠興らは、さまざまな非公式なルートから情報を得ていたが、これは両刃の剣であって、同様のルートから行動が幕府へ筒抜けになるということでもあった。

しかし、幕府年寄の監察にあたる役職はなかった。大目付という役職は、家光が自ら直接情報を把握しようとする意図から出たものであっただろう。年寄さえも信頼できなかった。家光としては、一日も早く子飼いの年寄を起用したかった。

2　だれが肥後へ？

熊本城の受け取り

寛永九年（一六三二）六月、加藤忠広改易後、肥後熊本城受け取りのため、幕府から上使が派遣されることになった。幕府の緊張感を反映して、上使には内藤政長（陸奥磐城平《いわきたいら》七万石）や石川忠総《いしかわただふさ》（豊後日田《ひた》六万石）ら「御譜代衆歴々」が派遣されることになった。そのほか、稲葉正勝と伊丹康勝、そして旗本曾我古祐・秋山正重・朝倉在重《ありしげ》・石河勝政《いしこかつまさ》らが赴くことになった。

改易された城の受け取りというのは、大規模な戦闘すら予想される。熊本城には、加藤忠広の留守居家老をはじめとする家臣がおり、かれらがおとなしく城を渡すかどうかわからないからである。福島正則の広島城受け取りのときも、年寄安藤重信・永井直勝（常陸笠間三万二千石）を上使とし、酒井忠勝（宮内大輔、出羽庄内十万石）・本多康俊《やすとし》（近江膳所《ぜぜ》三万石）が派遣され、中国・四国の近隣大名が出動している。

忠興は、忠利に「その方に出兵が命じられたなら無利子で銀子二百貫を貸そう、米も四万五千石ある」と戦費・兵糧調達の協力を言い送っている（六月六日忠興書状）。実際、籠城《ろうじょう》となれば、九州の諸大名に出陣が命じられる。

稲葉正勝の起用に注目

派遣される上使のうち、内藤・石川は軍事面の責任者、伊丹は勘定頭（のちの勘定奉行）で年貢等の事後処理、曾我・秋山・朝倉・石河は「横目分」すなわち監察役であった。

忠興は、肥後への上使の中に、稲葉正勝の名があることに目を引きつけられた（「稲丹後殿など遣はされ候事、何《いずれ》も存じ寄らざる儀と申し候」）。

稲葉正勝は、家光の乳母春日局の息子で、家光幼少時からの側近である。そのような人が、改易大名の城受け取りなどという任務につくのは珍しい。城の受け取りは、武勇に定評のある歴々の譜代大名に任されるのが通例である。

しかし、忠興は、すぐに思い当たった。

熊本城

「又は、丹後殿（稲葉正勝）其元《そこもと》申し付けられ、御帰り候はば、身上御取り立てなさるべきわけかとも推量申し候事」

――あるいは、稲葉殿が熊本城受け取りのことを命じられ、任務を遂行して江戸に帰ったら、その功績により地位を引き上げようとなさってのことかと、推量します（六月八日忠興書状）。

稲葉正勝は、秀忠大御所時代に本丸年寄を務め、家光の一番のお気に入りである。しかしまだ若く（三十六歳）、土井利勝や酒井忠世と比べると見劣りがする。そこで、熊本城受け取りを任せ、経歴に箔《はく》を付けさせようとしたのだ、という推量である。これは、じつに優れた洞察で、正勝は、病にさえ倒れなければ、利勝らと肩を並べることになったであろう。

熊本城、緊迫

石川忠総は六月十四日に江戸を立ち、稲葉らも十八日に江戸を立って、熊本に向かった。

熊本では、当主加藤忠広が参府直前の品川宿《しながわ》で収監されてから、肥後に他国人が宿することを禁じ、人の出入りを許さず、白川《しらかわ》の渡し口も一ヵ所だけにして、厳重な人改めをするという様子であった。熊本に残った若い者たちは、籠城を主張し、城の無血開城は予断を許さなかった。

籠城となれば、細川・黒田・鍋島ら、九州の大名たちが出陣となる。忠利は、出陣するとなれば、軍勢は一万二千から一万三千程、馬は千以上だと、忠興に伝えている。大坂の陣のとき並みの編成である。忠興は「いよいよ物入りと存じ候」と嘆息しながら、福島正則のときと同様、籠城はあるまいと予想する。

「主人より渡し候らへと申し候城を、留守居共渡すまじくと申し候事、毛頭《もうとう》聞こえざる儀に候、十の物九ツも異議なく渡し上げ申し候と存じ候」――主人から渡せと言われた城を、留守居たちが渡さないと言い張ることなど、聞いたこともない。九割方問題なく引き渡すことになるだろう（六月二十九日忠興書状）、というわけである。

主君の命令にしたがうのなら家臣たちの面目もたつ。謀反の嫌疑で「急度仰せ付けらるべく」と言いながら、切腹すら命じなかったのは、これら家臣対策であった。

上使が熊本に向かう途上、中国筋・九州筋の大名の歓待は一通りではなかった。とくに忠利の接待ぶりは水際立っており、家光にも報告されて感心されたという（「今度その方馳走《ちそう》の仕られ様御耳に立ち、事の外御感の由に候」）。

忠利、肥後転封の噂

そのころ江戸では、次の肥後国主は忠利だと噂されていた。

江戸城中では、連日のように、家光と年寄らが談合している。まったく根拠がないわけでもないらしい。

江戸にいる忠興は、六月二十三日の書状で、「千万に一、さやうに候《そうら》はば、その方大大名になられ候はん事は珍重に候」、と国元の忠利に告げている。豊前は表高三十万石、内高四十万石であるが、肥後は内高九十六万石といわれる大国である。

七月十一日の忠興書状では、「江戸では、その方に肥後国を与えられるというのは、いよいよ決定したように噂されている。もし、今年命じられれば、小倉を明け渡さなければならないから、城の掃除なども早速に申し付けなければ……」と言いながら「その方が大大名になるのを、生きているうちに見ることができるのは、たいへん嬉《うれ》しい。しかし、年取ってから国替《くにが》えするのは難儀で、私の心中を察してほしい」と愚痴っている。

いっぽう、肥後は、幕府がいちばん警戒する島津氏への押さえとなる要衝である。細川氏に問題があるかないか、最高レベルの選考基準が働いているはずだ。忠利は、はやる心をおさえて、「私と島津殿が仲がよいこと（「等閑《なおざり》なき儀」）は、上様もよくご存じなので、肥後国替えはないでしょう。伊達政宗か両大納言殿（尾張・紀伊の徳川）を中国地方に国替えし、中国衆（毛利氏ら）のだれかを肥後に遣わされるのではないでしょうか」とことさら慎重に推測し、忠興も、その可能性も否定できない、と答えている。

上使が派遣される以前に決定したことであれば、稲葉正勝が任務を終えて江戸に帰る途中、小倉の忠利に申し渡しがあると思われた。しかし、城受け取りを無事にすませた正勝は、そのようなそぶりもみせず、八月十一日に小倉を出船し、江戸に帰っていった。

肥後国替えは中吉

細川父子にとっては、なんとなく重苦しい日々がつづいていた。いろいろな噂を聞きながら、決定的な情報がない。忠興は、肥後の処分は今年は棚上げされ、蔵納《くらおさめ》（幕府直轄地）と聞いた。しかし、諸方から国替えは細川氏といわれて驚いている（八月五日忠興書状）。

八月二十八日、忠興は、たしかな筋からの情報として、次のように言い送っている。

「その方を肥後に国替えすれば、薩摩・大隅《おおすみ》と隣国になるので島津家への押さえとなるだろう。そのため、その方を大身にして遣わされるのだ。そのうえ、その方なら幕府に異心はないだろうから、他の者を遣わすよりは安心だと、上様がお考えになっているということだ（「その上、公儀へ別儀あるまじくと御覧付けられ候間、余の者遣はされ候よりは、国のかたまりと思《おぼ》し召さるの由」）」

いよいよ大国拝領は、現実的になってきた。

ただ、上使からの最新の調査報告では、肥後の知行高は、かねて聞いていたのとずいぶん開きがある。七十二万三千石余という石高は、物成（年貢）の差し出しに引き合わせると三ツ六分六厘にしかならない。物成五ツとしてようやく六十万石（五十万の誤りか）程度だ、ということだった。

「これでは、二十万石の加増にしかならない。肥後は船の便が悪いので、京都へ送る米は現在の豊前ほどもないだろう。そうすると、家臣への加増も、自由にはできまい」と、忠興はがっかりしている（九月四日忠興書状）。

とすれば、①九州の押さえとして長門《ながと》・周防《すおう》に遣わされれば、大吉、②現在の領地に豊前の小大名領を合わせて加増されるか、③家臣の御家騒動に悩む黒田家が国替えされ、その跡の筑前に国替えならば、それも大吉、④肥後国替えは中吉、というのが忠興の意見である（月日未詳忠興自筆書状）。

噂の火元

ところで、このような噂はどこから出てくるのであろうか。

忠興は、次のように述べている（八月二十八日忠興書状）。

「惣別《そうべつ》肥後の躰《てい》、九州・中国の様子、能々《よくよく》丹後殿の口上聞こし召され候上ならでは、御さばけ（裁）もなるまじき儀と存じ候へども、御前衆慥《たしか》なる様に申さる由候て、いかにもおちどあるまじき衆何《いずれ》も申さるに付き、左かと存じ候つる、この儀は御内々にて御諚《ごじょう》も候つる哉、左様の事を承り候て、国替の事申したる物にて候」

――とにかく肥後の状況、九州・中国の様子につき、稲葉の報告をよく聴取されたうえでなければ、決定もできないだろうと思うのだが、「御前衆」がたしかなように申していたということで、めったなことは言わない人までみな言うので、国替えがあるかもしれないと思う。これは、内々にて将軍が言ったことなのかもしれない。そのようなことを聞いて、噂しているのだろう。

ここで「御前衆」というのは将軍の周囲にいる人のことで、具体的には年寄や六人衆（のちの若年寄）など側近の者のことであろう。かれらの話を聞いた旗本らが、さまざまに噂を流していたようである。忠興は、こうした旗本から噂を聞いたわけである。しかし、旗本にも「いかにもおちどあるまじき衆」とそうでない者がいる。忠興は、信頼できる旗本（おそらく加々爪忠澄や曾我古祐あたり）からも国替えの噂を聞いていたから、内々の決定があるのかと考えたのである。

外れては、かえって迷惑

また忠利は、小倉に来た上使一行についてこう述べている（八月十二日忠利披露状）。

「国替の沙汰、下々には上使の衆も申し候、一切その躰ござなく候」

――国替えについて、上使の家臣は噂していますが、上使にはいっさいそのようなそぶりも見えません。

稲葉正勝や伊丹康勝は、国替えについてなにも言わず、そのほかの衆や家臣たちがさまざまに噂していたのである（九月四日忠興書状）。

つまり、年寄や上使という責任ある立場の人間は、国替えについてなにも教えてくれないが、家臣や周囲の者たちには喋《しゃべ》っており、それをその者たちが噂したり、親切に伝えてくれるという構造になっていたのである。

このように、周囲ではだれもかれも、忠利が加増されるとか、肥後に国替えされると噂していた。忠利も、つとめて平静をよそおいながら、なかばその気になっていて、「かやうに申しなし候てから、さやうにこれなく候へば、かへつて迷惑」――このように噂されながら、国替えがないとかえって困る、と父親に訴えている。

大国肥後拝領

稲葉正勝から、「近国の状況を頻繁に報告し、御家騒動のため江戸に召喚された黒田忠之が国を出たのち、十月十日内外に江戸に着くよう国を出よ」と指示された。

八月二十五日には、黒田忠之が出船、忠利は、即座に注進している。そして、忠利も後を追うように早々と江戸に向かった。

江戸では、九月十日に、稲葉正勝が忠興の下屋敷を訪問した。加々爪忠澄と堀直之も一緒である。公的な用事ではなかったが、このようなとき、つい口が軽くなって重要な話題が出ることも多い。忠興は、なにか教えてくれるかと期待していたが、国替えの件はなにも出なかった。正勝は、ただ、忠利が参府すれば、忠興に暇が与えられると教えてくれただけである。忠興は、加々爪や堀が一緒だったからか、と都合のいい解釈をしている。

寛永九年（一六三二）十月三日、忠利は、江戸に着いた。その直前、稲葉正勝から肥後国替えを教えられている。細川家と親しい間柄だったためだが、その正勝でさえ、この件については、最後の最後まで内密にしていた。

翌四日、参府の挨拶《あいさつ》に登城した忠利は、家光から直接、肥後国替えを命じられた。

肥後一国に豊後鶴崎《つるさき》二万石を添えて与えられ、五十四万石の太守となった。鶴崎には良港があり、参勤交代の便宜を考えての拝領である。事前の根回しはまったくなかった。

おそらく噂が流れていたころには、家光の最終決定が残されていたのであろう。大名の配置を決めるのはあくまで将軍の権限であり、正式に発表されるまでは、いくら忠利が有力候補であったとはいえ、年寄たちもめったなことは言えなかったのである。

この四日、忠興も登城した。緊張のためあまりに疲れ、年寄たちへの御礼言上は翌日とした。忠利は、十八日、国拝領の正式の御礼のため登城した。嫡子光尚も同道している。

丹後の中大名細川家の三男が、大国肥後の太守になったのである。

3　新領国に移って

城引き渡しの作法

細川氏の旧領豊前には、小笠原一族が封ぜられることになった。小倉十五万石に小笠原忠真、中津八万石に小笠原長次《ながつぐ》、竜王《りゅうおう》（宇佐）に松平重直、そのほか豊後杵築に小笠原忠知《ただとも》である。

小笠原忠真は、忠利室の兄で、両家は親戚の間柄である。転封のときの出来事がもとで、大名間の仲が悪くなることは多い。細川家と黒田家が決定的な対立状態に陥ったのも、豊前引き渡しの際の年貢先納問題であったことは、すでに見たとおりである。気心の知れた者が後に入るのは幸運なことだった。そのへんのところが配慮された人事だったのであろう。忠興も、「さては心安く存じ候事」と安堵《あんど》している。

小倉城の引き渡しは、細川氏らしく、相手を配慮した行動をとっている。忠利からの書状に答えた次の小笠原忠真の返書は、その一端をうかがわせる。

一、小倉本丸家毎《ごと》の板敷の下、悉《ことごと》く炭・薪《まき》置かせらるの通り、その意を得存じ候事、
一、小倉武道具の儀、残らず熊本へ持たせられ候儀、御尤《ごもっと》もに存じ候、

城は、防御の拠点である。細川氏は準備よく、本丸の建物の床下に、炭や薪を敷き詰め、いざ籠城というときには、板を剥《は》がして、炭や薪に不足しないようにしていたのである。これは、そのまま小笠原氏に引き渡した。年貢をかすめとった黒田氏とはえらい違いである。城に常置しておいた武具は、細川氏が熊本に持っていった。これは、細川氏が調えたものであったから、当然のことだったが、いちおう小笠原氏に通達したのである。譜代大名の転封では、城付きの武具はそのまま引き渡すことになっている。

跡をしたう町人たち

領主が代わることを知った豊前の町人たちは、細川氏に付いて肥後に行こうとした。しかし、転封の際に連れていっていいのは武士だけで、町人や百姓を連れていってはいけなかった。

忠興は、中津の町人について、次のように言っている。

「町人、跡をしたひ参り候事、弥《いよいよ》申し留め候へ共、はや先へ参り候者の事は、是非なく候」

――町人が私の後について熊本に来たいと言っている。なんども止めたが、すでに先に熊本に行った者については、どうしようもない。

そこで、最低限、町人が家を空けてついてこないよう、きびしく申し渡した。たとえば、子供に家を譲り、隠居となって熊本にくるなどすれば、新しく豊前に来た小笠原氏も困らない。ただし、忠興としては、丹後からついてきた町人と寺のほかは、いっさい連れていかないことにしたかった。そのためかなりきびしく止めたようである。

百姓については、いっさい連れていかなかった。これは秀吉以来のきまりである。ただし、年貢徴収や触れの伝達など、代官同様に召し使っている惣庄屋については、連れていきたかったが、百姓身分でもあり、かれらがいなくなると新領主が困るということで、そのまま残している。

年貢は、代官や惣庄屋が徴収し、かれらから新しい給人に引き渡されている。ただ月々の兵糧米（生活分）は、とりあえず取って使い、肥後に移ってからその分を返却することにした。黒田家との苦い経験があるだけに慎重である。

問題は、家中の武士が召し使っている武家奉公人である。かれらは年季奉公で武士身分で

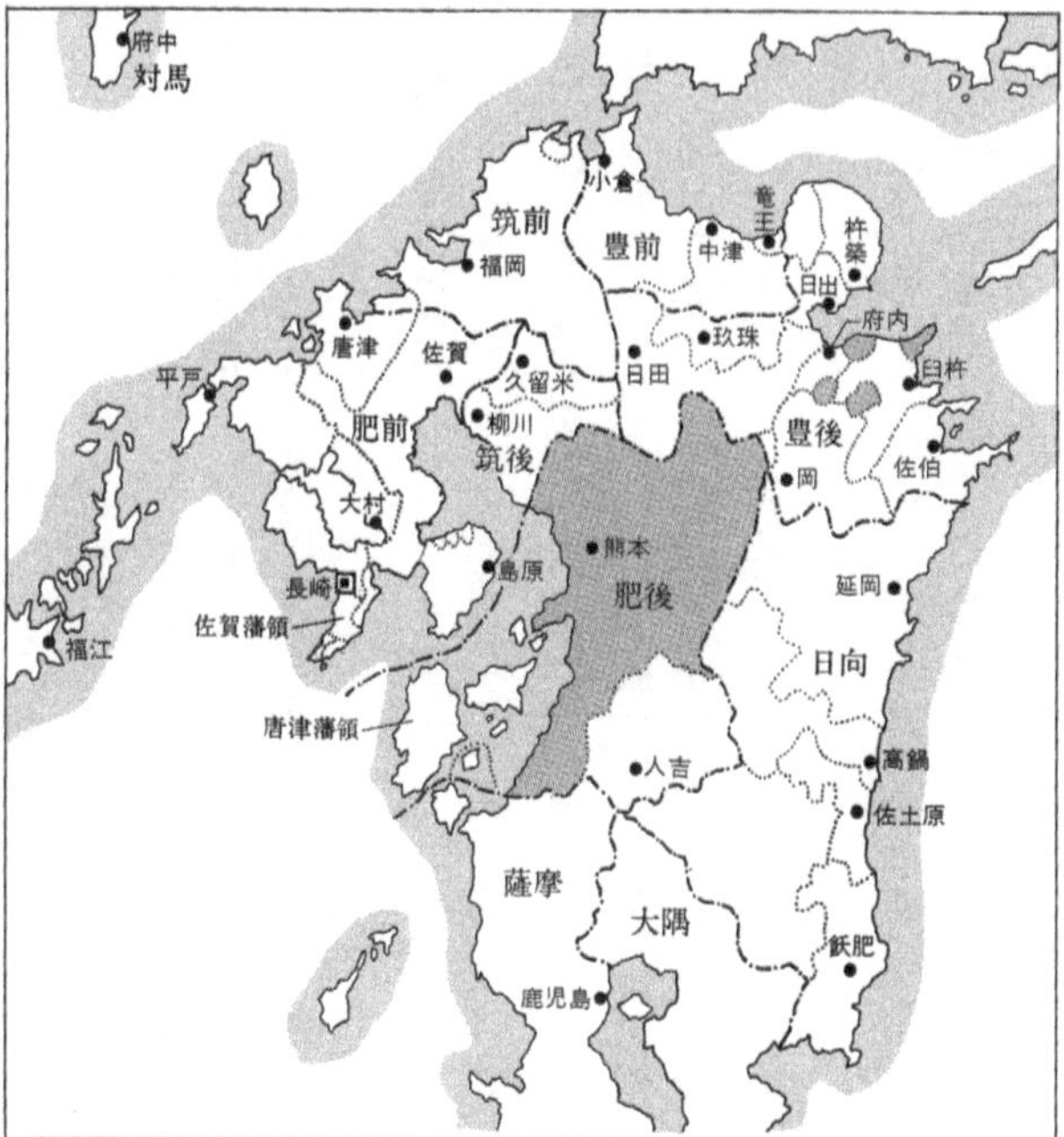

国名	城地	藩主	石高
筑前	福岡	黒田　忠之	523,100
筑後	久留米	有馬　豊氏	210,000
	柳川	立花　宗茂	109,600
豊前	小倉	小笠原忠真	150,000
	中津	小笠原長次	80,000
	竜王	松平　重直	37,000
豊後	杵築	小笠原忠知	40,000
	日出	木下　延俊	30,000
	府内	竹中　重義	20,000
	玖珠	久留島通春	14,000
	日田	石川　忠総	60,000
	岡	中川　久盛	70,000
	臼杵	稲葉　一通	50,000
	佐伯	毛利　高直	20,000
日向	延岡	有馬　直純	53,000

国名	城地	藩主	石高
	高鍋	秋月　種春	30,000
	佐土原	島津　忠興	30,000
	飫肥	伊東　祐久	57,000
肥前	佐賀	鍋島　勝茂	357,000
	島原	松倉　重政	40,000
	大村	大村　純信	27,900
	唐津	寺沢　堅高	121,600
	平戸	松浦　鎮信	63,000
	福江	五島　盛利	15,530
肥後	熊本	細川　忠利	540,000
	人吉	相良　頼房	221,000
薩摩 大隅	鹿児島	島津　家久	728,000
対馬	府中	宗　義成	10万石格

島津家は琉球および日向諸県郡を含む。

●大名居城
▣幕府直轄地

九州大名配置図（寛永 10 年〈1633〉初頭）

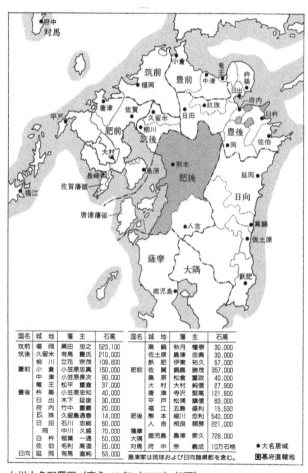

はないが、かれらがいなくなると、武士たちの引っ越しすらできない。

そこで、譜代の奉公人は連れていくが、豊前・豊後で雇った武家奉公人については肥後に連れていったあと、翌年二月二日の出替わり（契約更新）時期に、小笠原氏に引き渡している。戻した者は千八百九十七人で、ほかに走った者（逃亡者）四百七十五人がいた。これは、きちんと帳面に付け、小笠原氏から請状（受領証）を取っている。

忠利、熊本に入城

寛永九年十二月六日、小倉を立った忠利は、九日、熊本に到着した。

忠利は、熊本城西大手門前で座し、「今日より肥後五十四万石の城地を拝領いたします」と深々と頭を下げたという。熊本城には、上使石川忠総らが在番していたが、忠利の入城とともに熊本を立った。旧領豊前の渡し方は、上使の称賛するところであった。

翌日、忠利は、江戸の光尚に、熊本城の印象を次のように語っている（十二月十日光尚宛忠利書状）。

「ことのほか広き囲《かこい》にて候、城も江戸の外には、これほどひろき見申さず候」

加藤清正が築いた名城は、規模が大きく、忠利も大満足だった。現在も、その広い敷地と、峻厳《しゅんげん》な石垣は、見る者を圧倒する。たしかに、江戸城や大坂城を除けば、日本で一、二を争うであろう。

翌年のことであるが、忠利は国廻《くにまわ》りを行った。その印象を光尚に、「思いの外ひろき事にて、見せ申し度《たく》候」と語っている。噂ではさほどでもないと言われていたが、やはり肥後は大国であった。

忠利は、また、「今年来年つつしみ候へば、我等は金もちになり候」ともいう。大国を拝領した喜びが、素直に表現されている。

免をかくす百姓

寛永十年初頭、忠利は、早々に家臣の知行割りをしたかったが、改易で加藤家家臣の知行などのデータが消散したため、そういうわけにはいかなかった。そのうえ、百姓たちは、正確な年貢を申告しないので、石高に引きあてることもできない（家臣の知行は数年の平均年貢高から換算して渡される）。

そこで、幕府にも報告し、四、五月ごろに検地を行い、年貢を徴収する秋にはだいたい知行割りを行い、暮れまでには完了しようとしている。

肥後の政治にあたる忠利の決意には、なみなみならぬものがあった。新国主として厳格に、「不届者は、かたはしよりなて切りに仕るべき」というのが、そのポリシーである（二月十八日光尚宛忠利書状）。しかし、そこは忠利らしく、幕府に相談することを忘れてはいない。

国主の心得と権限

忠利は、肥後の政治について三通りの覚書を作成し、稲葉正勝を通して、これでよいかどうか家光の内々の許可を得ようとした。正勝は、肥後の上使を務めたあと四万五千石を加増され、小田原城主（八万五千石）になっていた。堂々たる年寄の一員である。稲葉正勝は、三月二十二日付の返書で、次のようにたしなめた。

「一切がてん参らず候、肥後の国は越中殿（忠利）へ御あづけなされ候に、何とて上様御仕置仰せ付けられ候哉、その上、いろ〳〵様〳〵御事多き半《なかば》に、かやうの事仰せ上げられ候事、いかがと存じ候、（中略）三ツの御覚書の通り、御心次第に仰せ付けられ候事、尤もに存じ候事」

――（肥後の政治方針につき、内意を得ようとすることは）まったく合点できません。肥後の国は貴殿にお預けなさったのに、どうして上様が政治の指示を行うでしょうか。そのうえお忙しい時期ですから、このようなことを言上することはどうかと思います。（貴殿が提出した）三つの覚書のとおり、ご自由に政治を行って結構かと思います。

国主は、預けられた国を自由に統治してよい。その方針の一々について、幕府の許可を得

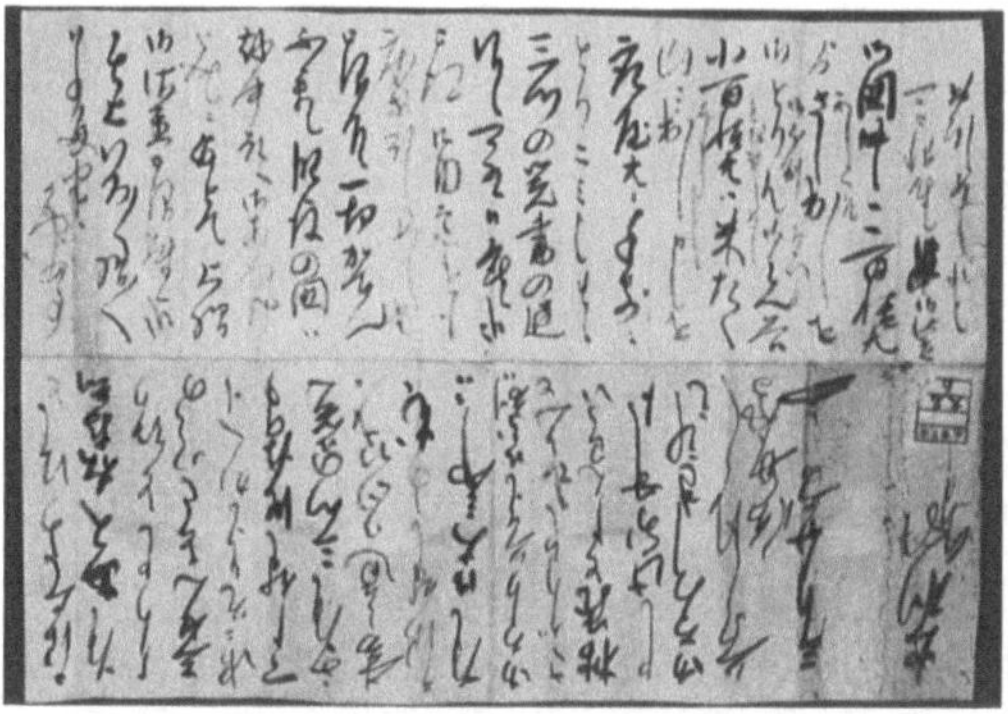

おほしめし候事者可被仰付候、此中御仕置あしく候て、
御分別ちかいとおほしめし候へく候、かしく

御国中之百姓共令さし出しを御とり候て御らん候へ
ハ、小百姓共ハ米たく山ニ出し申候を、庄屋共ニ手
前ニとりこミ申候まゝ、三ツの覚書の通候て可然御
座候哉、被得御内意をも度おほしめし候由被仰下候、
一切かてん不参候、肥後の国ハ越中殿へ御あつけ被
成候ニ、何とて上様御仕置被仰付候哉、其上いろ〳〵
様〳〵御事多半ニかやうの事被仰上候事いかゝと存
候、扨又私存知より申候とをり、しせんをたハらの
儀ニ候て、ともかくも可申付候、肥後の事不存候、
三ツの御覚書之通御心次第ニ被仰付候事尤ニ存候、
御大ミやうニハ御なり候ても御分別ハさがり申候哉
らんと、榊飛と申候てわらい申候、此外無之候、御
なつかしき斗ニ候、恐惶謹言

稲丹後守
（花押）

三月廿二日

忠利様
人々御中

稲葉正勝自筆書状（折紙）　細川家文書　廿四印十番〔永青文庫蔵〕

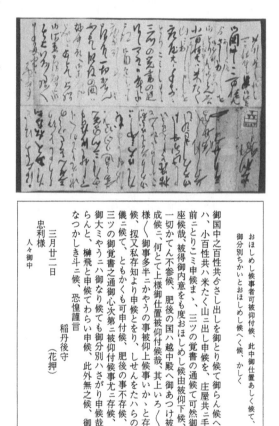

る必要はない、それが正勝の回答であった。

したがって、国が治まりさえすれば、幕府の干渉を受けることはなかったし、幕府もそのようなことをする必要はなかった。国主（国持大名）の地位が危なくなるのは、その預けられた国を統治できない事態に至ったときである。

黒田家の危機

このころ、その地位が危なかったのは元和九年（一六二三）長政の遺領を継いだ筑前の黒田忠之であった。かつての傅役《もりやく》で筆頭家老の栗山大膳（利章《としあき》、一万八千石）と、寛永九年以来全面的に対立していた。世にいう黒田騒動である。

このような時期に幕府上使が領国を通るのをいやがった黒田家は、熊本への道筋は筑前経由だと遠回りになると嘘を教え、上使らの笑い者になった。

江戸に帰ってから、稲葉正勝は、忠興に筑前の接待の様子を尋ねられ、

「かかる見苦しき儀にても、国持は苦しからざる物に候哉、下々にて候へば、男はならざる儀」

——このように見苦しいありさまでも、国持大名は平気なのだろうか。われわれのような譜代大名なら、たちまち面目を失ってしまう。

と語り、あざわらった。

「下々」という言葉は、庶民という意味のほか、稲葉らが使えば譜代大名、忠利らが使えば、幕府の中枢にはいない国持大名をさす。

このような正勝の評を見ると、黒田もあぶないところだった。家中の統制ができないような国主は、すでに見た最上家のように、改易される恐れが十分あった。しかし、肥後の加藤家を改易したあと、またここで黒田家を改易するとなると、政治的な影響が大きすぎる。それに加藤忠広の場合は家光に憎まれており、嫌疑も謀反であるが、黒田忠之の場合は家臣との対立にすぎない。

「右に申すごとく、余りのわらんべ（童）にて、大小便、人中にてたれ候も苦しからぬ心にて候間、まず当分その分たるべくと存じ候事」――（遠回りの道を教えるなど）あまりに子供っぽいことで、子供なら大小便を人前でたれても目こぼしされようから、まずはこのまま許されるのではないか（八月五日忠興書状）、と忠興がいうように、幕府にとっては心配には及ばない人物ということで、栗山一党の反抗だけならかえって安全であった。

家臣を率いて筑前を退去した栗山は、忠之が謀反を企てていると幕府に訴え出た。翌十年三月、江戸で審問されたが、証拠はあがらず、忠之は領国を安堵され、栗山は南部《なんぶ》藩に預けられた。しかし、忠利との競争からは、完全に脱落したようである。

稲葉正勝のひやかし

さて、稲葉正勝は、忠利の肥後統治について回答した先の書状の中で、友人の気安さから次のように忠利をからかっている。

「御大みやうには御なり候ても、御分別はさがり申し候哉らんと、榊飛（榊原職直）と申し候てわらひ申し候、この外これなく候、御なつかしきばかりに候」

――大大名におなりになっても、御かんがえは浅くなったようだと、榊原と言いあって、笑いました。このほか、言うことはございません。なつかしいばかりでございます。

分別のある大名は、自分の領地をきちんと治めるのである。他人の考えを聞く必要はない。正勝は、国主としての忠利の地位を保証し、わざわざ家光にも言上せず、忠利の自由にやらせようと、側面援助しているとも受け取れる。文面から、冗談を言いあえるほどの忠利と正勝、榊原の非常に親密な関係が浮かびあがってきて、さわやかな印象を受ける書状である。

このような年寄が忠利についていれば細川家も安泰なのであるが、惜しむらくは正勝は、この年七月より病におち、一時小康を得るが、翌十一年正月二十五日に死去した。この死をいちばん嘆いたのは期待をかけていた家光だったろうが、忠利にも大きな打撃となった。

第五章　家光の御威光

1　長崎を見る目

長崎奉行に外様大名

寛永六年（一六二九）以来、長崎奉行は外様《とざま》大名の竹中重義が務めていた。竹中は、松平忠直の身柄を預かった豊後府内二万石の藩主であるが、秀忠に親しく召し仕われていた。江戸屋敷は向かいにありながら忠興とは疎遠だったようで、この人事を聞いたとき、「我々ためには散々」と忠興はぼやいている（十一月十日忠興書状）。

竹中が外様大名でありながら長崎奉行という要職を任せられたのは、その能力と秀忠との関係の深さだと思われるが、貿易都市長崎で外国と対峙《たいじ》し、通商の監視やキリシタンの穿鑿《せんさく》を行うという職務柄、近くに領地をもつ忠実な小大名が最適だという事情もあった。

なぜなら旗本では家臣も少なく、それも江戸からはるばる連れていかねばならず、事務処理にも軍事能力にも事欠く。とはいえ外様の大大名を任命するには、あまりに権益の大きすぎる職であるという事情のためだろう。

いまだ長崎奉行職は、幕府の官僚制機構に組み込まれておらず、請負的な任務だったのである。江戸時代初期の特殊な在り方であった。

忠興・忠利往復書状関係略年表（5）

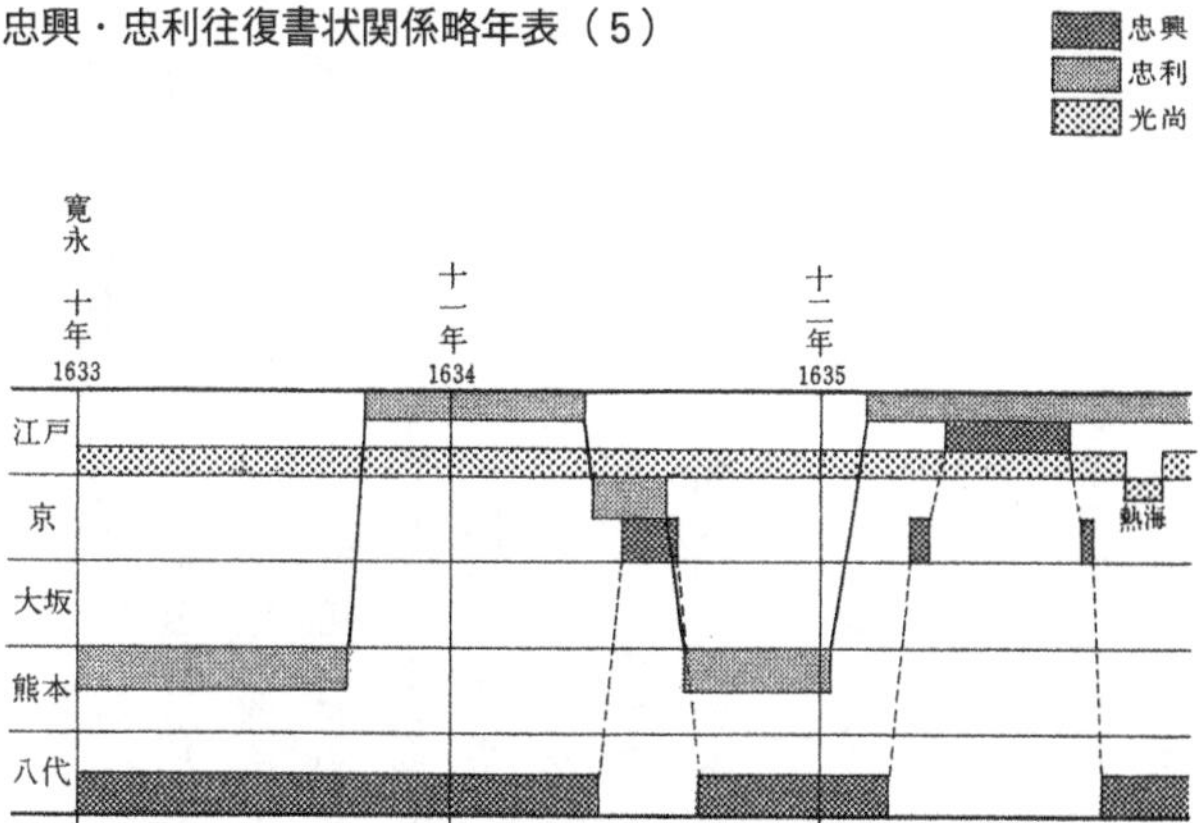

2月14日　曾我古祐、長崎奉行赴任（前奉行竹中重義を追及）。
4月―5月　忠利、領国を検地。
9月―10月　家光重病。
10月　家光、忠長を甲府から高崎へ移し、12月切腹を命ず。
1月25日　年寄稲葉正勝没（38歳）。
2月21日　前長崎奉行竹中重義、審問対決の末切腹。
3月3日　家光、年寄の月番制を実施し政務の合理化成功。
3月8日　光尚、結婚（15歳、禰々14歳）。
6月27日　忠興、八代城庭園の腰石垣について忠利と論議。
7月―8月　家光、上洛。
11月18日　忠利、参勤交代制度改革を献策（法度に反映）。
12月13日―26日　光尚、疱瘡。
3月11日　諸大名列座の下、柳川一件（日朝外交問題）判決。
6月21日　江戸城大広間に諸大名を集め、武家諸法度を発令。
7月23日　光尚元服。肥後守光利と名乗る（のち改名）。
10月上旬　光尚賜暇、熱海で湯治。

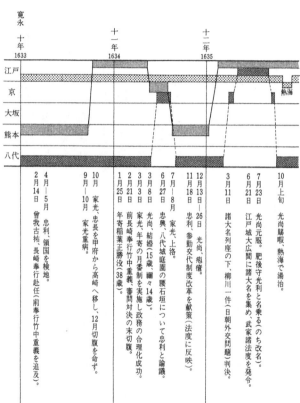

竹中重義のあぶない身上

竹中は、委任された職権を利用して、ポルトガル貿易に関与し、私貿易船を仕立てマカオに遣わしたりし始めた。領地の豊後では贋金づくりもしていたらしい。

寛永八年には、末次平蔵《すえつぐへいぞう》をはじめとする長崎の町人らから、収賄や唐船への私的課税などさまざまな訴状が上がり、立場が悪くなったが、「竹中才覚にはつづき申すまじく候間、くるしかるまじきと存じ候事」（寛永八年三月十一日忠利披露状）——竹中の才覚には通用しないだろうから、たいしたことにはならないだろう、と評されている。

寛永九年正月、保護者であった秀忠が死ぬと、竹中の地位も微妙になってきた。この年、帰国した忠利は、九州でのかれの悪い噂に驚いている。しかし、この年も竹中は長崎に遣わされることになる。

忠興は、「爰元《ここもと》（江戸）にては、卒度も（少しも）御前あしくなり候との沙汰《さた》はこれなく候」と述べ、「とかくあぶなき身上に候へども、出頭衆いづれもひいきと聞こえ申し候事」と伝えている（五月二十八日忠興書状）。

「出頭衆」すなわち幕府の年寄たちが、竹中を支持していたのである。

年寄たちは貿易に手を出すことを禁じられていた。しかし、多数の中国人名義のジャンク

（中国仕様の船）が艤装《ぎそう》され、竹中の通航許可証のみで出航していたが、これらは実際には、年寄たちの出資によるものであった。竹中は、年寄たちに便宜をはかることによって自分の立場を固めていたのである（永積洋子・武田万里子『平戸オランダ商館イギリス商館日記』）。

しかし、貿易に割り込まれること自体、収賄とともに、長崎の一般町人の利害とまっこうから対立することだったので、不満は鬱積《うっせき》していた。

「しほれたる」才覚

すでに述べたように、秀忠死後、年寄たちは、慎重に行動するようになっていた。家光が竹中をどのように処遇するかが、政治問題になりつつあった。そして、寛永九年の熊本城受け取りのための、上使の九州下向が転機になった。

九州に着いた稲葉正勝らは、長崎の町人らから、直接竹中の悪行について聞いたのである。竹中がこのまま長崎にいては、異国への評判も悪く、日本への嘲《あざけ》りが絶えないであろう、とのことであった。

忠興は、「もはや持ち堪《こた》えられまい」と評し、「竹中とはどのような人物なのであろう。私はいまだ顔も見たことがない。しかし、うつけではないと聞いている」と、忠利に伝えている（寛永九年七月二十四日忠興書状）。

寛永十年、ついに竹中は罷免された。「長崎を取り上げられ、竹中一段しほれたる躰」と永井直清が忠利に報じている（寛永十年三月十日忠利披露状）。しかし、あとに述べるように、竹中にとっては、長崎奉行を解任されただけではすまなかったのである。

寛永十年二月十四日、今村正長《いまむらまさなが》と曾我古祐の旗本二名が御前に召し出され、上使として長崎に派遣されることになった。こんどの長崎奉行職には、長崎の行政を行うことのほか、竹中のいままでの行動を調査するという重要任務があった。

見知らぬ奉行への挨拶

両名は、二月晦日には早くも江戸を立って、長崎に向かった。これを聞いた細川氏は、新奉行の一人が、かねてから親しい曾我古祐であることを喜びながら、もう一人の今村について、関心を示している。

「又左《またざ》（曾我古祐）なども、二、三日中に長崎に到着するということなので、かれには使者を遣わそうと思っている。もう一人の奉行の今村伝四郎《でんしろう》（正長）殿は、私の知人であったか知らない人だったか、覚えていない。彼の知行高や年齢を、次の書状で教えてくれ。又左へ人を遣わすついでに、使者は遣わしておこうと思っている」（四月三日忠興書状）

「今村伝四郎は前は御横目衆（目付）で、その後石川八左《はちざ》（政次《まさつぐ》）と同じく船手を命じられ

ています。知行高は知りません。おおかた千石ほどだと思います」（四月五日忠利披露状）

忠利は、今村の奉行就任を聞いて、即座に祝いの書状を送っている。そして、かれが長崎に着いたころを見計らって、四月六日、祝儀の使者を遣わし、小袖《こそで》十枚と酒樽《さかだる》三荷を進呈した。さしたる知人でなくとも、長崎奉行に任じられれば祝儀を贈り、親しく交際を始めようとするのである。

ついで、四月十二日、「長崎は御用が多く、邪魔になるといけませんので、頻繁には通信しません」と断りながら、見舞いの使者を立て、素麺《そうめん》を送っている。とりあえず、今村とは、良好な関係を保っておこうという配慮がうかがえる。

長崎奉行への配慮

忠利は、同日、曾我古祐にも書状を送っているが、友人だけあってはるかに長文で、江戸の人事情報などを詳しく報じ、素麺も曾我から今村に渡してくれるよう頼んでいる。また、六月六日には、曾我に、次のように述べている。

「伝四へ書状で申し入れようとも思いましたが、それほど親しくないので、この手紙の内容を伝えておいて下さい。なにか珍しいものを上様への進物に上げたく思っています。船はまだこないでしょうか。御用があれば、こちらへ言って下さい。京の二条《にじょう》では、来年の上様の上洛《じょうらく》に備えて、あなたのお屋敷なども準備されていると思います。私の家臣で京にいる者に命じて、受けとっておくようにと申し遣わしましょうか」

長崎で貿易品を買い入れ、将軍や幕閣への進物にするのは、この時期の西国大名の習慣であったから、長崎へのポルトガル船や唐船の入港情報や商品情報入手のため、長崎奉行への配慮は欠かせなかったのである。

付き合い上手

翌年の話であるが、忠利は、長崎に買い物に遣わした家臣に、友人の新長崎奉行榊原職直に万事問い合わせて買い物を行うようにと命じた。

大名の家臣が貿易品を外国人から直接買うことは禁じられていたので、榊原に貿易品を扱う商人を紹介してもらうなどのことがあったのだろう。

寛永十年には、長崎の規制を恐れて、京都で贈答用の貿易品を買い、非常に高くついて損をした忠興は、翌年六月二十四日、「危ながらずに物を買え」と言いながら、「とにかく越中（忠利）の家臣が来てから、かれらのやり方の通りにすれば、危なげがない」と長崎に出張する家臣に指示している（「徳本氏所蔵文書」）。

忠興は、母マリアや妻ガラシャとちがってキリシタンではなかったが、「tadauoqui」のローマ字印章を用いるなど、南蛮文物への関心も高く、舶来品好みだった。だから、長崎に対する忠利の存在には、頼もしいものを覚えていた。

先に述べた八代城の池の話はこの頃のことであるが、幕府の役人との付き合い方では、慎重な分だけ忠利の方が安全であった。

このような友好関係をつづけるためには、長崎奉行のいろいろな御用を代行することも重要である。寛永十年、国元を出て参府するに当たって、忠利は、友人の曾我だけでなく今村へも「私の留守に御用がありましたら、家老の長岡佐渡守《さどのかみ》（松井興長《おきなが》）と申す者まで、お知らせ下さい」と申し送っている（九月十日付今村宛書状）。かれらが江戸に帰るときの船なども、忠利が提供した。

細川忠興ローマ字印章
元和5年3月9日書状
細川家文書〔永青文庫蔵〕

友人の出世を喜ぶ

六月二十七日、忠利は、曾我に次のように申し送っている。

「又、長崎の事も大きなる事に候へども、長崎にはをしくござ候、我々をさなき時よりともなひ申し候衆、加民（加々爪忠澄）・榊飛（榊原職直）をはじめ、いづれも能《よ》くおなり候て、貴様も又かくおなり候事、一人のように満足に存じ候」

――また、長崎の仕事も重要なことだとは思いますが、あなたは長崎奉行には惜しい人材です。私と幼いときから仲のよかった人々が、加々爪や榊原をはじめとしてみな出世し、あなたもこのようになったこと、自分のことのように満足に思います。

忠利は、慶長五年（一六〇〇）以来、人質として江戸に暮らし、そこでいろいろな人々と交流を深めていた。そのころから、曾我や加々爪、榊原といった旗本たちと仲よく付き合っていたのは、すでに見たとおりである。大名と旗本という政治的立場は違っても、その年代からの付き合いが、のちのちまでつづき、政治的財産となったのである。

長崎奉行という役職

ところで、ここで、曾我にとって長崎奉行では惜しいという微妙な評価が見える。後世のわれわれから見れば、長崎奉行なら、外交担当者として能力が自由に振るえる最高の舞台のように見えるが、そうでもないのである。そのうえ、のちには実入りの多い役職となるが、家光の厳しい法度のため、大名からの進物もいちいち送り返している。

翌寛永十一年、榊原職直が任命されたときも、忠利は、「榊原が思いがけなく長崎奉行に命じられたことは、予想外のことでした。心配なことです（「気遣ひ仕《つかまつ》る事に候」）。曾我は、無事役目を務められ、満足しております」と述べている（五月二十七日石河勝政宛忠利書状）。

長崎奉行職というものは、危険の多い任務だということである。忠利が「長崎之《の》儀は、かくすに隠されざる所」というように、悪事はすぐに噂になるし、利害がからんで敵も多く、誣告《ぶこく》されることもあった。その年のはじめにあったばかりの竹中の詮議《せんぎ》が、危険の一端をさらけ出している。

竹中の失脚と罪状訴追

寛永十一年二月二十、二十一日の両日、江戸城西の丸において、竹中の審議が行われた。

長崎から上がった訴状で罪状を推測すると、竹中は、マカオに行く船をコーチ・シナ（現在のベトナム南部）に行かせようとし、抵抗した船頭を船の中で縛り殺したり、朱印状も出ていないのに、自己名義の証明書で船を派遣したりしていた。竹中の船に積んだ銀はすべて贋金であって、マカオの者からも訴状が上がっている。また、キリシタンの穿鑿もなおざりであったという。

このときの審判には曾我古祐も江戸城に召し出され、家光の前で竹中と対決した。曾我が長崎で収集した情報をいちいち披露し、それに対して竹中が反論するという形であるが、ついに竹中は言葉につまり、曾我の報告が全面的に認められた。

この第一報を聞いて、忠利は、「流罪死罪の内たるべく候」（寛永十一年二月二十三日忠利披露状）と予想しているが、案の定、即日切腹が命じられた。

毎年の「鎖国令」

竹中の罷免によって、長崎奉行が外様大名に委《ゆだ》ねられるという特殊なあり方にはピリオドがうたれた。

長崎奉行職は、常置の役職ではなくなり、将軍の上使が毎年派遣されることになった。長崎に、将軍家光の意思がストレートに入ることになったのである。

今村・曾我時代以来、長崎への派遣が命じられると、将軍に拝謁し、直接指示を与えられ、年寄からはその年の方針を示した下知状《げじじょう》が渡された。この下知状が教科書等で「鎖国令」と言われているものだが、毎年のように「鎖国令」が出されたという通説の表現は誤解を招く。派遣のたびごとに、このような形で指示が出されたから、毎年、ほとんど同文の長崎への上使（長崎奉行）あての下知状が残っているのであって、矢継ぎ早に新しい法令が出されたわけではない。その意味で、「第一次鎖国令」といった言い方は間違っている（拙著『寛永時代』）。

年代・西暦	長崎奉行	幕府の政策と主な事件
寛永10年・1633	今村正長・曾我古祐	2.14 竹中重義、長崎奉行罷免
寛永11年・1634	神尾元勝・榊原職直	5.28 長崎に3ヵ条の制札を発布
		5.29 薩摩藩等に年寄連署の奉書を下達
		6.14 薩摩藩等に唐船貿易断念を勧告
寛永12年・1635	榊原職直・仙石久隆	1.9 朱印船派遣禁止の奉書を貿易商人に下達
寛永13年・1636	榊原職直・馬場利重	9.20 ポルトガル人との混血児追放を指令
寛永14年・1637	榊原職直・馬場利重	10.25 天草・島原の乱おこる
寛永15年・1638	馬場利重・大河内正勝	2.28 原城落城
		9.20 新禁教令を発布
寛永16年・1639	馬場利重・大河内正勝	5.15 オランダ人との混血児をバタビアに追放
		7.4 ポルトガル人を追放
		8.9 細川氏ら九州有力5大名に沿岸警備下命
		〃 大村氏ら九州の中小大名に領内警備下命
寛永17年・1640	馬場利重・柘植正時	6.16 貿易再開の嘆願に来たマカオからの使者を斬殺する

家光親政初期の対外関係略年表

榊原職直、長崎奉行着任

寛永十一年、榊原職直と神尾《かみお》元勝《もとかつ》が長崎に派遣された。榊原は、それまで秀忠、ついで家光の側近として働いていた。このとき、一、二年すればまた側近く召し仕うからとのふくみで、長崎奉行に抜擢《ばってき》されている。当時の旗本にとっては、将軍の側近く仕えることこそが、いちばんの栄達であったのである。

忠利は、先に述べたように職直の身を案じながら、またまた仲のよい旗本が長崎に遣わされたのを、最大限に利用している。

この年、家光の上洛に従ったあと、西国大名には暇が与えられたが、その際、領内でのキリシタン改めを念を入れて行うよう命じられた。いまや唯一、体制をおびやかすのはキリシタンであり、これを管轄するのが長崎奉行である。

帰国した忠利は、榊原に効果的なキリシタン改めの方法を問い合わせたうえ、キリストの肖像をかれから借りて、領内に踏み絵を行わせた。最初の絵は、「散々に踏み破り」、重ねて、いい絵を二、三送ってくれるよう、頼んでいる。

寛永十二年（一六三五）には、榊原職直と仙石久隆《せんごくひさたか》が長崎に派遣された。忠利は、仙石とはかねてからの知り合いで、この年六月二十一日に発布された武家諸法度の写しを送るとともに、

「飛州儀、年も寄られ候間、失念もこれあるべく候、御心を添へられ然《しか》るべく存じ候」

——榊原は年寄りで、物忘れもあるだろうから、よく補佐してほしい。

と申し送っている（六月二十三日仙石久隆宛忠利書状）。

ここには親友への細かい気遣いが見られると同時に、注目されるのは、幕府の法度が、要職である長崎奉行にさえ自動的には伝えられず、知り合いの大名が写しを送っていることである。幕府の法令伝達は個別的なものだったので、大名宛の武家諸法度は旗本には伝えられなかった。長崎奉行への指示が大名に公表されなかったことも、当然のことだったのである。

日本のアルバ公

年寄りだといっても榊原は五十歳の働き盛り、四年連続して長崎へ派遣されており、平戸《ひらど》

のオランダ貿易にも積極的に口を挟むなど、先任の奉行として辣腕《らつわん》をふるっている。

長崎代官末次平蔵は、

「飛騨殿（榊原職直）はどうしてこんなことを行う権利があるのか。彼がキリシタンの件を担当しているのなら、それだけやっていればよいのであり、そのほかの商品、取引などの管理は、平戸の領主肥前殿（松浦《まつら》隆信《たかのぶ》）が配慮し、命令を下せばよいのだ」

と、もう一人の奉行仙石久隆にこぼしている（『平戸オランダ商館の日記』一六三五年十二月二日条）。

また、生糸を長崎で公定された価格で売り出すことを命じられたオランダ人も、かれを「がんこ者」だと評し、「アルバ公」（残酷な宗教裁判と重税で民衆を苦しめ、オランダ独立運動の端緒をつくったイスパニアのフランドル総督）と呼んで忌み嫌っている。

日本人の海外渡航禁止

この寛永十二年（一六三五）正月、朱印船を派遣しようとしていた商人たちは、船を出さないようにと命じられ、五月、長崎奉行への下知状によって日本船の海外渡航禁止が明記された。これ以後、日本人の海外渡航は、幕末に至るまで禁止されることになる。

この禁令の理由は、朱印船を通じて、武器が海外に輸出されたり、海外から宣教師が潜入したり、在日宣教師への援助が行われるからということで、まったくキリシタン根絶のための方策であった。幕府は、貿易自体の必要性は認めながら、キリシタン問題のために朱印船貿易すら放棄しようとしたのである。

ついで寛永十三年、十四年（一六三六、三七）には榊原と馬場利重《としげ》が長崎に派遣される。十四年に二人の奉行が留任したのは、家光が病気のため人事に新しい方針が出せなかったからである。この年は、奉行への下知状も渡されていない。榊原は、酒井忠勝に長崎奉行の解任を願ったが、「それは上様が決めることだ」と却下されている。

長崎奉行の職務を代行

忠利が奉行たちに、用事があればなんでも申しつけてくれと申し送ったことはすでに述べたが、実際にも幕府を助けて行動している。

寛永十三年（一六三六）、幕府は、ポルトガル人との混血児とその養父母の国外追放を命じた。長崎奉行は、追放を命じるにあたって、不埒《ふらち》な者が船を出してかれらを日本にひそかに連れもどすことがないようにと、九州大名に沿海の警戒を命じたが、忠利は、木下延俊・稲葉一通《かずみち》の縁戚《えんせき》大名だけではなく、中川久盛《なかがわひさもり》・久留島通春《くるしまみちはる》・毛利高直《たかなお》・有馬直純《なおずみ》・秋月種春《あきづきたねはる》・島津忠興《ただおき》・伊東祐久《いとうすけひさ》といった豊後・日向《ひゅうが》の中小大名（二一五ページ図参照）へ奉行の触状を転達し、その請書《うけがき》を自分の家臣に託すよう伝えている。

長崎奉行といっても、旗本であるから、連れていった家臣は上下百人ほど。九州全域の統治にあたるにはなんといっても人員不足である。島津家や鍋島家といった大大名には奉行自身が使者を遣わしたが、中小大名への使者までは手が回らなかったのであろう。赴任のときでさえ、細川家ら西国大名に船を借りているわけで、幕府の全国支配は、大名の自主的な協力によって支えられていた。

忠利は友人である気安さもあり、かれらに便宜をはかったのである。しかしこのような行動に見られるように、かれはまとめ役としての手腕を磨き、九州における中小大名の指導者的地位にあった。

参勤交代改革の献策

それだけではない。忠利は、幕府政治についても、いろいろと献策を行うようになっていた。直接家光に言上するわけではないが、新たに取次を頼んだ年寄酒井忠勝や幕府の親しい友人らを通して、自らの意見を幕府政治に反映させようと、努力していた。その最大のものが、参勤交代制度の改革である（吉村豊雄「参勤交代の制度化についての一考察」）。

寛永十一年十一月十八日、忠利は、永井直清にあてて、「とかく天下の大病は、下々の草《くた》臥《びれ》までにて候、（中略）何と思案候ても、諸人の甘ぎ候御仕置《くつろ》なくては済み申さず候」と、下々（民衆）が楽に暮らせるような仕置が必要であることを述べ、具体的には、①東西大名の交代の時期を三月替えにすること、②従者の数を軽減すること、の二点を提案している（『部分御旧記《ぶわけごきゅうき》』御書附并御書部）。

①は、奉公人確保のために、二月二日の武家奉公人の出替わり時期以後にしたい（そのうえ海上が波静かになり、東国大名も雪が解けて道中が楽）ということであり、②は、江戸は諸物価が高いので参勤に従ったものが苦労するし、喧嘩《けんか》なども起こりやすく、人数が多くていいことはない、との理由による。

これは永井直清を通して家光に伝えられ、翌寛永十二年の武家諸法度で、毎年夏四月参勤と従者の削減が命じられることになった。忠利の意見には、諸大名の実情を知らない幕府に、天下の立場から献策するという姿勢が貫かれており、大大名となった忠利の自負と自覚がみられる。スタンドプレーとみえなくもないが、それやこれやで、幕府の信頼度もいよいよ重みを増していく。

2　忠利の「帝王学」

光尚の大名修業

寛永十年（一六三三）、忠利は、熊本で新国の統治に専念していた。このころから、十五歳の光尚に留守中の江戸屋敷の責任を負わせようとしている。たとえば、正月二十九日には、国元から次のような指示をしている。

「この衆より国へ見廻《みまい》に人を給《たま》ひ候間、礼状を調《ととの》へ届けらるべく候、我等色々の儀に気もつき（尽き）候へば如何と、養生のため候間、よき様にかかせ候て給《たま》ふべく候」

――これらの方々から、熊本転封の見舞いに使者を下されたから、そちらで礼状を書かせて届けられたい。私はいろいろ忙しく気疲れしないようにと養生しているので、その方でよいように右筆に書かせてもらいたい。

熊本を訪れた他家の使者に対する礼状を、光尚の指示の下に江戸で書かせようというのである。たしかに忠利の体調もあるが、だんだんに光尚にこのような交際のしかたを覚えさせようというのであろう。江戸には留守居役がいるから、かれらと相談すれば実務に支障はない。

これに限らず、忠利は、今年来年、万事行動を控えるように指示し、その方もだいたいのことはわかるだろうからと、「大かたの事はその方に頼み申すべく候間、この方へ申さず候とも、用事候らはば、留守居どもに申し付け、この度は申し付けらるべく候」と申し送っている（二月五日光尚宛書状）。

使者の遣わし方

寛永十年正月二十日の深夜、小田原城の大部分が壊れ、熱海《あたみ》に津波が襲うという大地震があった。熊本の忠利は、江戸は無事のようだが心許《こころもと》なくと、早打《はやうち》（早駆けの使者）を下した。そして、次のように指示している（寛永十年二月七日光尚宛書状）。

「各《おのおの》へ状進《まいら》せ候て然るべく候へば、其元《そこもと》にて調へらるべく候、又、跡より申し入るべく候、先《ま》づはじめは早打、二度目は使者、然るべく候」

――年寄衆などへ私からの見舞いの書状を遣わす方がよいと考えられるようなら（被害がでて、他家でも見舞いの使者が遣わされていたような場合を想定している）、江戸でその見舞状を調えられたい。また、あとで指示しよう。見舞いは、はじめは早打で遣わし（とりあえず急いで派遣したという形）、二度目は正式な使者とするがよい（どちらも江戸にいる家臣をあてる）。

感心するほど細かい指示である。萩藩なら、さしずめ留守居役の福間彦右衛門が万事差配したであろう（拙著『江戸お留守居役の日記』）。しかし、熊本藩では、すべてに藩主がタッチする。そして、光尚も自分のあとを継いで、同様の行動ができなければならない。留守居役は、あくまで藩主の補佐でなければならない。これが、忠利の示した帝王学であった。

とはいえ、忠利は念のため、翌日には「心元なく存じ、使者を下し候」と書いた年寄宛の書状を調え、光尚に送付している。おそらく使者は、江戸の家臣のうちしかるべき者を立てるつもりなのであろう、留守居の松野《まつの》親英《ちかひで》と町《まち》三右衛門《さんえもん》に差配させよと命じている（二月八日光尚宛書状）。

江戸と国元

書状の所要日数は、江戸―熊本間がだいたい十五～二十日、早打で十日、早飛脚で十二、三日である。書状を出して相手の返事を受けとるまで、急いでも一ヵ月近くかかるわけで、相手の安否を気遣うときはかなりもどかしかっただろう。

寛永十年二月四日、光尚は、国元の忠利がけがをしたという噂を聞き、「心許なく」と飛脚を遣わした。十八日、この飛脚を受けた忠利は、息子の飛脚を「尤《もつと》もに候」と褒め、次のように申し送った（二月十八日光尚宛書状）。

「以来、其元へ聞え心許なき儀候はば、態《わざ》と申すべく候、その方事も申し越さるべく候、左なき内は、互いに気遣ひ仕るまじく候」

――これからは、そちらに伝わると心配するようなことがあれば、わざわざ知らせることにしよう。その方もそうされたい。そして、そのような知らせがないうちは、どんな噂があっても気遣いしないことにしよう。

息子を心配させないようにと、少しのけがなどは知らせなかった忠利であったが、それが脇から聞こえてくると、真偽や詳細な事情がわからないだけに、よけい心配である。この時代は、とくに不安をかきたてるような噂が飛び交っていたことは、前に見たとおりである。だから忠利は、これからは、たいしたことはなくとも、人づてに聞いて心配するようなことは、わざわざ飛脚を立てて知らせることにしたのである。

忠利、上洛に従う

寛永十年十月に江戸に着いた忠利は、翌十一年五月、江戸を立った。七月の家光の上洛に先立って、忠利、忠興とも京へ向かったのである。

忠利が京都に着いたころを見計らって、江戸で光尚は、忠利の上洛を将軍に報じる使者の派遣を代行している。

このときは、江戸にいる横田権佐《よこたごんざ》を使者に仕立て、進物は曾我古祐に相談したうえで、酒井忠勝に留守居の松野親英を遣わして指示を受け、樽肴《たるざかな》に唐の肌召しを添えて献上し、「使者を、御出馬まで御機嫌の様子を承るため付け置きたい」と交渉した。進物に添えた書状は、酒井忠世・土井利勝・酒井忠勝三人の年寄宛とし、判紙で調えた。

かえるの子はかえる、というべきか、じつに見事な差配であった。そして、これまで忠興・忠利は土井利勝を「取次の年寄」に頼んでいたが、光尚は酒井忠勝を「取次の年寄」に頼んでおり、以後、よく名前が出てくる。自立していく光尚と時代の変化がうかがえる。

光尚の疱瘡

細川光尚像〔永青文庫蔵〕

このように順調な成長をみせていた光尚は、この年三月、江戸で祝言をすませたばかりだったが、十二月、疱瘡《ほうそう》にかかる。

十二月十三日の晩より少し気分が悪くなり、十四日に医者の半井驢庵《なからいろあん》の薬を飲むが発熱、十五日はことのほか高熱となる。そして、十六日には少し熱が下がり、発疹《はっしん》が少し出た。すわ疱瘡だということで、周囲は非常に心配する。

十七日、熱がすっきりと下がり、発疹が出つくして、ずいぶん気分がよくなった。驢庵が、「これでひとまず安心、薬にも及ぶまい」といい、薬の使用をやめた。

家光からは、毎日、上使が遣わされ、また年寄は、将軍家侍医の久志本玄琢《くじもとげんたく》に、毎日、見舞うようにと指示し、同じく侍医の武田道安《どうあん》は京都にいたが、これも呼びに遣わした。そして、二十六日には、本復とのことで酒湯《ささゆ》にかかった。

光尚の疱瘡を知らされてからずっと、忠利の心配はなみなみではなかった。十二月二十九日、熱が下がったという十七日付の光尚自筆の状を見て、ようやく安堵《あんど》する。

「いか程きづかひ候に、かやうなる目出度《たき》事、申すもおろかに候、とし月きづかひ申し候に、其方《そのほう》もみやうが（冥加《みょうが》）にかなひ申され候、目出度《たく》候〳〵」という忠利の返事には、子を思う親の真情があふれている。

いくら健康でも、疱瘡は命とりだった。この年は疱瘡がはやっており、翌年正月には、佐賀の鍋島家の嫡男が死去している。ほかにも死去した者は多い。これを乗り越えた光尚は、まさに「冥加にかなった」のである。疱瘡が恐ろしい伝染病であったこの時代の意識がうかがえる。

寛永十二年（一六三五）正月八日、忠利は、酒湯にかかったという全快の知らせを待ちきれず、坂崎成政《しげまさ》を派遣した。酒湯を知らせる「飛札（飛脚に持たせる急ぎの書状）」は正月九日にようやく到着。忠利は、「近頃珍重《ちんちょう》、満足此上《このうえ》なく候」とふたたび喜びの返事を出した。

光尚の元服

寛永十二年二月、忠利は江戸に参府した。忠利が参府となると、光尚や家臣、仲のよい叔父《おじ》の木下延俊らが、品川あたりまで出迎えにいく。

しかし今回、光尚は病み上がりである。二月十一日付の三島《みしま》から出した書状には、「その方はいまだ風にあたるとよくないので、迎えになど来なくてよい」と、父親らしい配慮をみせている。

光尚は、十七歳になっていた。まだ元服をすましておらず、六と呼ばれている。

この年七月二十三日、元服。光尚は登城し、将軍から「光」の一字をもらい、「光利」と名乗る。従四位下侍従に叙任され、肥後守となった。これは越中守だった忠利のたっての希望でつけられたもので、大国を拝領した細川家の誇らしげな気持ちがうかがえる。

実際に領している国の名を官途につけるのは、国持大名に許される特権のようなもので「屋形号」といい、領知と官途が一致する大名の称号であり、他の実体のない官途とは少し意味合いが違っていた。

六は、このとき初めて光利という諱《いみな》をもつことになった。一般に文書には肥後守として出てくる。のち「光貞《みつさだ》」と改名する（寛永十八年春）が、紀伊徳川家の世子と同じ名前であったので、さらに「光尚《みつなお》」と改名した（寛永十九年秋）。だから、光尚というのは、かれののちの名前であるが、本書では六だった時代から光尚に統一して呼んでいる。

伊達政宗の死去

寛永十三年（一六三六）五月二十四日、仙台の伊達政宗が没した（七十歳）。すでに述べたように、とかくその行動が取り沙汰された大物である。忠利は、それより早く五月十二日に帰国の暇が与えられ、翌日、江戸を出立、六月九日に熊本に着いていた。六月十一日、香典などにつき、光尚に次のように指示している。

――越前殿（伊達忠宗、政宗の嫡子）が国へお下りになっていれば、弔いの使者を遣わさなければならない。貴田半左衛門《きだはんざえもん》を遣わせ。もし半左衛門が病気なら、横山助進《よこやますけのしん》にせよ。使者に持たせる書状は、判紙を二枚送るからそれを使え。香典は金子十枚（百両）が相場だが、御法度以後、このようなことについてはよくわからないので、曾我古祐か堀直之に相談して遣わせ。その方からは、書状だけでよいだろう。政宗が死去したことを知らないうちに、越前殿へ見舞いの飛脚を遣わしたと前に書いたので、このことを勘案して書状を調えよ。例によって、心にくいばかりの指示である。「御法度」というのは寛永十二年の武家諸法度で、万事質素にすべきことが命じられている。祝儀、不祝儀についての金子のやり取りについては、いままでどおりでよいかどうかわからないので、懇意の旗本たちと相談せよと指示している。ここまでする必要もあるまいが、それを慎重に行うのが細川家の家風であった。

柳生門弟の召し抱え

寛永十年正月六日、忠利は光尚に、「とかくその方へはよき者をえらみ（選び）つけ申さず候はねばならず候間、せつかく見立て申し候、新参にても、人がらよく、その方心にあひ申すべき者ならばと心がけ候」と告げている。熊本転封を機に、まだ元服前であったが、光尚にそろそろ家臣を付けてやろうとしているのである。

寛永十三年、柳生家に出入りする梅原九兵衛《うめはらくへえ》という剣術家が気に入り、家臣の波多中庵《はたちゆうあん》を使いにして、三百石の約束で柳生宗矩に申し入れた。

九兵衛は、豊臣方についた長宗我部盛親の一族で、実父は長野内膳《ながのないぜん》といい大坂の陣で討死に、以後、牢人《ろうにん》し、会津の加藤嘉明の家臣梅原十助《じゆうすけ》の養子になった。のち江戸に出て、柳生宗矩に出入りしていた（『熊本藩先祖付』）。

武芸への目配りも怠りない忠利は、剣術の遣い手を光尚に付けてやるつもりであったのだろう。それを光尚が、それほどの武士ならばと、もう少し禄高《ろくだか》を上乗せしようとした。このときの忠利の意見が興味深い（寛永十三年八月十日光尚宛書状）。

——梅原のこと、三百石と決めていたのに、その方は四百石も五百石も遣わすという。柳生親子（宗矩・三厳《みつよし》）の兵法（剣術）の高弟だとかのわけもあろうが、柳生殿への面子《メンツ》で、知行を過分に遣わすのは絶対にだめだ。そのようないいかげんに家がなり下がっては情けないことだ（「左様にわけもなき様に家成り下り候へば、口惜しき儀に候」）。約束の知行をいやがるのであれば、追い遣わしてしまえ。召し抱えたのちに兵法の熟練者となり、その方のために功があって加増するのであれば、それはだれにでもあることだ。そうでなくて知行をもらう者は恥である。遣わす者も同じだ。さようの所は、どれほど余裕があっても、よくよく分別せよ。それを守っていれば、知行に余裕がなくなっても少しもかまわない。かようの事で少しでも作法を破ることは、他家にどれほどその例があっても、我らの家には堅く禁じよ。

このとき九兵衛は、熊本が遠いことともう少し兵法稽古《げいこ》をしたいというので、一度、仕官を断り、光尚の部屋付きとして定江戸（江戸在勤）で召し抱えられている。このような背景もあって知行を上乗せしようとしたのだと思われるが、家臣の召し抱えについての忠利の意見は、人物を高く買いながら、非常にしっかりしたポリシーを通している。

召し抱えの基準

由緒正しい武士の新規の採用は三百石が基本である。三百石なら騎馬の格であり、だれでもいちおうは納得できる。それ以上は、働き次第である。

ただし、かつて一城を預かっていたような者は、千石以上の場合もある。そのような基準をきちんとすることが、家中の統制の第一歩なのであろう。

忠利の家中に対する態度は、やはり藩主として威厳に満ちたものだった。さすがに名君といわれた一国の主である。

禰々の出産と死

光尚が寛永十一年にいとこの禰々と結婚したことはすでに述べたが、十三年十月二日、男子が生まれた。

しかしその子は夭折《ようせつ》し、産後の肥立ちが悪く同月十四日、禰々も死去した。ときに十六歳。葬儀は、南禅寺《なんぜんじ》の天授庵《てんじゅあん》で行われた。

禰々の産後の状態は、忠興には知らされていなかった。最愛のひ孫の死をとつぜん知らされた忠興は、激怒して、禰々付きの宮本次郎大夫《じろうだゆう》夫妻と忠興の中屋敷留守居役町源右衛門《げんえもん》・神戸喜右衛門《かんべきえもん》両名の扶持《ふち》を召し放った。

宮本は、忠興の児小姓《こごしょう》となり、兄伝兵衛《でんべえ》の死後その養子として宮本家を相続し、忠興の意向で側女中を妻に配され、夫婦ともに禰々付きになって江戸に出ている。それほど忠興に近い家臣であったにもかかわらず、いや、だからこそ、そのような重大事を注進しなかったことへの怒りを受けたのである。

宮本が忠興に癩々の病を注進しなかったのは、光尚の命によっていた。心配をかけないようにという配慮だったのであろう。

かれは一言の言いわけもせず、光尚に熊本藩領の豊後鶴崎居住を願い、許可されたうえ銀百枚を拝領している。のち、光尚の江戸上下の折々には銀五十枚を拝領して召し出しの時機を待った。忠興存命中は無理だが、そのうちにと光尚から言い含められていたのであろうが、寛永十九年四月に病死した。妻はのち熊本の花畑《はなばた》（藩主の別邸）に召し出されている（『熊本藩先祖付』）。

かれの場合は光尚との約束があったようだが、約束はなくとも主君の勘気を受けた家臣は、しばらく牢人して、召し出しの機会をうかがうことが多い。しかし、戦乱のなくなったこの時代には、そのような機会があまり得られず、社会問題にもなっている。島原の乱のとき、どの陣にも牢人が大勢集まってきたのは、召し出しの千載一遇のチャンスだったからである。

3 家光政治の新展開

年寄の月番制

家光は、万事にわたって年寄三人の合議を命じていた。そのため、小さなことにも年寄が集まらなければならず、だんだん政務が停滞していった。

秀忠時代には全権を掌握していた観のあった土井利勝も、家光をはばかって政務にあまり口出ししなくなり、元老格であった井伊直孝などは「遠慮」を申し出るありさまであった（十月十三日忠利披露状）。

年寄	年齢	城地	石高
土井利勝	64	下総古河	160,000
酒井忠勝	50	若狭小浜	122,500
堀田正盛	29	武蔵川越	35,000
松平信綱	41	武蔵　忍	30,000
阿部忠秋	35	下総壬生	25,000

家光時代の年寄（寛永13年初頭）

寛永十一年（一六三四）三月三日、家光は、この事態を打開するため、従来、年寄に集中していた任務を六人衆（若年寄）と町奉行にも分担させ、年寄酒井忠世・土井利勝・酒井忠勝に月番制（当初は半月交代）を命じた。年寄の任務の軽減をはかるとともに分担責任制を導入したのである。

このため、幕府の政務処理は、格段に迅速になった。三月十八日、忠利が熊本城の塀・矢倉の修理を年寄に願ったところ、すぐに当番の年寄から家光に披露され、その日のうちに許可がおりた（許可証である年寄連署奉書は四月十四日付）。

年寄の合議を待てば少なくとも一ヵ月ほどかかるものが、半月番によって一日ですんでいる。そのうえ、それまでは、三人の年寄に申し入れなければならなかったが、これからは当番の年寄にさえ願えばよい。大名としても、これはありがたかった。

家光、合理化に満足

翌寛永十二年十一月には、幕府の最高審議機関である評定所寄合の定例化が命じられ、ここで大名からの願いの処理や裁決、幕府の政策審議などが行われることになる。

前年、酒井忠世が西の丸火災のため謹慎したあと、年寄に松平信綱・阿部忠秋《ただあき》・堀田《ほった》正盛《まさもり》が加わり、五人の月番制となった。このころには、幕府への嘆願は月番の年寄を通して行うことになり、従来からの「取次の年寄」との関係は、表には出なくなっていった。しかし、大名たちは、水面下ではその関係を維持し、「取次の年寄」に万事相談のうえ、月番の年寄に嘆願するという方法をとっている。

国元から嘆願する場合、願書が江戸に着く日付によって、月番の年寄が違う場合があり、書状をだれ宛にすればよいかわからないなどの問題もあったが(忠興は宛名を書かず、江戸で忠利に書き入れさせている)、月番制は老中だけでなく、町奉行など幕府の多くの役職について採用され、町役人の間にも一般化したほど、江戸時代を特徴づけるものとなる。

これは、政務の停滞を回避する手段であり、従来のように一人の年寄に権力が集中することが困難になった。家光は、自らの名案によって政務が進むようになり、すこぶるご機嫌であった。

家光の御威光強し

しかし、この状態は長くはつづかない。以前にもまして停滞するようになった。

寛永十三年（一六三六）四月朔日、ほどなく帰国を控えた忠利は、忠興に江戸の状況を次のように伝えている。

「爰元《ここもと》、思《おぼ》しめしの外、何ごとも披露なりかね申し候事、大方にてござなく候、弥《いよいよ》物を仰せ上げられ候事、なるまじき躰に見及び申し候、（中略）一切何もかもはかの参り候儀ござなく候、存じの外にてござ候」

——江戸では、忠興様の想像以上に、なにごとも披露できないこと、尋常ではありません。日ましに、物ごとを上様に申し上げることができなくなるように推察します。（上様に披露できないので）政務はいっさいすすみません。これは、想像以上のことでございます。

幕府の政策にせよ、大名からの訴訟にせよ、それを担当した年寄が将軍に披露し、その判断を仰ぐことによって決定される。したがって、年寄としては、将軍が許可するであろうと思われる形になるよう政策誘導したうえで披露し、許可してもらおうとする。

しかし、その案件の披露が将軍の気に入らず、年寄が叱責《しっせき》されたりするようなことがあると、年寄は、なにもしないで時がたつにまかせるほうがわが身のためには安全だ、と考えるようになる。月番制だけに、自分の担当案件を他の年寄にたらい回しするわけにもいかない。年寄たちは、家光のご機嫌や反応を恐れ自由に行動できなくなっていた。家光の威光がそれだけ強くなっていたのである。

家光、病む

そして翌十四年、家光は深刻な病におちた。この年閏《うるう》三月九日、江戸に着いた忠利は、十三日、忠興に家光の病状を報じている。

――上様は、折々発病するようです。先月まではご養生をしっかりとなさっているように伺っていましたが、実はおかくしなされ、御酒など折々上がっており、それゆえお煩いがおこるということです。御老中が急度《きっと》御意見を申し上げようとしていることを聞こし召され、今月初めから少しも御酒を上がらなかったので、一段とご気色がよく、御膳《ごぜん》も上がり、しばしば御鷹《おたか》を遣ったり、本丸・西の丸へ成らせられているとのことです。

――よいと言ったところで、なかなか五日や十日ですっきりと本復するお煩いではございません。そのうちまた発病すれば、そのたびに五日、十日ぐらいはつづきます。発病したときは、眩暈《めまい》がし、事の外かなしくなり、お手足も冷え、胸騒ぎがするということです。

――お灸《きゅう》も、ご気力がないだろうと、いかにももぐさを小さく、下を湿して据えられるので、きくはずがないということです。

――現在は、半井驢庵《なからいろあん》のお薬を服用されております。上様は「どれもこれも薬が効かない」と仰せになっておられますが、医者衆の言うには、「さやうに急に効き申すお煩いにてござなく候」ということです。

御用は讃岐殿一人に

四月五日には、次のような続報を送っている。

――病気のため上様は、事の外御短気になっておりおります。御側衆は十人ほどしかいないのに、はや百日ちかくお城で不寝番をしており疲労ぎみであるのを、奉公ぶりが怠慢だ、ぼんやりするなと（「御奉公に明候《あき》由仰せられ」）、頻繁に叱っておられるとのことです。御年寄衆も、なかなか挨拶《あいさつ》もできかね、現在は大炊殿（土井利勝）も事の外お控えになっております。讃岐殿（酒井忠勝）だけがそれまで同様に勤めており信頼されているので、年寄は讃岐殿一人のようです（「讃岐殿は万事に構ひなく御請け能《よく》候故、一人の様にござ候」）。

この時期、土井利勝は、家光の状態を見て、行動を控えるようになっていた。うかつな行動は墓穴を掘ることになりかねない。近い例に本多正純の悲劇もあり、利勝はそれを目の当たりに見ている。家光に物が言えるのは、酒井忠勝だけになっていた。

そのためか利勝と忠勝の不仲が噂されている。利勝は、いよいよ控え、上屋敷を息子の利《とし》隆《たか》に譲り、下屋敷に移って、御用があれば上意次第に登城すると内々に言上した。大名からの訴訟なども、まったく処理されないようになった（六月二十五日忠利披露状）。

医者衆の苦労

一進一退の病状が七月もつづく。側近の者たちも苦労であったが、医者衆もまた正念場であった。

家光はもともと病弱であったためか、かねて周辺には全国から名医が集められていた。今回の病気については、半井驢庵・今大路《いまおおじ》道三《どうさん》・武田道安の主治医三人が相談して薬を調合していた。もう二百日ばかりも、昼夜、江戸城に詰めている。そのため「奉公ぶりも初めの様にはござなく」と、家光の機嫌はよくない。

家光の考える養生法というのが、大布団を四、五枚敷き、夜も厚いものを着て寝るので、たいへん汗をかいて体にさわる、といったふうのもので、自分ではいいと思ってやっていることも、かえって悪いことが多かった（「この類に、御養生と思し召し、御煩ひのため悪しき事もござ候」)。

しかし、そのようなことさえ、医者をはじめとしてだれも申しかねるほど気が短くなっていた。医者たちも、もうまともには対応できなかった。

たとえば、灸をしろと命じられても、灸熱を考えて、「しかと御請け」をしなかったところ、

「病気が今少しにて治るので、投薬で治して手柄にしようとして、効く灸をやめさせるとは憎きこと」

となじって、三人はすんでのことで処罰されそうになった(「すでに身上御果てなさるに済み申し候」)ということもあった。

このときは、かれらを叱った七月二日の晩にまた発病し、「さては医者衆の言う通りであったか」と処罰は免れている(七月七日忠利披露状)。

岡本玄冶、出頭

三人の医者が退けられたあと、新たに岡本玄冶《おかもとげんや》・久志本式部《くじもとしきぶ》・同右馬助《うまのすけ》の三人が薬の調合を命じられた。

医者はそれぞれに秘伝の薬をもっている。しかし、新しい薬を使って悪くでもなったら、

自分たちがどうなるかわからない。薬を使う場合には、前もって「御薬の内々御穿鑿《ごせんさく》」があり、調合を変えたらすぐわかる。だから、いままでどおりのあたりさわりのない薬を用いるので、病状の改善につながらない。

しかし、七月二日から九日までしきりに発作が起こるので、「とにかく玄冶一人で心のままに調合せよ」ということで、薬の穿鑿もなくなったところ、玄冶の薬が家光によく合い、気分がよくなった（六月二十六日、七月二日、十二日忠利披露状）。しかし、家光の病気は、なかなか完治するには至らなかった。

沢庵《たくあん》和尚の十一月十七日付書状によると、「医者衆ゆるし申さず候へば、蜜柑《みかん》一ツも参らず候」というほどの「堅き御養生」で、このころになってようやく快方に向かっている。「今は玄冶一人にて候、殊の外出頭にて候」と岡本は家光のお気に入りとなったが、ひきかえて「道三・驢庵は今に御前のなほりこれなく」といった状態であった（『沢庵和尚書簡集』）。

家光の病気と政治力学

家光の病気はなんだったのだろうか。

六月二十六日に忠利が報じている病状は、少々の物音も胸にひびき、物に驚くとか、発病したときは、「事の外御心よわく、はや御煩ひもおもり（重り）候やと思し召す」という次第で、気が短く、万事少しのことも感じやすくなってしまうという。それに手足の冷え、頭痛、動悸《どうき》の激しさなどを勘案すると、「不安神経症」だと思われる。多分に、精神的な重圧から発病する病気である（拙著『寛永時代』）。

そして、このような病気の際の周囲の行動は非常に興味深い。

四月晦日に忠利が報ずるところによると、政務は滞留し、家光は年寄に指示をだすことさえできなくなっていたが、それが気にかかりまた病気に障るという悪循環であった。年寄がなにも言上せず「事の外控え」ているのは、家光の病気に障ることを配慮したためであった。

年寄の権力の源泉は家光にあった。譜代大名のかれらが、はるかに多い石高を有する外様国持大名に対する権威をもちえたのは、「御前衆」とか「出頭衆」と称されるように、ひとえに将軍との距離が近いからである。家光の病気が重くなり、やがて将軍としての任務を果たせなくなれば、それはそのまま年寄たちの危機であり、幕府の危機である。だからこそ、家光の病気の回復を全力をあげてはかるしかなかった。家光を押し退けて幕政を運営することなど、不可能であった。

幕政においては、将軍の意思が絶対である。だから、社会学者エリアスが言うように「自分より位階の高い話相手を、ほとんど相手に気付かれずにかつやすやすと、自分が意図する方向へ導いていくことが、宮廷的人間取扱法の最高の掟」（『宮廷社会』一六九ページ）であった。ただ、家光がヒステリー状態のときは、土井利勝でさえ、（いつも巧妙に行っている）この方法がとれなかったのである。

寛永十四年の天候不順

寛永十四年は、天候不順で、夏のうちから癪《しゃく》・寸白《すばく》がはやっていた。忠利も、二十年ぶりに癪を経験した。

長雨がつづき、八月ごろには、もうかなり寒くなって、おこり（瘧、間歇熱《かんけつねつ》）や風邪も流行しはじめていた。酒井忠勝はおこりで登城を控え、土井利勝も眩暈などおこし、出仕しないままである。仙台や山形では大洪水が起こり、なかなか水が引かなかった。

ほかにも、年寄の一人堀田正盛が「散々煩い」の躰であったし、井伊直好《なおよし》の室になっていた酒井忠勝の娘は死去している（十月二日忠利披露状別紙）。十月二十九日の披露状には、「事の外俄《にわ》かにさぶくあつくござ候て、病者痛み申し候」とあり、かなりたいへんな天候不順であったようである。

この天候不順とそれによる不作が、次章で述べる島原の乱の背景になった。

忠利も、九月ごろから痰《たん》の病に苦しんだ。背中を焚《た》き火であぶったり、灸をあちこちにきつく据えていたところ、灸熱が発し、四、五日のうちに見まがうほどやせてしまった（九月十七日披露状）。力がつかず、登城もできないほどであった。

少し小康状態をえた忠利は、幕府の許可をえて、十月十六日から鎌倉で療養するが、鎌倉も寒く、十一月四日には江戸に帰ってきた。

このとき、熊本から天草《あまくさ》・島原《しまばら》で農民の一揆が起こったという注進がくる。

将軍が病気、年寄の関係が不安定という情勢で迎えた、初めてのキリシタンの反乱であった。

第六章　島原の乱と細川氏の栄光

1　細川光尚の出陣

一揆起こる

島原半島南端の口之津《くちのつ》という港町は、明治末期には三井三池の石炭を年間九十万トンも積み出す国際貿易港であった。貧しい天草の娘たちも石炭と一緒に海外へ送られていった。「からゆきさん」である。

その後、大牟田《おおむた》の三池《みいけ》港が完成し、大正十一年（一九二二）、大型船舶が入港できるようになると、口之津の繁栄も終わりを告げた。

現在の口之津は、フェリーで島原から天草に渡る観光客以外には、ほとんど関心が向けられない。しかし明治からさらに三百年を遡《さかのぼ》ると、ここは、ポルトガル船がしばしば入港し、天正七年（一五七九）には全国宣教師大会が開かれるなど、キリスト教布教の拠点のひとつであった。そして島原の乱の発生地点でもある。

寛永十四年（一六三七）十月下旬、口之津において、キリストの肖像画をかけ、祈りを捧《ささ》げているグループがあった。

九州西岸では、キリシタン弾圧が激しかったとはいえ、まだまだキリシタンは多い。そし

忠興・忠利往復書状関係略年表（6）

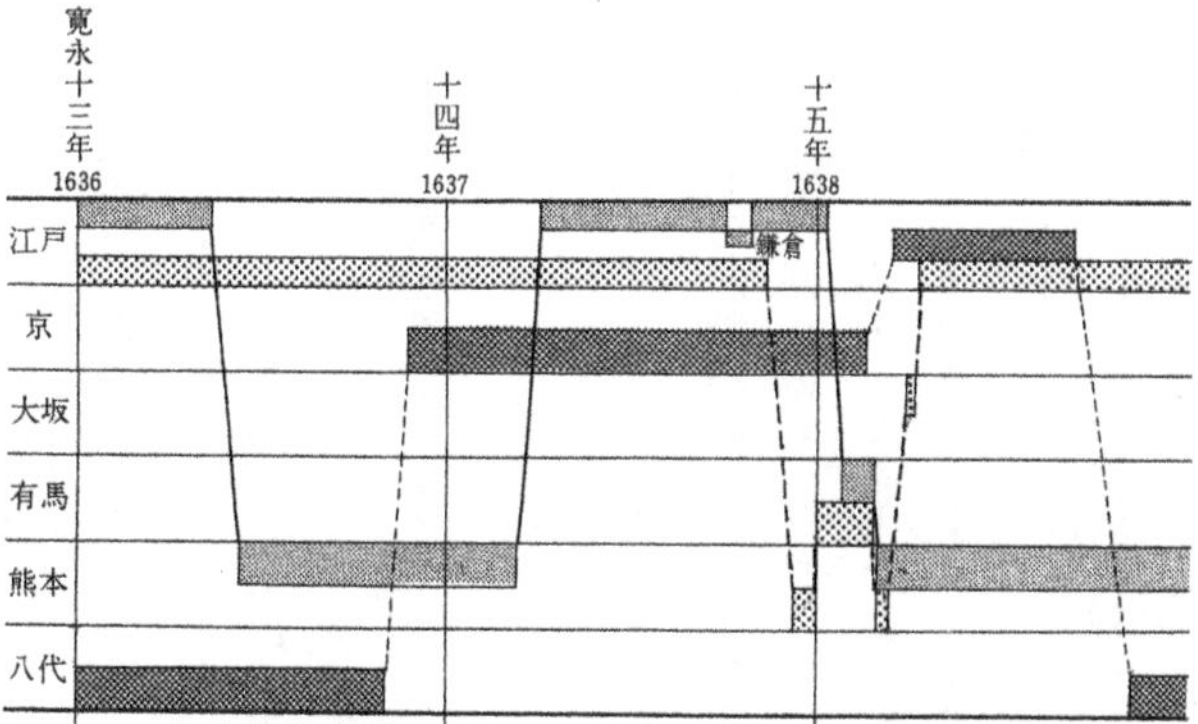

この年夏いらい、西国の役牛ことごとく死ぬ。

12月晦日　蜂須賀蓬庵没(81歳)。

11月7日　家光の大幅人事異動で土井利勝・酒井忠勝大老格に。

6月—7月　忠利、榊原職直の軍令違反の赦免に奔走。

5月　忠利、有馬の陣での論功行賞を行う。

5月16日　武家諸法度の運用をゆるめ、隣国の出兵をゆるす。

2月28日　原城落城

1月1日　上使板倉重昌、戦死。　26日　忠利、江戸より着陣。

12月2日　光尚の細川勢、天草に出動。

11月28日　第2次上使に松平信綱・戸田氏鉄を任命。

11月9日　追討の上使に板倉重昌・石谷貞清を任命。

10月25日　島原の乱起こる。

8月　長雨冷夏で流行病・飢餓広がる。

6月26日　忠利、家光の病状を詳細に伝える。

3月—年末　家光の神経症深刻。御用は年寄酒井忠勝一人に。

10月14日　光尚室禰々没(16歳)。

9月　忠利、西国中小大名へ沿岸警備令の転達に協力。

9月20日　ポルトガル人の混血児と養父母をマカオに追放。

8月10日　忠利、光尚に柳生門弟召し抱えの道理を指南。

5月24日　伊達政宗没(70歳)。

4月　家光の威光を恐れ、言上もなりかねる。

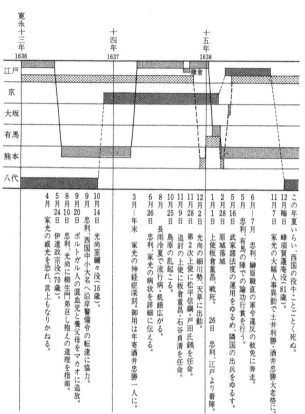

て、このころ、天草四郎《しろう》（益田時貞《ますだときさだ》）のグループが、異教徒に最後の審判が下るという廻文《かいぶん》を回し、かつて棄教したキリシタンたちに再結集を呼びかけていた。

そのようなキリシタンたちの活動の結果が、この公然たる集会であった。十月二十五日、知らせを聞いて駆けつけた島原藩の口之津代官、林兵左衛門《はやしへいざえもん》は、「沙汰《さた》の限りたる儀」と肖像画をひき破った。怒った信者たちはかれを討ち果たした（『御書奉書之写言上之控』）。

この小事件が、幕府を揺るがす大一揆《だいいっき》につながっていったのである。

乱の拡大

島原に起こった一揆は、たちまち旧領主有馬家の遺臣、土豪、農民を糾合してふくれあがり、領主松倉勝家《まつくらかついえ》の居城島原城を攻撃するほどの勢いになった。城は落とすことはできなかったが、武士を城に押し込め、島原半島の南半分をほぼ勢力下においた。

このような行動に連動したこと自体、松倉氏の苛政《かせい》に対する激しい抗議と、一揆の結束の強さがうかがえる。このキリシタン一揆の底流には、領主に対する農民の抵抗という要素が太く流れていたのである。

天草でも、天草四郎の出身地大矢野《おおやの》をはじめとして、所々にキリシタンたちが蜂起《ほうき》していた。一揆勢は、蜂起に賛同しない村々を焼き払い、急速に勢力を拡大していく。飛地《とびち》の天草から通報を受けた唐津藩《からつ》は、千五百ほどの軍勢を派遣した。十一月十日、志岐《しき》に着船した唐津藩勢は、本渡《ほんど》に押し出し、それから一揆勢の立て籠《こも》る上津浦《こうつうら》に向かおうとした。

ところが十二日、島原の一揆勢が小船五、六十艘《そう》ほどにて、クルスを立て、天草に渡ってきた。そして、十四日七つ時分（午後四時ごろ）、本渡において一揆勢と唐津藩勢が激突、一揆勢は思いのほか強力で、三宅藤兵衛《みやけとうべえ》らをはじめとして数十人が討たれ、唐津藩勢は敗走し、富岡城《とみおか》に籠った。十七日、四郎らは、富岡城に向かい攻撃をはじめた（『島原日記』）。

天草・島原で一揆が蜂起したという知らせは、熊本藩や佐賀藩から、豊後目付を通して幕府に報告された。豊後目付は、徳川忠直の監視を主な任務としていたが、幕府の出先機関として西国大名の監視にもあたっていた。

十一月十二日、幕府は、一揆鎮圧の上使として板倉重昌《しげまさ》（三河深溝《ふこうず》一万五千石）・石谷貞清《いしがやさだきよ》（目付、千五百石）両名の派遣を決めた。加勢は同じ肥前国ということで鍋島勝茂と寺沢堅高《かたたか》（唐津十二万石）に命じられ、隣国の熊本藩には、別に上使の指図次第に軍勢を派遣するようにと命じられた。まだこの時点では、一揆の勢力は過小評価されていた。

豊後目付、出兵を許さず

豊後目付牧野成純《まきのなりずみ》と林勝正《かつまさ》は、島原城の様子を見分するため、十一月十六日、高瀬《たかせ》（熊本県玉名市《たまな》）まで出張してきた。熊本藩家老松井興長と有吉頼母佐《ありよしたのもさ》（立道《たてみち》）は、高瀬へ行き、天草への出兵許可を執拗《しつよう》に求めた。

当時、西国大名には、京都所司代板倉重宗・大坂城代阿部正次《まさつぐ》・大坂定番稲垣重綱《いながきしげつな》・大坂町奉行曾我古祐の四名が合議して指導にあたることになっており、かれらから十一月九日付で出兵の指示がきていたが、豊後目付は、武家諸法度の規定をたてに、江戸の指示を待つよう命じた。

十一月十七日朝、天草に遣わした歩《かち》の使番井口庄左衛門《いぐちしようざえもん》が熊本に戻り、三宅藤兵衛の戦死などを伝えた。熊本に残っていた家老長岡監物《けんもつ》（米田是季《こめだこれすえ》）は、井口を即座に高瀬に赴かせ、豊後目付に状況を報告させた。

しかし、案に相違して豊後目付は、「天草がこのように大破になったうえは、出兵を許可できない。とくと談合のうえ、上意を得られ、御下知次第になされたい。大坂の御衆は天草の儀をかるがるしく思《おぼ》し召されているが、このようにたいそうになっているのだから、この様子をよくよく大坂の御衆へ申し上げるように」と頑強に出兵をおさえた（「井口庄左衛門覚書」）。

このため、天草の一揆鎮圧の時機を逸することになる。

光尚の出陣

十一月十五日、江戸では細川光尚（十八歳）に急に暇が与えられ、にわかに熊本へ下ることになった。これは、一揆鎮圧のためではなく、領内から一揆が連動しないようにとの措置であり、九州諸大名の嫡子はみな命じられた。

二十二日、光尚は、大坂に到着し、すぐに曾我古祐の屋敷へ直行した。曾我は、大坂町奉行でかねてからの知り合いである。かれは大坂の指導部の一人であったから、現地の情報はかれから得ることができた。

一方、上使二名は、光尚が大坂に到着した日、大坂を出船して九州へ向かった。

二十三日、光尚も、上使を追うように熊本へ下った。道中あまりに急ぎすぎたので、細川領の豊後鶴崎からの迎船がきておらず、大坂に置いていた船二艘のほか、古祐から二艘を借りて大坂を出船した。

島原城

大坂を出船したという光尚の二十三日付書状は、十一月二十九日の朝、江戸に達している。所要時間は六日足らずである。

第二次の上使派遣

十一月二十八日、幕府は、第二次の上使として、老中松平信綱と美濃大垣藩主戸田氏鉄《うじかね》(十万石)の派遣を決めた。

江戸の忠利の聞いたところでは、「跡の御仕置のため遣はさるべき」と仰せ出されたとのことで、戦後処理の手配であった。しかし、第一次の上使がまだ島原に到着しない段階でのこの決定は、翌年正月一日の敗北につながっていく。

同時に、筑後の立花宗茂と有馬豊氏の軍勢も島原に遣わされたとか、天草には細川氏と、島が多いということで島津氏にも出陣が命じられたとかの情報が入っている。島津氏の領地長島《ながしま》と天草南端の牛深《うしぶか》とは目と鼻の先である。しかし、それらの情報は刻々と変わり、どうなるかたしかにはわからない状態であった。

忠利は、この様子を、「御人数賦《くばり》、爰元《ここもと》にては一切下々存ぜず候様に仰せ付けられ候躰と承り候」――だれが出陣するかなど、動員計画は江戸ではいっさい外部に知らさないように命じられていると聞いております、と忠興に伝えている(十一月二十八日忠利披露状)。一揆が起こって幕府が苦慮していることなど、知らせたくなかったのであろう。

細川勢の出動

熊本では、十二月二日、備頭《そなえがしら》長岡右馬助《うまのすけ》・志水伯耆《しみずほうき》両名の率いる二組が出陣、その日は宇土《うと》に泊まり、翌日、郡浦《こおのうら》へ到着。この三日には家老有吉頼母佐と備頭小笠原備前（長元《ながもと》、少斎の嫡子）・清田石見《きよたいわみ》の二組と松井寄之《よりゆき》（式部少輔《しきぶのしょうゆう》、忠興七男、松井興長養子、二十二歳）が熊本を出立、翌日、備前・石見・寄之は波多浦《はたうら》へ、頼母佐は三角《みすみ》に到着した。

細川家の家老は、松井（三万石）・米田（一万石）・有吉（一万八千石）の三家（松井・米田の当主は長岡を名乗った）で、それぞれ大身であるから自家の家臣を率い、細川家中の騎馬の士は、鉄砲頭や大身の者（組外れ）を除き十二組に分かれ、長岡右馬助・小笠原備前らの備《そなえ》頭《がしら》（千〜五千石）に率いられる。

翌五日、船割りを命じ、六日、船に乗り組み、七日、天草の大矢野に上陸した。ここは天草四郎の根拠地である。翌八日には大矢野で山狩りをしたが、一揆勢はすでに立ち退いたあとであった。九日、柳《やなぎ》まで軍勢を進め、そこからまた船に乗り、十日の朝、中天草（上島《かみしま》）の栖本《すもと》に着いた。十一日には、光尚が上津浦《こうつうら》に到着したので、合流した。

細川立孝《たつたか》（立允《りゅういん》、忠興五男、二十三歳）の率いる八代組は、十二月七日に中天草の栖本に上陸し、翌日上河内《かみかわち》まで押し詰めた。十一日、光尚が上津浦に到着したことを聞き、これに合流した。右馬助は七日に里浦《さとのうら》を出船し、八日の晩、栖本に着き、九日に上河内に陣を取った。十一日には軍勢を上河内に置き、右馬助だけ上津浦に赴いた（「天草へ御人数参り候次第」）。

一揆勢、有馬に集結

天草の一揆勢は、富岡城を攻めたが落とすことができず、海を越えて島原半島南部の有馬地方に集結、島原の一揆勢と合流し、旧領主有馬氏の居城であった原《はら》の古城を修築して立て籠っていた（「島原の乱」は、原城の攻防戦の地名をとって「有馬の陣」と呼ばれる）。

幕府・藩の連合軍に対抗するためには、籠城《ろうじよう》しかなかった。一揆勢は、領主の蔵から奪った武器・弾薬・食料などを城に運び込んだ。勝ち目の薄い戦いであった。しかし、それを超えるだけの士気の高揚があった。

十一月下旬、領主松倉勝家が島原へ帰着、十二月の初めに板倉重昌らが長崎経由で島原に着いた。十二月八日には島原を出陣し、有家《ありえ》村に一泊、有馬のうち北岡《きたおか》に一泊の野陣をし、明くる十日に鍋島勢と有馬の原城に押し寄せた。鉄砲で競り合ったあと、築山《つきやま》を築き、柵《さく》をつけて陣を布《し》く。援軍の到着を待って、総攻撃をかける心算である（「林小左衛門覚書」）。

一方、江戸では、十二月一日、忠利が鎌倉の療養先から帰って初めて登城した。家光の健康状態もようやく回復し、日々鷹狩《たかが》りに出ていた。

八日、忠利は、上使への見舞いのため九州へ人を遣わしたついでに、光尚に、前線での様子をありのままに詳しく注進するよう、申し送った。

光尚もそのつもりで、十二月十四日に二通、十五日に一通、十六日に二通の書状を送っている。これらはすべて十二月二十七日に江戸に到着した。所要日数は十二日前後、往復には、二十四、五日かかるということになる。

島原・天草地図

あくまで島原出陣を果たせ

十二月二十四日、一揆勢を攻めあぐんでいるとの情報を受けた忠利は、光尚に早打《はやうち》を遣わし、わが熊本の軍勢は、島原での鎮圧が難航すれば派遣されるはず（「島原つかへ候はば、遣はし申すべき筈《はず》」）だと先ほど仰せ出されたから、ただちに島原出陣の嘆願を行うよう指示し、

「軍勢を遣わすことが許されないときは、

その方は、島原に見舞いに行き、戦場の様子を観戦したいと申してみよ。なんども嘆願し、絶えず申すのがよい。板倉重昌や石谷貞清はもはや指図する立場ではなくなるだろうから（「もはや指図なりがたくこれあるべく候間」）、信綱殿や氏鉄殿へ懸命に嘆願してみよ。信綱殿と氏鉄殿は、なにごとも上意を伺わず、自由に命じてよいと全権委任されているので（「何ごとをも上意を請けず、下にて申し付け候様にと仰せ出され候間」）、この両人に嘆願するのがよい」

と行動の要点を教えている。この一揆の鎮圧は、久々の武名を高める場である。しかも、光尚にとっては初陣、ぜひとも軍勢に加えてもらって戦功をあげさせたかった。かつて、忠利が十五歳の関ケ原前夜、上杉討伐に出陣を願ったときの行動が思い起こされる。

忠利の危惧

十二月十四日、天草から河尻《かわじり》（熊本藩水軍の基地）まで退いていた光尚も、上使に参陣を願うとともに、仕寄《しより》道具（城攻めの道具）を船底に積み、待機していた（十二月二十九日忠利披露状）。しかし、最前線では仕寄場の余地もないということで海からの船手を命じられるにとどまった。ほとんど戦機はない。

忠利は、この光尚の行動を見てじれったく思い、次のように申し送る。

「天草にて敵にあひ申さず、きのどくにて候に、又この度人並みに候ては大事の事に候、(中略) この度我々はきも入り申さず候へば、上使次第〳〵と申し候を、わらひ事に仕るべく候間、なる事とみ切り候はば、きも入り候て尤《もつと》もと、家中へ心をつけ候へと、年寄どもへ申し候」

――天草では敵にあわず、気の毒なことだったが、またこんども人並み程度の働きでは大問題だ。(中略) ここでわが軍勢が活躍しなければ、上使の指示でこうした、ああしたということで、(上使にかこつけて臆病《おくびよう》を構えていると) 笑い者にされるだろうから、戦いに参加する機会を見きわめたらすぐ出ていくように家中の者へ徹底させよと、年寄たちに命じておいた。

武名を高めるどころではない。忠利は、光尚の評判が心配になった。ぐずぐずしていて臆病だという評判でもたったら取り返しがつかない。そして、「その方あしきと申す事にてはこれなく候、油断と人申すべき所御入り候」――その方のやり方が悪いと言っているのではない。油断とそしられるような所があるのだ、と光尚をいたわりながら、ゆきとどいた助言をする。

上使の指示に従っているだけでは、幕府からとがめられることはないが、大名たちの中では笑われる。「何とぞ候てこの度人口《ひとくち》にのり申さざる様に仕り度《たき》事に候」――なんとしても今回、悪い評判が立たないようにしたいものだ、と忠利は、光尚に自分の危惧《きぐ》を切々と語りかけている（寛永十五年正月八日光尚宛忠利書状）。

正月一日の総攻撃

十二月中旬には、立花忠茂（宗茂の嫡子）・有馬豊氏の軍勢が到着した。二十日、立花勢だけで三の丸攻撃を敢行するが失敗、同二十九日には、総攻撃は少し見合わせ、諸手の仕寄がそろうまで待とうと談合が決まった。

ところが、第二次の上使が十二月二十八日に小倉に到着したという知らせを聞いた板倉重昌ら先発の上使は、なんとしても第二次上使到着前に一揆の城を落とそうと焦り、十二月晦日の朝、急に諸家の家老を呼び、翌正月一日を総攻撃の日と決めた。

そして、その当日、板倉は、石谷と相談して下知していた。しかし、一揆勢の激しい抵抗のため、未明に塀際に寄せた島原藩松倉勢と久留米藩有馬勢の先手は大半が死傷し、重昌が諸陣へ攻撃を促しても動かなくなった。自分が先頭に立てばついてくるだろうと考えた重昌は、貞清とともに塀際にすすみ、後方の軍勢に、「かかれ」と下知したが、有馬勢はすすまず、松倉勢などは竹束の番もできないほどであった。孤立したまま最前線の塀際にとりついた重昌は、鉄砲で撃たれ即死、貞清も負傷して退いた（『福島板倉家文書』・『立花立斎自筆島原戦之覚書』)。幕府軍の大敗北である。

光尚は、十二月晦日に有馬から呼ばれたが、その後すぐ制止され、主力はこの攻撃に加わっていなかった。だが、諸軍へ遣わした使者などがそのままとどまって戦いに加わり、細川家では負傷者五十三人、死者四人を出している。光尚は、一日の敗戦を知り、軍勢を連れて二日に天草から島原半島に渡り、有馬に到着する。

2　忠利の気負い

西国大名、出陣

寛永十五年(一六三八)正月十二日、忠利はお暇を与えられ、出陣を命じられた。即日、江戸を立って、熊本に向かった。黒田忠之・有馬豊氏・立花宗茂ら歴々の九州大名も、同時にお暇を与えられている。

それまで島原には、嫡子や家老に率いられた軍勢だけの派遣だった。しかし、大規模な軍勢になると、当主が軍に付いて指揮することが重要になる。指揮系統が統一されるし、なによりも家臣たちの士気が格段に違う。

忠利出陣の知らせを十八日に受けた京都の忠興は、病状もよいので、伏見で忠利と会おうとした。すぐに、いつごろ伏見に着くかを問い合わせる使いを出したが、すれ違いで、このとき忠利は、すでに伏見あたりに到着していた。江戸出立からわずかに六日、江戸からの正月十二日付および十四日付書状を追い越しての進軍である。もはや、忠興が伏見に行くのを待っていては、下国が遅れるばかりだ。

忠利、病を冒して強行軍

しかたなく忠興は、「もはや何もかも跡になり候間、直《じか》に大坂へ下らるべく候、これより大坂へ使者をもって申すべく候」――私を待たずに直接大坂へ下られたい、こちらから大坂へ使者で伝えよう、と先へすすむことを指示しながら、「扨々《さてさて》はやき事に候、その方は煩ひの内にて候、かやうに候ても苦しからず候や、あきれ申し候」（正月十八日忠興書状）――その方はまだ（療養先から戻ったばかりの）病気中なのに、こんなに急いでも大丈夫か、と驚いている。

忠利は、現地の光尚のことが心配だった。気ばかりが焦る。大坂に着くと、大坂船手頭小浜光隆が出迎え、早船大小十艘を提供してくれた。これまでの交誼《こうぎ》の賜物である。また大坂河口では、播磨・室津《むろつ》の旅宿主名村左太夫《なむらさだゆう》が、船十数艘を用意していた。おかげで、スムーズに現地に向かうことができたが、このような強行軍が、忠利の余命を縮めることになったのかもしれない。

原城攻略は静かに

正月二十六日、忠利は、有馬に到着した。二十九日には、早くも中心的な存在として戦場に立ち、忠興に、原城攻めの様子を次のように伝えている。

——原城に対して、築山《つきやま》もすでにできており、そこから大筒で塀裏を見透かして撃っているので、一揆勢は、塀の陰の堀を歩いている様子です。現在は、諸手の仕寄《しより》を寄せており、われわれの仕寄は、塀際へ十九間（三十四・二メートル）ほど寄りました。

仕寄とは、竹束などで防御しながら軍勢を寄せることをいい、これをじりじりと詰めることによって、城攻めを敢行するのに適切な位置にまで近寄るのである。

——六、七日前からこの状態で、上使の命令によりしばし休み、諸手の遅れた仕寄が詰まるのを待っております。七、八日もたてば、鍋島勢の仕寄もわが軍勢ほどに寄るでしょう。黒田勢は、二十七日に到着し、まだ小屋掛けの段階で、仕寄などはまったく付けていません。そもそも、まだ黒田忠之・有馬豊氏・立花宗茂らは到着していません。これらの衆の仕寄を待っていると、いつになるかわかりません。

家光は、有馬にしばしば使者を派遣し、「いかにも仕寄以下丈夫に静かに仕り、見合はせ、ほしごろしにも然《しか》るべき」との命令を下していた（二月四日忠利覚書）。

したがって、諸手の仕寄が詰まるのを待ち、状況を見ていっせいに攻撃するか、あるいは一揆勢の兵糧切れを待って干し殺しにしようとの作戦である。松平信綱の指示も同様で、あくまで慎重なものだった。

立花忠茂のみた細川勢

細川勢の仕寄は、どこよりも早かった。隣にいた立花忠茂は、戦後自筆で書き上げた覚書に、その様子を次のように語っている。なおこの覚書は『立花立斎《りゅうさい》（宗茂）自筆島原戦之覚書』（『改定史籍集覧』一六）と題されているが、子細に検討すると、宗茂の嫡子忠茂の覚書である。

正月四日、有馬へ着陣した細川光尚は、立花忠茂の仕寄場を渡され（松倉勝家の仕寄場も渡されている）、忠茂は、有馬・松倉両勢との間に移された。忠茂が受けとった場所は、一日の戦いのあと、一揆勢に仕寄を取り払われており、そのうえ上使の指示で、築山・井楼《せいろう》の構築にとりかかり、仕寄はすすめなかった。

細川光尚にも築山の構築が命じられたが、細川勢は、受けとった仕寄先の山なども切り崩し、築山への道ということで道作りをはじめ、そのうえで築山はできないから井楼を組み上げると言い、井楼の道作りといって仕寄をすすめ、また井楼もできないと言う。たしかにそこは井楼を組みにくいところだと、上使も了承した。

細川勢は、この調子で仕寄をどんどんすすめたのである（「両様のためとて、仕寄道又は仕寄をも存ず儘《まま》に仕られ候」）。

これは老獪《ろうかい》な家老たちのはからいであろうが、他勢を出し抜く、あるいは後れを取らない、という武士の習性はこのようなものであった。

その後、細川勢は、以前諸勢が寄り合って築いていた土俵山に少し土俵を置いて自軍の築山とし、帳尻《ちょうじり》をあわせた（「これにて築山の首尾は御合はせ候と見え候」）。忠茂は、「拙者ども、下知により山を築き立て申し候故、ことの外ひま入り申し候」と不満気である。到着した忠利が見たのは、このような事情のものだった。

忠興の嘆息

京都の忠興は気が気でない。正月二十四日は書状を送って、有馬の戦況を詳しく教えるようにと言い、以前送られた原城包囲の絵図（二八八ページ解題参照）を見ながら、たとえば、次のように指示している。

――その方の仕寄の左の方に、城からの門口が絵図に見える。申すまでもないことだが、前々から仕寄の近所の門口は大事のもの（要注意だ）と言われている。城中から出撃してきて鉄砲防御のための竹束を崩したりして、仕寄の者の面目を失わせたりしたのを、三度ばかりは見たことがある。この所は、よくよく申し付けておく（厳重哨戒《しょうかい》する）のがよいと思う。

このように、京都の忠興も、実際に戦場にいるようなつもりで指示を出しているのである。忠興は、信長時代以来の歴戦の大名である。それほど実戦経験があるわけではない忠利のことが、なんとも心配であったのであろう。

これに対して忠利は、二月四日付の返事で、「おっしゃるとおりに存じておりますゆえ、柵を付け、また張番を堅く申し付けております。絵図を御覧下さい」と答えている。実際に合戦のあった時代に育っただけに、理論的にはかなり深く研究している様子が見える。

しかし、なお忠興には不満であった。たとえば、二月中旬には、隣接する立花手の井楼の構築を待つ間、城近くに築山を築き、上から大筒にて撃ちすくめてみようと普請を行った。忠利は、「城から頻繁に石が投げられてやりにくいので、帆柱を立て、帆を張り、その陰で普請をしている」と報告した。

「危ない！」と忠興は言う。「投げ松明《たいまつ》や火矢を撃たれたらどうするのだ」というわけである。しかし、このような指示のむなしさをも感じ、「何ごとを申し候ても、三百里参り、又三百里もどり申す事に候間、入らざる儀と存じ候へども、申し候」——なにごとを指示しても、書状の往復に時間がかかり、意味のないことだが申すと、嘆息まじりに言い送っている（二月二十三日忠興書状）。

攻城諸手の軍勢

先の二月四日の返事によると、出動した寄手の鍋島の人数は三万ほど、しかし、「侍は少なく候」ということで、領地が近いだけに領民による陣夫が多かった。黒田勢は一万五千、有馬勢三千、立花勢二千、寺沢勢二千余、松倉勢五、六百であった。

上使の人数は信綱が千五百、氏鉄三千五百とのことだったが、忠利の見るところ、信綱は千足らず、氏鉄は二千余程度であった。細川勢は八代の細川立孝勢（忠興の代理）を含めて三万余、侍も多く、包囲軍の中では最大級の軍勢である。

豊後目付の林勝正、牧野成純両名は、高瀬から島原城に入り、その後、有馬に行き、林は黒田・寺沢勢の、牧野は有馬・立花・松倉勢の軍目付《いくさめつけ》となった。江戸から急ぎ長崎警備に下った長崎奉行榊原職直は鍋島勢の、馬場利重は細川勢の軍目付となった。かれらが先手七名の戦いの様子を見届け、幕府に報告するのである。

二月上旬、有馬に到着した黒田忠之は、江戸と上使に次のような訴訟（嘆願）をしている（二月八日忠利披露状）。

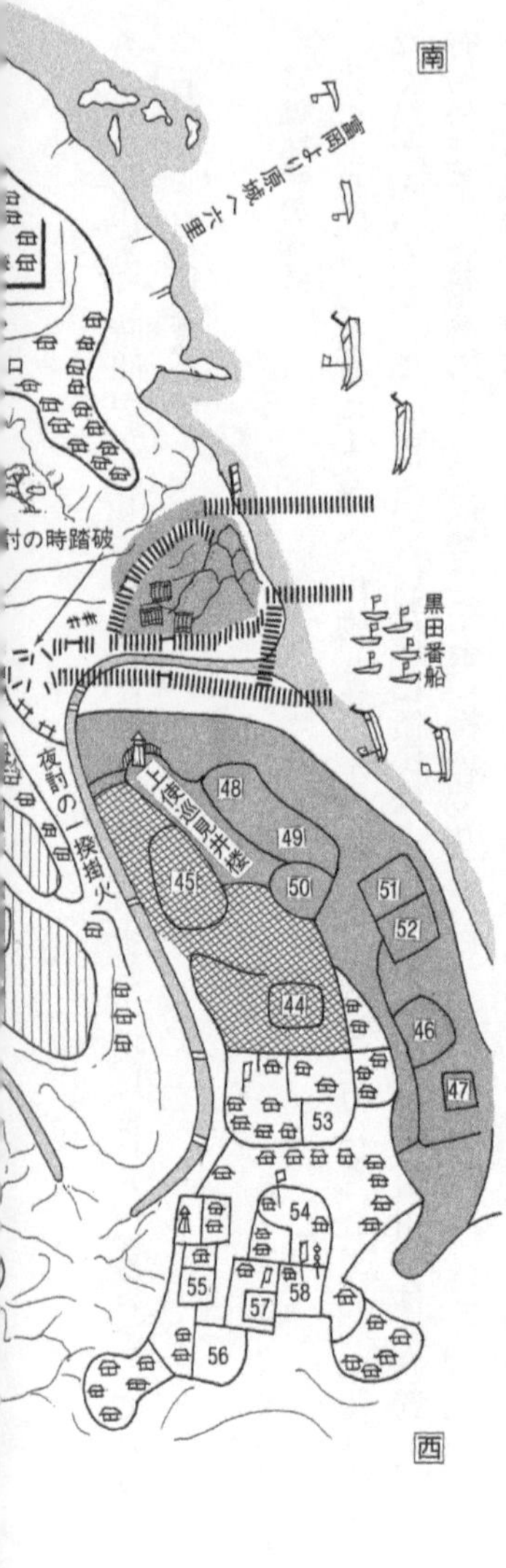

付箋の人名

上使衆
1 松平信綱・輝綱
2 戸田氏鉄・氏経・氏照
3 板倉重昌
4 板倉重矩
5 石谷貞清
6 馬場利重
7 榊原職直・職信
8 林勝正
9 牧野成純
10 松平行隆
11 天野長三郎
12 鈴木三郎九郎
13 山中喜兵衛
能勢四郎右衛門
14 甲賀者共
15 中坊長兵衛

細川勢
16 細川忠利
17 細川光尚
18 長岡興長
19 有吉頼母佐
20 長岡右馬助
21 細川立孝
22 清田石見
23 小笠原備前

立花勢
24 立花宗茂
25 立花忠茂
26 立花若狭
27 十時太郎左衛門

松倉勢
28 松倉勝家
29 松倉重頼
30 松倉三弥

有馬（久留米）勢
31 有馬豊氏
32 有馬主水
33 有馬内記
34 有馬監物
35 有馬左門
36 有馬兵部

鍋島勢
37 鍋島勝茂
38 鍋島元茂
39 鍋島淡路
40 鍋島安芸
41 諫早豊前
42 鍋島直澄
43 後藤若狭

寺沢勢
44 寺沢堅高
45 三宅藤左衛門

黒田勢
46 黒田忠之
47 黒田長興
48 毛利左近
49 黒田三左衛門
50 黒田高政
51 黒田監物
52 黒田美作

諸勢
53 有馬直純
54 松平重直
55 水野勝俊
56 水野勝貞
57 小笠原長次
58 小笠原忠真
59 紀州様御内
60 島津家老島津久元

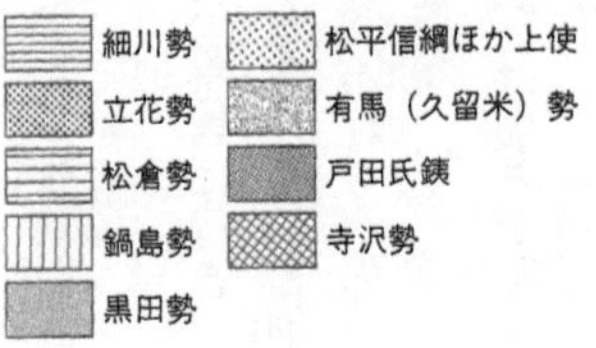

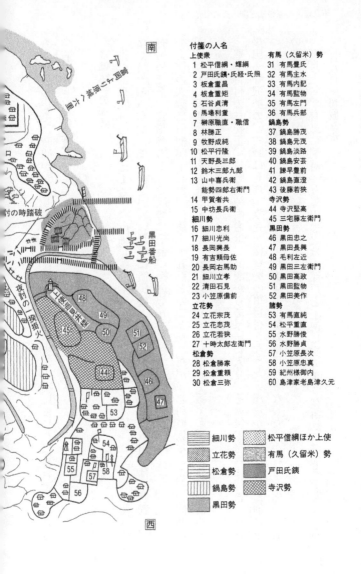

原城攻城布陣図

『嶋原御陣図』柳川古文書館による

コラム　柳川古文書館所蔵『嶋原御陣図』について

この絵図には、諸勢の陣所が詳細に描かれ、そこに付箋《ふせん》で人物名が記されている（本書では数字で示した）。このうち、私が「上使衆」に分類した中で、あまり耳なれない人物がいることに気づかれたと思う（11～15）。これらの人物が、この絵図の信憑性と成立年代を推測する手がかりとなる。

まず、「山中喜兵衛《やまなかきへえ》」と「能勢四郎右衛門《のせしろうえもん》」というふたりの人名が記されている一枚の付箋がある。『寛政重修諸家譜』によれば、山中（名前は信時《のぶとき》）は、当時、御勘定を勤め、「（寛永十四年）十二月三日、仰せをうけて松平伊豆《いず》守《かみ》信綱に添て肥前国におもむく」とあり、能勢（名前は頼《より》安《やす》）も御勘定で、「十四年耶蘇《やそ》の徒蜂起せるにより、軍中糧米のことをうけたまはり、十二月三日松平伊豆守信綱に副《そ》ふて肥前国島原におもむく」とある。細川家史料中には、この両名にあてた島原の乱の扶持《ふち》方請取状の写しも残されている（三三一ページ写真参照）。両名は、兵站《へいたん》を勤めた勘定方の役人であったのである。

鈴木《すずき》三郎九郎《さぶろうくろう》（重成《しげなり》）は松平信綱に従って、有馬におもむき、「落城のとき本丸に先登して軍功」があり、寛永十六年十月一日には、「肥後国天草荒廃の地開発のことをうけたまはり」天草におもむいた。十八年九月十九日には領主山崎氏転封のあとをうけて天草代官となった。かれの兄重三《しげみつ》（正三《しょうさん》）は、曹洞宗《そうとうしゅう》の僧侶《そうりょ》となっていたが、天草におもむいて民衆の教化につとめている。

中坊長兵衛《なかのぼうちょうべえ》（時祐《ときすけ》）は当時、書院番士で、のちに奈良奉行になる人物であるが、妻が信綱の養父松平正綱《まさつな》の養女であった縁で信綱に従軍を頼み、有馬に発向した。天野長三郎《あまのちょうざぶろう》（長重《ながしげ》）は当時十七歳で、まだ家を相続していない身であったが、信綱が母方の叔父《おじ》（父長信《ながのぶ》の妻は信綱の実父大《おお》河内久綱《こうちひさつな》の娘）であった関係で従軍を許された。当時、旗本たちも、功名心から従軍を希望した者が多かったらしい。

また、細川家が「忍び」を使って城中を探ったことが忠利の書状に出てくるが、幕府もまた忍びを従軍させたようで、「甲賀《こうが》者共」という付箋がある。

このような付箋の記述から、この絵図はかなり正確な史料にもとづいて描かれたことが推測できるが、その際、注目したいのは「天野長三郎」という付箋である。

天野の生涯は、氏家幹人《うじいえみきと》『江戸藩邸物語』（中公新書、一九八八年）に詳しいが、元禄《げんろく》二年（一六八九）五月三日、長年の勤めを褒賞され、鑓《やり》奉行を拝命し、老中大久保忠朝《ただとも》から、「戦場において働きの功ある者、今御旗本に吾子（貴殿）一人のみ」と称《たた》えられたという。

すなわち、寛永の段階ではさして有名であるとは思えない少年の天野が付箋に登場するというのは、この絵図がのちにかれが有名になった時点で描かれたことを示しているのだと思われる。もちろん、有馬の布陣図は城攻めの最中にも作成されていたし（本文二八三ページ参照）、戦いのあとも数々書かれた。そのような同時代に成立した絵図と各種史料を参照して元禄前後にこの絵図が作成されたというのが、私の推測である。

この絵図には乱の経過全体が書き込まれており、記載の詳細さと正確さは第一級のものである。このほか、精疎はあるが、島原の乱絵図は多く残されている。永青《えいせい》文庫には、正徳《しょうとく》三年（一七一三）の年紀のある絵図と極彩色の絵図（部分）があり、『綿考輯録《めんこうしゅうろく》』にも何種かの絵図がおさめられている。

中村質《なかむらただし》氏は、「島原の乱の一考察」（『九州産業大学教養部紀要』第六巻第一・二号）において、二十数種類の絵図の存在を明らかにしている。なかでも、私の勤務する東京大学史料編纂《へんさん》所所蔵の「島原合戦図」は良質の写しであり、寛永十五年二月作成と推定されている。ただし、戦いの最中に作成されたにしては記載が詳細すぎると思われる。

『嶋原御陣図』〔福岡県（伝習館高等学校）蔵、柳川古文書館所蔵〕

——原城を兵糧攻めにするなら、自分一人に命じていただきたい。諸手を引き取らせてもらえば、状況を見て自由に攻めたい。

忠利は、これを有馬豊氏から聞き、「手余りにござ候段、申し上ぐに及ばず候」——黒田の手に負えないことは、言うまでもございません、と憤慨しながら忠興に告げている。仕寄すら満足にできないうえに、このような嘆願にでるとは言語道断であった。

江戸よりの黒印状（家光の作戦指示）によれば、「いよいよ見合はせ、端々の丸を取れ」とのことであった。細川勢と立花勢は三の丸の担当、両手が揃えば取ってもよいとの上使の内存であった。二の丸の前の出丸は、鍋島の担当で、これは「有無に（無理にでも）取りて見候へ」と決めている。黒田は、本丸の担当であったが、仕寄が遠く、なかなか攻められる状態ではなかった。

牢人たちの参陣

諸藩の手には、正規の家臣のほかに、さまざまな牢人《ろうにん》たちがつてを頼って参陣していた。たとえば、「上様勘当の牢人衆」である。

家光の勘気を受けて改易された武士たちは、この一揆の鎮圧に戦功をあげ、再び召し出されようとした。これは、当時の武士がとる一般的な方法である。船手頭向井将監正勝《むかいしょうげんまさかつ》の嫡子正俊《まさとし》も、この戦いに家光の許しをかける「上様勘当の牢人」であった。

そして、一般の牢人。関ケ原戦後三十七年、二百家近い大名の改易があり、それにともなって大勢の牢人が生まれていたことは周知のことである。

彼らは、どこの陣でもよいから加わって、手柄を認めてもらい、その藩に奉公しようとするのである。もちろんなんの保証もないが、武士にはもはやこのようなときにしか仕官の機会がなかったのである。とくに細川勢には、加藤忠広の旧臣が多く参加していた。

諸家から派遣されてくる陣中見舞いもただの使者ではない。そのまま陣に加わって戦いに参加しようとしていた。このチャンスに手柄を立て、自己と藩の武名を高めようとしているのである。

なかには主君から、見舞いのあとは自由にせよと、暗に参加を示唆されている者もあったかもしれない。その場合、のこのこ帰ったりすると一生の汚名を負うことになる。

家光から戦況報告のために派遣された松平行隆《ゆきたか》でさえ、上使の任務も忘れ、正月一日の城攻めに加わって負傷し、のちの総攻撃のときも奮戦している。

牢人は捨て殺しに

牢人たちは、知り合いがいれば、その者の手に加わって戦う。しかし、たとえば、細川勢が三の丸を取りそうだというようなことがあれば、いちばんよい働き場所だということで、細川勢に合流してくるであろう。そうすると、細川家の軍法に従わない者も出てくるかもしれない。牢人は身軽だし、抜け駆けに走りやすい。

一方、城内には堀や落とし穴がたくさんある。これは忍びの者を使ったり、井楼の上から偵察したりして確認済みである。功をあせる牢人が、軍法に従わず一人ふたり入ったからといって、軽率に軍勢を乗り込ませると、大勢の戦死者がでるであろう。だから、牢人が乗り込んでも捨て置き、よく見合わせて城乗り（城に攻め込むこと）をするようにしよう、と忠利は述べている。この点は上使にも問い合わせ、作戦会議で同意を得ている。

そもそも今回は、「城乗り」と考えず、塀裏に人がいられなくなるほど鉄砲を撃ち込み、塀を掘り倒して、「いかにも静かに人数を入れ、尤もに候」とのことであって、一番乗りをあらそうような攻め方はしないつもりであった。

上使は、「牢人・使者無理に入り候はば、勿論《もちろん》捨て殺し候へ、又切り捨ても仕るべき」――牢人や使者が命令を聞かずに無理に城に乗り込んだら、もちろん見殺しにしてよいし、場合によっては切り捨ててもかまわない、といっている。

家光の命令は、「随分手負ひすくなき様に」とのことで、忠利は、竹束の盾などさまざまな準備をし、柵などまで丈夫に申し付けていた（寛永十五年二月八日忠利披露状）。

仕寄、大詰めへ

正月一日の総攻撃のときには、城を死守した一揆勢であったが、二月ごろになると、兵糧や弾薬が欠乏してきた。城内からは、一晩に二、三発しか鉄砲を撃たなくなっていた。塀裏には石がたくさん集められており、礫《つぶて》が攻撃の主力であった。

二月中旬、鍋島担当の二の丸出丸の塀を、大筒で撃ち破った。それを敵が囲わないようにと、上使は急に仕寄を寄せるよう命じた。細川勢は、なにかに事寄せて仕寄道をつけていたし、竹は天草にて切りためていたので、その夜のうちに仕寄をつけることができた。

立花勢は、旧冬よりつけていた仕寄を細川勢に渡したうえ、新しい仕寄場は深田がひろがっている所だったので、道を作りながら仕寄を寄せなければならなかった。それでも翌々日には追いつき、上使の指示で井楼を二つあげた。細川勢も、井楼を二つあげ、その後、仕寄場が広かったため、もう一つ井楼をあげた（『立花立斎自筆島原戦之覚書』）。

二月十六日の忠利書状によると、諸手の仕寄が、塀際三間半（六・四メートル）まで寄っている。これだけ近づくと、鉄砲の援護射撃がなければ、相手のし放題にされてしまう。

仕寄に土俵を高く上げ、塀裏を見下げるようにせよとの上使の命令があった。忠利は十五日より取りかかり、十八日にはできる予定であった。塀から三間ほどなので、城内からの鉄砲の好餌《こうじ》になる。竹束を防弾の盾にし、近くの井楼から援護射撃をして、城内から鉄砲が撃てないようにした。

城乗りのときは、たくさんの帆柱を立て、それに箱を吊《つる》して人を入れ、上から鉄砲をあびせて一揆勢を塀近くから退かせ、竹束などで防御しながら乗り込み、橋頭堡《きょうとうほ》になる柵を立て対峙《たいじ》する手はずである。

お助け船と心理戦

総指揮官松平信綱の評判は、上々であった。

忠利は、「存じの外、伊豆殿（信綱）万事申し付け様、跡先すわり候て、諸手の安堵《あんど》この事に候、我等なども、か程にはござある間《ま》敷《じく》と存じ候つる、伊豆殿御出《おいで》なくば、中々万事しまり申す間敷候事」とほめている。

しかし、慎重を期すあまりに、少しやりすぎの面があった。たとえば、オランダ船を呼んで砲撃させたことである。これは、さすがに評判が悪かった。一揆勢からは、矢文で、なぜ外国の手を借りるのかと非難されたし、諸大名たちも抗議して、やめになった。

凱旋《がいせん》するとき信綱自身が「オランダ人がキリシタンを攻撃できるかどうか試したのだ」と弁解したのがそのまま信じられているが、おそらく呼び寄せたときには必死の作戦だったと思われる。

というのは、オランダ人だけではなく、長崎の唐人（中国人）も呼んでいるからである。唐人は、火薬を十石も使って城を吹き飛ばそうとしたり、七十五人ほどで持つ巨大な玉を使う「木鉄砲」を発射しようとした。しかし、これらは、せっかく付けた仕寄を退けないと味方にも被害がでるということで、やめになった。

信綱は、このような攻撃だけではなく、心理戦にもぬかりなく工作している。たとえば、天草四郎の母や姉を捕らえて、降伏勧告をしたり、城内に矢文を放ってキリシタンでない者の投降を呼びかけ、内部分裂を起こさせようとした。一揆勢の中核には、日向延岡《のべおか》に転封した有馬家の旧臣が多いので、延岡藩主の有馬直純に投降を呼びかけさせたり、有馬家家臣を一揆勢の知り合いと会見させるなどのこともした。

それもこれも、できるだけ被害をださないよう、一揆を鎮圧せよとの、家光の命令に即したものであった。

一揆勢の夜討ち

大軍に包囲されている一揆勢は、急速に兵糧や弾薬が欠乏していく。冬のことだから、空腹のうえに寒さは厳しい。もう米はなく、大豆・小豆《あずき》・麦・胡麻《ごま》・海藻などを食べつくしていた。薪《まき》などにも事欠くようになり、城のまわりの木立ちもほとんど切りとられ、薪になった。

こうなると、一か八《ばち》か城から打って出て玉砕戦法をとるしかない。しかし、総帥天草四郎はそれをとどめ、健康な者を選び、大江口《おおえ》から黒田手へ二千四百、出丸（備中丸《びっちゅう》）より寺沢手へ六百、二の丸出丸より鍋島手へ千で夜討ちをかけることにした（「山田右衛門作口書覚」）。

二月二十一日夜、大江口から出た一揆勢は、黒田手の柵を五ヵ所破って仕寄の中へ入った。ここには小屋があまりなく放火できなかったが、かえって敵味方の区別ができず、黒田勢の損害は甚大であった。

隣の寺沢陣は、騒ぎを知って早く人数を出していたので、一揆勢は首三十三を取られ、鍋島直澄《なおずみ》の本陣の脇になだれこみ、小屋に放火して百ばかりを焼いた。そして、裏の方の柵を二ヵ所破り、さらに仕寄の中に入って井楼を焼き落とし、出丸の中に退いた。

ついで出丸から新手の五、六十が放火に出ようとしたが、松倉勢がこれに鉄砲を撃ちかけたため、立花陣の隅に殺到し、柵を抜こうとしているところを、立花勢が中から打って出、三人の首を取られると、諦《あきら》めてまた出丸に逃げ込んだ（二月二十二日忠利披露状）。

細川陣には、夜討ちがなかった。細川の仕寄場は、三の丸の方向だったためである。この日、忠利は、光尚と連署で、次のような報告を送っている。

	死人	手負い
黒田忠之（兄弟3人）	55人［侍 36人 下々 19人	181人［侍 80人 下々 101人
寺沢堅高	5人 侍	9人［侍 5人 下々 4人
鍋島勝茂	9人 侍	38人 侍
合計	69人［侍 50人 下々 19人	228人［侍 123人 下々 105人

2月21日、夜討ちのときの死傷者

＊ほかに鍋島勝茂の下々手負い・死人77人、手負い・死人の総計374人

＊「手負・死人之目録」（永青文庫）による

	首級	生け捕り
黒田忠之	61	2
黒田長興	15	5
黒田高政	11	0
寺沢堅高	33	0
鍋島勝茂	163	0
立花忠茂	3	0
合計	286	7

討ち取った首数

＊『二月二十一日丑刻討捕首数』（永青文庫）による

――二月二十一日丑《うし》の下刻（二十二日午前三時ごろ）、鍋島手より大江浜のあたりまで、方々に火の手があがりました。火事になっているところが多いので、おそらく放火でしょう。夜討ちがあれば、鐘を鳴らすことになっております。鐘が方々に鳴っております。寅《とら》の下刻（午前五時ごろ）に諸手が鎮まりました。さしたることではなかったと見えます。このように申しているうちに、方々から申しきたったことには、黒田、寺沢、鍋島先手へ出たそうです。どの陣でも、城中の者を多く討ち留めたとのことです……。

被害をかくす

さて、このとき取った首は、上の表のとおりである。黒田忠之勢の六十一というのは、大方が鉄砲によるものであった。暗くて相手が見えず、同士討ち

も多かったということである。黒田勢の被害が大きいのは、それもあっただろう。鍋島陣では、放火されたため、一揆勢の行動がよく見え、このように首が取れたのであった。

このとき、あまりに多くの死傷者が出たため（表参照）、上使はこれを江戸に報告しないことにした。忠利は、「我ら方よりこの目録参り候と御沙汰なきやうに」——私から死傷者のリストが来たことを漏らさないようにと、口止めしている（「手負・死人之目録」）。また、このとき鉄砲の薬（火薬）が二箱取られているが、これも秘密とされた。「原城攻城布陣図」の「夜討の一揆掛火」と記載されている道筋には、兵糧や武器・弾薬を売る町人が小屋を建て連ねており、かれらも大勢死んだ。

驍将忠利への期待

この夜討ちの少し前の二月十六日、忠利は、幕府の元老格の井伊直孝に書状を送って、現地の戦況を報じている。直孝からの返事（三月一日井伊直孝書状）に、次のような言葉がある。

「上使衆へ御ゑんりよなく、よろづ御だん合なされ候由に候、貴様御事は、よ（余）の人にはかはり申し候間、御だん合、一だんと御尤もに候、土人にれき〳〵のぶしそんじ申す事は、いな物に候間、上使衆申し付けられ様、尤もに存じ候、いよ〳〵公儀御ため、然るべき様に御だん合なさるべく候」

――上使衆にご遠慮なく、万事ご談合なさっているとのこと、あなたはほかの人とは違いますので、ご談合なさることは、一段と結構なことです。土地の農民に歴々の武士が討たれるというのは妙なものですので、上使衆の作戦は妥当だと存じます、いよいよ公儀のためよりよいように、ご談合なさって下さい。

もちろん、直孝の外交辞令もあろうが、幕府首脳にとって、忠利は「よの人にはかはり申」す武将なのであった。オランダ船を返したのも、「日本の恥だ」という忠利の意見が大きい。最大の軍勢を擁する藩主で、かつ年齢的にも上の忠利は、このときたしかに重きをおかれており、また自負もあった。これは、総攻撃のときにも、遺憾なく発揮されることになる。

3　果敢な総攻撃

榊原父子の抜け駆け

一揆勢の弾薬・兵糧の欠乏を見て、上使たちは、いよいよ総攻撃をかけることに決めた。当初、二月二十三日に予定していたが、雨のため二十六日に延期し、さらに二十八日に変更された。

二十七日、鍋島勢の前の二の丸出丸が空になり、一揆勢が内へすぼんだと、有馬勢の井楼より報告があった。鍋島勝茂は、足軽を遣わして確認したうえで、翌日の総攻撃にそなえて出丸の端に竹束を付け置き、乗り口の足掛かりにすることを申し出た。松平信綱と戸田氏鉄は、鍋島勢の築山よりこれを見て、許可を与えた。

この日午《うま》の刻（正午）ころから、鍋島勢が竹束や盾で防ぎながら出丸の方へ仕寄を詰めて行ったところ、一揆勢はこれに気づかず、思いのままにすすむことができた。出丸にとりかかったころ、やっとこれに気づいた一揆勢がはげしく鉄砲を撃ちかけてきた。鍋島勢も盾の外に出て鉄砲攻撃で応戦した。

鍋島勢の軍目付は、長崎奉行榊原職直・職信《もとのぶ》父子である。その手勢といえば、せいぜい千八百石の旗本であるから家臣は少ないが、忠利の親友であるということで、細川家から家臣を付けてもらっており、牢人も周囲に加わって三百ほどにもなっていた。

十八歳の職信の手勢による弓矢の攻撃が思いのほか効果を上げ、前面の一揆勢が退き始めた。かねてより一番乗りをねらっていた職信は、細川家から付け置かれた鉄砲二十挺《ちょう》頭の芦村十郎左衛門《あしむらじゅうろうざえもん》に、「唯今《ただ》、よき乗り潮《しお》にてはなきか」――今、城乗りの絶好のチャンスではないだろうか、と小声で言うと、うなずいた芦村は出丸升形の隅に走って登り、職信の手を引き、牢人成田十左衛門《なりたじゅうざえもん》が腰を押して同時に塀の上に上がり、「一番乗り！」と名乗った（『綿考輯録』）。

榊原の回想

このときの榊原職直の行動については、彼自身の証言がある。『榊原家島原書類』という写本中の、寛永十五年四月十四日付松平信綱あて榊原職直弁明書である。

――二の丸の出丸のうちの土俵のうえに盾の竹束をつけさせようと用意していたところ、出丸のうちの土手に敵が押し出してきました。敵が大勢になると、味方が利を失うと思っていたところ、倅《せがれ》の職信が乗り込んだので、私も乗り込みました。はや敵と戦闘状態に入っていたので、鍋島勢に「かかり候へ！」と指図をし、そのまま押し込みました。鍋島勢も出丸へ乗り込みました。

――二の丸に乗り込んで後ろを見ると、鍋島勢はいまだ多くは見えなかったので、指物《さしもの》を抜いて振りながら、「かかり候へ！」とまた下知しました。二の丸左手の小屋はずれより敵が押し出してきたので、小屋に火をかけました。二の丸右手の小屋には鍋島勢が放火しました。この戦いで、三十人ほどの死傷者がでました（うち九人が「当座に討死（即死）」）。

職直は、この戦いが自分から仕掛けたものではないことを強調しているのであるが、おそらく事実もそのとおりであったと思われる。

その後、諸方から一揆勢が二の丸に集まってきて、一心に防いだ。鍋島勢は、多くの死傷者を出し、そのうえ火の回りが早かったため進路をふさがれ、かえって二の丸の奥に攻め込むことが困難になっていた。

光尚、三の丸に押し出す

三の丸の担当は、細川氏と立花氏である。上使との談合で、出丸で敵とせりあっても三の丸には乗り込まないと申し合わせていたが、二の丸の情勢を見て不審に思った立花忠茂は、細川光尚へ使者を送った。

「鍋島手は塀際へ人数少し寄り申し候、何とあるべき儀にて候哉」という使者の口上に、「御使御覧候ごとく、はやのりこみ候間、早々御乗り候へ!」と答えた光尚は、即座に、自軍に押し出すよう命令を下した(三月一日忠利披露状)。

それよりも早く、細川勢の先手はそれぞれに三の丸に乗り込みつつあった。鍋島勢の抜け駆けを知った松井寄之は、自軍の戸口の番の制止を聞かず三の丸に乗り込み、細川立孝や備頭の率いる諸隊も同様に乗り込んでいった。すでに三の丸には一揆勢の姿はほとんどなく、細川勢と立花勢は、三の丸を押し通り二の丸方面に向けてすすんでいった。

忠利は、ちょうど立花宗茂の陣所で、鍋島勢の築山からきた松平信綱らと、出丸のことについて談合をすませ、本陣に帰る途中であったが、鍋島勢が抜け駆けし、光尚が軍勢を押し出したという報告を受けた。

あまりに急なことであったので、忠利は具足をつける暇もなく、胴服のまま三の丸際まで騎馬で駆けつけた。そして、馬から下り、三の丸に乗り込み、そこでまた馬に乗り、三の丸の中ほどまできて、将几《しょうぎ》に腰かけ、戦いの様子を見守る。光尚は先手まで視察に出ており、まだ会えなかった。

二の丸まで乗り込む

自勢の奮戦を見て、忠利は、陣中で忠興宛の書状を傍らにいる右筆に書かせている（二月二十七日忠利披露状）。

——二月二十七日未《ひつじ》の刻（午後二時）、三の丸の塀をこの方へ取り、即座に中へ押し込みました。二の丸の際まで押し詰めてから、またお知らせします。多くの鉄砲射撃の上で攻め込んでいますので、キリシタンの抵抗も、以前のようにはいきません（「鉄炮《てつぽう》にてうちすくめ、押し込み申し候故、きりしたんはたらきも、この前のごとくにはなり申さず候」）。首を取らず、討ち捨てと決められていますので、殺したキリシタンの数はまだわかりません。あとでお知らせします。一門は無事でございます。

——尚々《なおなお》、三の丸は、二の丸より低い所にありますので、三の丸に入った軍勢は、盾か竹束で防御しなければ、二の丸からの鉄砲攻撃で多大の被害が出ます。このように慎重に攻めよというのが、上使のご指示です（「右の通りにねばく、上使も御このみにて候」）。

と、ここまで書かせたところで、二の丸に乗り込んだという報告が届いた。

忠利は、「か様に申し候内に、二の丸まで乗っ取り申し候、以上」と急いで書かせ、使者を上方の忠興のもとに走らせ、自分は二の丸にすすんでいった。

前線では、松野右京《うきょう》組、小笠原備前組、長岡右馬助組らの細川家諸隊や光尚勢、立孝勢、松井寄之勢が一揆と戦いながら、二の丸をすすんでいた。三の丸から入った立花勢や牢人たちも、細川勢に交じって戦っていた。鍋島勢は、一揆勢と二の丸際で入り乱れて戦っており、周囲の火の手が激しく、二の丸への突入は阻まれていた。

二の丸での激戦

以下、細川家の家譜『綿考輯録』によって、細川勢の奮戦を見ていこう。この史料は、戦後の覚書等をもとに編纂されており、信頼できるものである。

細川勢が二の丸に乗り込むと、一揆勢は、本丸に逃げ込もうとした。早く退いた者は無事本丸に入ったが、遅れた者は締め出された。本丸では、なおも逃げ込もうとする一揆勢に敵勢がついて入るのを恐れ、敵味方を無差別に鉄砲で攻撃した。このため一揆勢にかなり同士討ちの被害が出た。

立孝は、本丸北方、流尾《ながれお》筋の山下まで押し詰めていたが、本丸からの鉄砲攻撃が激しく、決死の思いで踏みとどまっていた。ここは、岸下の斜面が三十間（五十四・五メートル）ばかりもあり、砂・灰土まじりの柔らかな土で踏みこたえがたく、土煙りが立ちこめて目や口に入り、白昼、月夜のようなありさまであった。敵味方が激しく鉄砲を撃ちあうと、その煙で五間先も見えない。

二の丸では、まだ細川勢と一揆勢の激しい戦闘が続いていた。次第に立花勢や松倉勢などの士卒も目立つようになってきた。

松井興長・寄之父子・有吉頼母佐らは、全軍に向かい、「ここの敵をことごとく討とうとすれば、他の手勢が抜け駆けして、本丸を乗っとられることもあろう。一人でも先にすすみ、高名をとげよ」と下知した。

しかし、先にすすもうとしても、二の丸に残った一揆勢が勇敢に支えて防戦し、塀の内外から鉄砲が放たれるので、みだりに本丸石垣に取りつくこともできなかった。蓮池《はすいけ》のあたりでは、激しい鍔《つば》ぜりあいが行われている。他勢の士卒や牢人たちも、徐々に数が増え、鑓《やり》を合わせ、首を取る者もあった。

投石の威力絶大

小笠原民部《みんぶ》（長之《ながゆき》）は、ただ一騎、蓮池を乗り渡り、本丸大手口左の石垣塀下に着いた。民部の父備前は、細川家の備頭の一人で五千石。備前の指揮下にあった藤本勘助《ふじもとかんすけ》が、小笠原備前家来の安岡四郎太夫《やすおかしろうだゆう》に旗指物をかつがせ、本丸塀に着き、「備前が旗を、藤本勘助一番に付けたるぞ！」と名乗る。

勘助は、もと加藤清正の家臣で朝鮮陣で抜群の軍功のあった勇士。松井康之（興長の父）の執り成しで忠興に三百石で仕えている。

しかし、旗棹《はたざお》は石で折られ、絹の旗もずたずたに破られた。勘助は石垣に取りつくが、なぎなでたたかれ、投石で重傷を負った。他の方面でも、次第に石垣に取りつく細川勢が増えてきた。城中からの防戦も激しさを増し、細川勢の死傷者も続出した。

忠利は、「近習《きんじゅう》の士卒も先手に加わり、力を合わせよ」と下知した。

細川勢は新たにときの声を発し、進んでいった。

本丸攻めの死闘

忠利は、二の丸浜手に本陣を移し、上使もその後方まで来て、城乗りの様子を注視していた。

細川勢の突撃はますます激しさを増した。森鷗外《おうがい》の小説『阿部一族』で有名な阿部権十郎《ごんじゅうろう》（のち権兵衛《ごんべえ》）・五太夫《ごだゆう》兄弟も、蓮池の上辺から塀を切り破ろうと、しばらく鑓を合わせていたが、やがて石に打たれて退いた。光尚の側近朝山斎《あさやまいつき》・上村理右衛門《うえむらりえもん》は、海手の隅の石垣を上るが、これも石に打たれて負傷した。

松井家の組頭松井新太郎《しんたろう》は、足軽にしきりに鉄砲を撃たせ、自身も石垣に取りついて、「一番乗り！」と名乗った。尾藤金左衛門《びとうきんざえもん》（知則《とものり》）・志水新之允《しんのじょう》らも声を上げながら、石垣に取りつく。

石垣の上には、十人持ちほどの大石を軽々と差し上げ投げかける大男がいる。それをもいとわず上るほどに、金左衛門はこの大石に触れ、二十間（三十六・四メートル）ほど下の谷底に落ちた。新之允は、鉄砲に当たったが、浅手なので、なお采配《さいはい》を振り、後軍を招く。

やがて起き上がった金左衛門は、味方をかき分けながら再び石垣を上っていき、ついに塀を越えようとしたところを、塀越しに突き出された鑓を喉《のど》に受け、なおもその鑓にすがりつこうとするが、傷が深く、絶命した。

金左衛門はもと秀吉の家臣尾藤知宣《とものぶ》の六男、牢人していたところを三千石で細川家に召し抱えられ、熊本城二の丸内に居宅を与えられるという破格の待遇をうけた。かれはこの恩義に深く感じ、この戦いに決するところがあったという。

踏み留まる松井寄之

本丸海手の隅から西の升形口まで、細川勢があふれ返り、果敢に攻撃をくりかえすが、なかなか本丸には入れない。これを見ていた松平信綱は、「はや申《さる》の半刻（午後五時）となり、日も暮れようから、いったん攻め口をゆるめ、明日本丸を攻めよう」と戸田氏鉄と協議し、諸手にその旨を伝えた。

忠利も、午《ひる》からの攻撃で千三、四百もの死傷者が出ていたのでこれを受け、先手に退くようにと下知した。しかし、先手の諸勢は、いずれもその命令を聞かない。細川立孝も、上使よりの使番を、わざと「見知らぬ者」といいはり、下りようとしない。

これを見て忠利は、一緒にいた軍目付の馬場利重に「このうえは、直接引くよう命じて頂きたい」と告げた。了承した利重は、松井興長のところまで馬で駆け、その旨を告げた。

興長は、寄之が前線を退こうとしないという。そこで利重は、さらに寄之のところまで行き、退却を告げると、寄之は、「後勢が邪魔になって、今先手を引くことはできない。後陣より引けば段々に兵を引き揚げよう」という。

ついで利重は、有吉頼母佐・細川立孝にも退却を告げた。

後勢は次第に退き、城外に出たものもあり、細川勢も塀下に下るものもあり、またなにかと理由をつけてその場にとどまるものもいた。

本丸一番乗り

城内では、寄手の攻撃がゆるんだので自然と防戦にも油断が出て、矢石も間遠になってきた。

寄之は、いまだ退かず、じっと城中の様子を見守っていたが、「今ぞよき乗り潮《しお》」と采配を振るい、太鼓をすすめ、「一気に乗っとれ」と下知した。

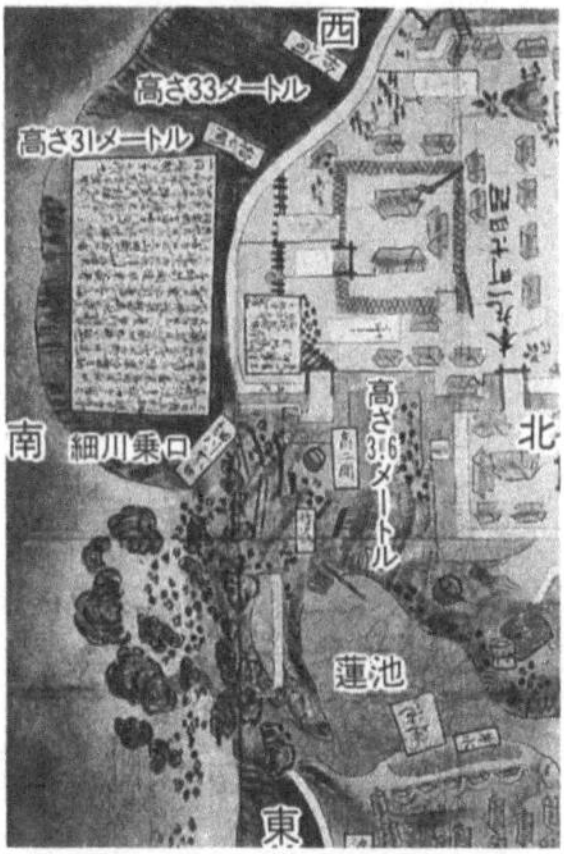

本丸細川乗口　『嶋原御陣図』部分〔福岡県（伝習館高等学校）蔵、柳川古文書館所蔵〕
27日酉の上刻、細川忠利勢の長岡佐渡隊が海手の隅より本丸に突入。一番乗りの益田らの名を列挙してその働きを書きとめている

これを聞いて、塀際に残っていた者だけでなく、引き返しかけていた者も、みなわれ先にと攻め上っていった。

なかでも益田弥一右衛門《やいちえもん》正景《まさかげ》は、東の石垣より上がろうとし、石で兜《かぶと》の立物を打ち折られながら、南の方海手の隅に至り、江戸の牢人岡本八右衛門《はちえもん》・後藤木工右衛門《ごとうもくえもん》らとともに塀を乗り越え、ついに本丸に乗り込んだ。日没にまもない酉《とり》の上刻（午後六時）ごろである。

このとき益田は、高々と指物を掲げたので、上使にもよく見えたという。

蓮池の上辺より海手までの細川勢もしきりに鉄砲を撃っていたが、塀下にいた河喜多九太夫《かわきたきゅうだゆう》・山田新九郎《やまだしんくろう》らが頃合いを見て本丸に乗り込んだ。

益田らは、本丸内ですぐに鑓を合わせ、周囲の家に放火した。

細川勢が、続々と乗り込んでいった。つづいて入った光尚の近習村上吉之允《むらかみきちのじょう》・山田忠三郎《ただざぶろう》・平野太郎四郎《ひらのたろうしろう》らは、「美麗の若者」と称されていたが、この機会を逃さず勇戦。太郎四郎は一揆勢に取り囲まれ討ち死にし、吉之允・忠三郎は重傷を負い、熊本に帰されたが、死亡した。かれらの死は、とりわけみなから惜しまれたという。

幻の一番乗り

戦死は功績がはっきりしているが、一番乗りや負傷は、それを見ている者がいなければ、功績を主張できない。だから、単独行動はとらず、必ず何人かで行動した。しかし、混乱の中ではぐれたり、相方が戦死したりすると、証拠を申し立ててくれる者がいなくなる。負傷して退却するときも、大声で自分のそれまでの働きを周囲に告げながら退く。

光尚の歩頭《かちがしら》田中左兵衛《なかさへえ》は、光尚に命じられ、志水久馬《きゅうま》らとともに益田より先に本丸への乗り入りを敢行している。海手の隅脇から塀のない石垣を上り、「一番乗り！」と名乗って本丸に入った。

一揆勢は五、六百人ほど群れており、中から応戦した者と鑓を合わせ奮戦、しかし同じく乗り込んだ志垣小伝次《しがきこでんじ》らは討たれ、左兵衛も負傷した。やむなく後退するが、あとから乗り込んできていた石谷貞清配下の牢人福田一郎右衛門《ふくだいちろうえもん》を見て、「田中左兵衛一番乗りを勤め、唯今までの働き見届けたるか」と声をかけ、向かってくる敵と鑓を合わせながら、家僕に助けられて引き取った。

このとき、のちに一番乗りと認定された益田弥一右衛門はまだ石垣の下にいた。左兵衛は、かれにも「我は先刻より城中にて相働き、かくのごとく手負いたる故むなしく帰るなり、働きて高名せよ」と言葉を交わして退いた。

左兵衛の働きは、明白なものであったが、上使は益田を一番乗りと認定した。忠利は左兵衛の不快を思いやり、手ずから金熨斗《きんのし》つきの陣刀を賜い、「益田に倍々し御取り立てなさるべく候間、遺念あるべからず」との誓文を与えた。このため、左兵衛は生涯益田に対し、どちらが先に乗り込んだかをいっさい言わなかったという。

五百石取りだった左兵衛は千五百石に加増され小姓頭を拝命、のち千石加増され、熊本の城代を命じられた。光尚はそれでも足りないと思ったのか、二千石加増を遺言し、綱利の代に左兵衛は四千五百石の大身となる。細川家の家臣に対する配慮は細やかなものであった。

本丸内での暗闘

本丸内には、細川勢が込み合い、身動きが取れないような状況になってきた。後ろからは、どんどん殺到してくる。このままでは危ないし、夜も更けてきたので、本丸内に柵を立て、かわるがわる鉄砲を撃って、夜明けを待つことにした。

本丸には、細川立孝、松井興長、有吉頼母佐らの諸隊のほか立花勢の一部が陣どっている。不破《ふわ》平太夫《へいだゆう》組の小頭春野《はるの》仁右衛門《じんえもん》は、夜のうちに脇差で柵を破って立孝の幟《のぼり》を呼び入れた。臼杵《うすき》庄太夫《しょうだゆう》・万五郎《まんごろう》兄弟は、前日の働きがさしたることがなかったため、今日こそはと決意し、夜中に柵を破り、敵中に忍び込んだ。

臼杵兄弟は、敵に見つけられ鉄砲を撃ちかけられたが、敵六人と鎗を合わせ、一人を鎗で突き殺し、四人に手を負わせた。騒ぎを聞いて、細川勢が次第に入ってきて、乱戦となった。板倉重昌の嫡子重矩《しげのり》は、父の弔い合戦ということで、松井興長に頼んで柵を通してもらい、有江《ありえ》監物《けんもつ》というキリシタンの武将を討ち取った。

他の者たちも、夜の明けるのを待ちかね、思い思いに柵を越えて攻め入り、一揆勢と鎗を合わせ、家々に放火した。

天草四郎を討ち取る

朝の深い霧がようやく晴れた卯《う》の刻（午前六時）ころ、本丸を見渡したところ、本丸の北の三方石垣の高いところに家があった。本丸に入った忠利はこれを見て、あれを火矢にて焼き払うべき旨を上使に告げ、歩小姓《かちごしよう》吉田十右衛門《じゆうえもん》に命じ、弓を与えた。十右衛門は七、八間ほどに近づき、火矢を射たところ、激しい朝風にあおられて、たちまち燃え上がった。これが四郎の家であった。

歩小姓陣《じん》佐左衛門安昶《やすなが》は、朝から走り回り、首二つを討ち取っていた。四郎の家の焼け落ちるころ、その煙をくぐり、家の中に駆け込んだところ、衣をかぶってふせっている者の側で、女が一人添い、怖くて泣いていた。佐左衛門の足音に驚き、衣を押し除けて起き上がろうとするところを佐左衛門がすかさず一刀にて斬り、首を提げ、走り出た。女が驚き、引き止めようとするところを、つづいて入ってきた三宅半右衛門《はんえもん》が斬り捨て走り出ると、たちまち棟が焼け落ちた。

のち穿鑿《せんさく》してみると、この佐左衛門が取った首が四郎の首であった。この功により佐左衛門は千石を与えられ、鉄砲二十挺頭を命じられた。これを聞いた半右衛門は、一歩遅れたばかりに無益の女を斬っただけだったと非常に悔しがったという。

この本丸で細川勢は、キリシタンたちの自害の様子を目のあたりにしている。小袖《こそで》を手にかけ、焼けている燠《おき》を上へ押し上げ、その中に入って自害し、またある者は子供らをその中に押し込み、自分は上へ上がって死ぬ者も大勢いた。忠利は、「中々奇特《きどく》なる下々の死、言語を絶し候」と、かれらの壮絶な死に称賛の声をあげている(三月朔日忠利披露状)。

他勢の本丸攻めを見物

前日、二十七日の日暮れどき、黒田忠之は、大江口の出丸をようやく取った。総攻撃は明日の予定だということで、油断していたところ、後備えの水野勝成《かつなり》(備後《びんご》福山《ふくやま》十万石余)や小笠原忠真らが黒田勢の前に出て放火したため、焼け鎮まるまで先へすすめなかった。

翌二十八日、黒田勢はじめ諸勢は、思い思いに攻め寄せた。本丸下の「詰の丸」には、黒田勢が早く入り、有馬勢・寺沢勢、それに交じって他国からの使者や牢人、目付衆の家来などが、激しく戦った。

この日、細川勢は、午前中には本丸を攻め終わって、上からこの戦いを見物していた。忠利は、「昼中に見苦しき事、また手柄なる躰、能々《よくよく》見物仕り候事」と書き送っている。このころには、京から見物に来ている者も本丸まで出てきて、注視していた。

一揆勢の首　『嶋原御陣図』部分　〔福岡県（伝習館高等学校）蔵、柳川古文書館所蔵〕

総攻撃時の死傷者

大　　名	領　地	手負い	死人	合計
細川　忠利	肥後熊本	1,826	285	2,111
黒田　忠之	筑前福岡	1,658	213	1,871
黒田　長興	筑前秋月	345	32	377
黒田　高政	筑前青蓮寺	156	16	172
鍋島　勝茂	肥前佐賀	683	116	799
有馬　豊氏	筑後久留米	185	78	263
立花　宗茂	筑後柳川	379	127	506
松倉　勝家	肥前島原	97	27	124
小笠原忠真	豊前小倉	203	25	228
小笠原長次	豊前中津	148	19	167
松平　重忠	豊前竜王	127	31	158
水野　勝成	備後福山	382	106	488
寺沢　堅高	肥前唐津	315	23	338
有馬　直純	日向延岡	308	39	347
戸田　氏鉄	美濃大垣	34	4	38
松平　信綱	武蔵 忍	104	6	110
合　　計		6,950	1,147	8,097

総攻撃時の死傷者

＊『寛永拾五年二月廿七日八日有馬城乗二而手負・死人』（永青文庫）による

そしてこの二月二十八日夕刻、原城は落ちた。

一揆勢はまさに皆殺しとなり、首は北方の塩浜に掛けられた。しかし、幕藩連合軍の損害も甚大なものであった。

黒田忠之の不調法

二十八日の晩、黒田忠之は、上使を訪問し、「本丸一番乗り、そのうえ四郎の首も取った」と報告した。家臣からそのような報告をする者があったのであろう。

上使が、「幾日の何時ぞ」と尋ねると、「二十八日四つ時（午前十時）の事」と答える。

信綱は、「それなら、細川殿が二十七日に乗り込み、本丸に陣取り、四郎の家を焼かせ、四郎の首も細川殿手へ取っている。本丸の煙下で見えなかっただろうが、さよう心得るように」と諭した。翌日、忠之は、「右の申し様あしく申し候」――不調法なことを申しました、と上使の言葉を了承した旨を告げた。

黒田勢の軍目付林勝正は、黒田勢担当の大江口へ一番に乗り込んでおり、そのあとようやく黒田の先手が来たということであった。

忠利・光尚、凱旋す

落城後も、上使は現地にしばらく残り、一揆の残党を掃討するために、雲仙岳《うんぜんだけ》を山狩りさせた。

その後、長崎に立ち寄り、幕領の野母《のも》村を巡見し、「この所、異国の渡口に候条、異形の船見届けのため」異国船遠見番所を建てるように指示した（『慶長年中以来重立候頭書』）。

忠利と光尚には帰国が許され、三月二日に熊本に帰った。信綱の指示によると、光尚はすぐに江戸に参府することになっており、忠利父子にはつかのまの休息であった。しかし、これほど満足感のある帰国はかつてなかったであろう。

4　細川氏へのねたみ

手柄話はするな

原城が忠利の活躍で落ちた二月二十八日、忠興は、京都を発し、江戸に向かっていた。江戸到着（三月二十三日）の直前、忠利の江戸留守居役加々山主馬《かがやましゅめ》（可政《よしまさ》）と松野織部《おりべ》（親英）が、忠興の道中にまで迎えに出てきて、忠利の原城一番乗りを報じた。

両人は、忠興が喜色満面で祝いの言葉をかけるだろうと信じて疑わなかった。しかし、忠興は、そのまま江戸下屋敷に着き、玄関を上がる前に、両人に向かって、「この事、まず取り沙汰無用に候」――このこと、とやかく口にしてはならぬ、と告げた。

両人は〝忠興様は忠利様の苦労を無にし、喜びに水をかけようとなされるのか〟というような不満な顔を見せた。

次の日、また両人は忠興のもとに来て、「忠利様からの報告は間違いないものです」とくりかえし念を押した。そこで、忠興は、次のように諭した。

――まずはよく心得ておけ。その方らの考えていることと、我らの考えとは違う。その方らは、忠利が三の丸・二の丸・本丸まで一人で取ったようにいうが、それがよくない。十万余の軍勢は、その間なにをしていたというのか。そこが我らには合点がいかぬ。あまりに言い過ぎではないか。

得心しない留守居役

こう言っても、両人は、少しも得心しない。

忠興は、重ねて言った。

――我らが忠利の功を申し消そうとしていると考えているようだが、二人の上使と大勢の目付衆が見ておられることを、我らが消そうとして消す事ができようか（「我々ひやしてひやさるる物にて候哉」）。よく合点せよと申した意味は、かつて、御奉行（上使）が監察した城攻め・合戦のことを、御奉行をさしおいて自分から直接注進するようなことはいっさいしなかった、ということだ。二十七日にも攻め損なって、御手立てが変わったというのなら、新たな指示をうけるため注進を早くするのももっともだ。しかし、もはや落城したのだから、注進がいくら遅れてもかまわないのに、一番乗りだとあらそって喧伝《けんでん》し、あとで他人からとやかく言われたらかえってよくないだろう。

しかし、留守居両人は、まったく得心せず、忠興が忠利を悪しざまに言っているように考えているようだった（「両人卒度も合点参らず、我々わるさまに申し候と心得たると見え申し候つる」）（四月五日忠興書状）。

細川氏をそしる人々

このような忠興の気づかいは、理由のないことではない。江戸には、細川氏の協力者もたくさんいるが、逆に細川氏を悪く言う者もいた。寛永十四年五月二十日の忠興書状には、次のような注意が書かれている。

「我等とその方事、何がな悪事候はば申し上ぐべくと存ずものこれある間、物語りに至るまで分別仕るべく候、いつぞやも申し候ごとく、万事　上様御前と心得て我等は居り申し候条、御糾明これあらば申し開くべくと存ず覚悟に候、（中略）その方事は存ぜず候、我等事は、何事もあしざまに江戸中をふれあるかれ候衆、一両人承り及び候」

――私とその方のこと、なんであれ悪いことがあれば上様に告げ口しようと考えている者がいるので、世間話にいたるまで気をつけなさい。いつぞやも申したように、私はいつも上様の御前にいると考えて行動しているので、もしなにか問われることがあっても申し開きができる。（中略）その方のことは知らないが、私のことについては、なにごとであっても悪いふうに江戸中に触れ歩いている者一両人のことを聞き知っている。

なにかあれば、細川氏をおとしめようとしている者がいる。このように細心の注意を払っている忠興のことを、悪く触れまわっている者もいる。

寛永十年には、忠興が「万事わがままなる事ばかり御申し候」という風聞が流れ、心配した稲葉正勝から忠利に知らされたし、同十四年には、忠興が病気で京都に逗留《とうりゅう》していたが、これにもなにか含むところがあって仮病を使い、江戸に参府しないのだといったような噂が流れた。忠興は、その評判にかなり神経質になっている。

また、島原の乱が長引いたため、細川勢はあまり敵のいない三の丸を担当しながら、さっさととらないのは怠慢のためだというような噂が江戸では流れていた。留守居役加々山主馬は、忠利と親しい永井直清からこの噂を詳しく聞かされ、赤面した。

しかし忠利は、上使の命令で動かなかったわけだし、仕寄はどの軍勢よりも先にすすんでいた。それでもなお、そのような悪意に満ちた評判が立ったのである。

忠興は、忠利が一番乗りなどとはしゃいで、そのような細川氏に悪意をもつ者からそしられるのではないかと心配し、忠利の活躍を内心喜びながら、留守居たちの言動をたしなめたのであった。

忠利の弁明

留守居から忠興の態度を聞いて、忠利は、真剣に弁解している（寛永十五年三月二十三日忠利披露状）。

――有馬よりの注進、豊後目付衆（川勝広綱《かわかつひろつな》・佐々《さっさ》長次《ながつぐ》）まで申し入れたとおり、少しも相違ありませんので、お気遣いなさらないでください。私の書状には「諸手の儀は存ぜず、手前のことばかり申し入れ候」と書いております。早い、遅いも、備え備えにお横目が居られ、存じております。その衆が言うのでなければ、銘々勝手に一番、二番と言ってもだめなので、わきへはいっさい、一番乗りなどということは申し入れておりません。

――二十七日に、三の丸・二の丸・本丸まで、酉の刻（午後六時）に乗り込み、その晩我らの先手が本丸に柵を付け、その夜から二十八日の午の刻（正午）まで戦ったことは紛れありません。四郎の家を焼き、首をこの方へ取ったことも、間違いありません。

——二の丸は、鍋島手から始まりました。榊原職直親子が一番乗りだと聞いております。はやく火をつけたため、入り口がせまく奥へ軍勢を入れることができませんでしたから、そのうちに我らの軍勢が二の丸に入り、すぐに二の丸を焼き、本丸へとおりました。鍋島手のことも、二十八日はともかく、二十七日に本丸に入ったということはございません。二の丸へは、だれよりも鍋島が早く入ったはずです。

——こんどの始終は、我ら手へは馬場利重が軍目付で、本丸に乗り込んだとき、利重の自筆で注進状を豊後まで上げられたのを見ました。そのうえ、松平信綱殿・戸田氏鉄殿の前で、二十八日の晩、上使の大目付井上政重殿や他の手の軍目付衆もおられる席で、その注進状通りのことが言上されました。馬場殿の言うことに間違いがあれば言上するように、と申されましたが、だれも発言しませんでした。

——私は、信綱殿・氏鉄殿の前でも、「手前が早かった」とは一言もいっておりません。そのうえ、我ら備えの後ろに、信綱殿・氏鉄殿がおられ、ご子息たち（松平輝綱《てるつな》・戸田氏《うじ》経《つね》・氏照《うじてる》）や家臣の方々が何度か我ら先手へ参られており、どの手が早いか遅いかよくご両人が存じておられるので、私が豊後へ送った注進状のとおり、まったく間違いありません。

家光からの上使の一人、三浦正次《みうらまさつぐ》（若年寄）が、二月二十九日、有馬を発し、江戸に帰って、原城本丸は二十八日午の刻に落ちたと報告した。そのため、二十七日に本丸を焼いたという忠利の注進状は偽りであるとの噂も流れた。

――三浦殿の申されたことも、偽りではございません。本丸は二十七日に焼き、二十八日卯の刻（午前六時）に四郎の家まで焼きましたが、火の手の及ばぬ出丸に死に残りが集まり、二十八日の昼まで諸手が殺戮《さつりく》しました。番をしていた衆は、二十八日から二十九日まで取り巻いておられ、焼け残りの者や穴の中に隠れていた者を殺しておりましたので、二十九日まで本丸にかかっていたと申したとしても、偽りにはなりません。

また、本丸は二の丸からの飛び火で焼けたと言いふらす者もいた。それを忠利が、自分の手柄にしているというのである。

――これは、なおまた虚空なる儀でございます。二の丸は二十七日の七ツ時（午後四時ごろ）に焼けてしまい、そのあとに信綱殿・氏銕殿・我等をはじめとして備えを立て、本丸は六ツ時（午後六時ごろ）に乗り込み、その乗り口から我等家来の益田才助《さいすけ》と申す者が火をつけ、それより本丸方々へ火をつけたのを、馬場殿が見ており、豊後への注進状にも書きつけました（三月晦日忠利披露状）。

結局、馬場利重の豊後への注進状の方が、上使からの注進状よりも早く着き、しかもそれがあまりに細川氏の活躍を書いたものだったために、反細川氏の人々からの不審を受け、悪い噂が飛び交ったのであろう。忠利が懸命に忠興の誤解を解いているうちに、上使からの報告があり、ようやく細川勢の活躍は江戸においても明らかになった。

第七章　天下泰平

1　忠利の友情

光尚、心躍る参府

熊本で一息ついたあと、光尚はすぐに参府の途につく。

寛永十五年（一六三八）三月二十六日、大坂に着いた光尚は、直接・曾我古祐の屋敷を訪れた。大手柄の親友の息子を迎えた古祐の歓待ぶりは筆舌に尽くしがたく、光尚もまた上気した面持ちで有馬の陣の話をした。古祐の屋敷には、大坂城代阿部正次、大坂定番稲垣重綱、大坂町奉行久貝《くがい》正俊、大坂船手頭小浜光隆らもやってきて、にぎやかな宴《うたげ》となった。

大坂に着く前に兵庫の室《むろ》に着船したときも、姫路藩主の本多政勝《まさかつ》が出迎え、馳走《ちそう》してくれている。光尚にとっては、本当に晴れがましい参府であった。おそらく江戸に着けば、家光からも親しいねぎらいの言葉がかけられるであろう。心が躍るような道中であった。

忠利、体調を崩す

熊本の忠利は、有馬で無理をしたためか、少し体調を崩していた。

前年、江戸で病におちていたときと同じように、からだの方々の筋が張り、痰《たん》か癪《しゃく》かのた

忠興・忠利往復書状関係略年表（7）

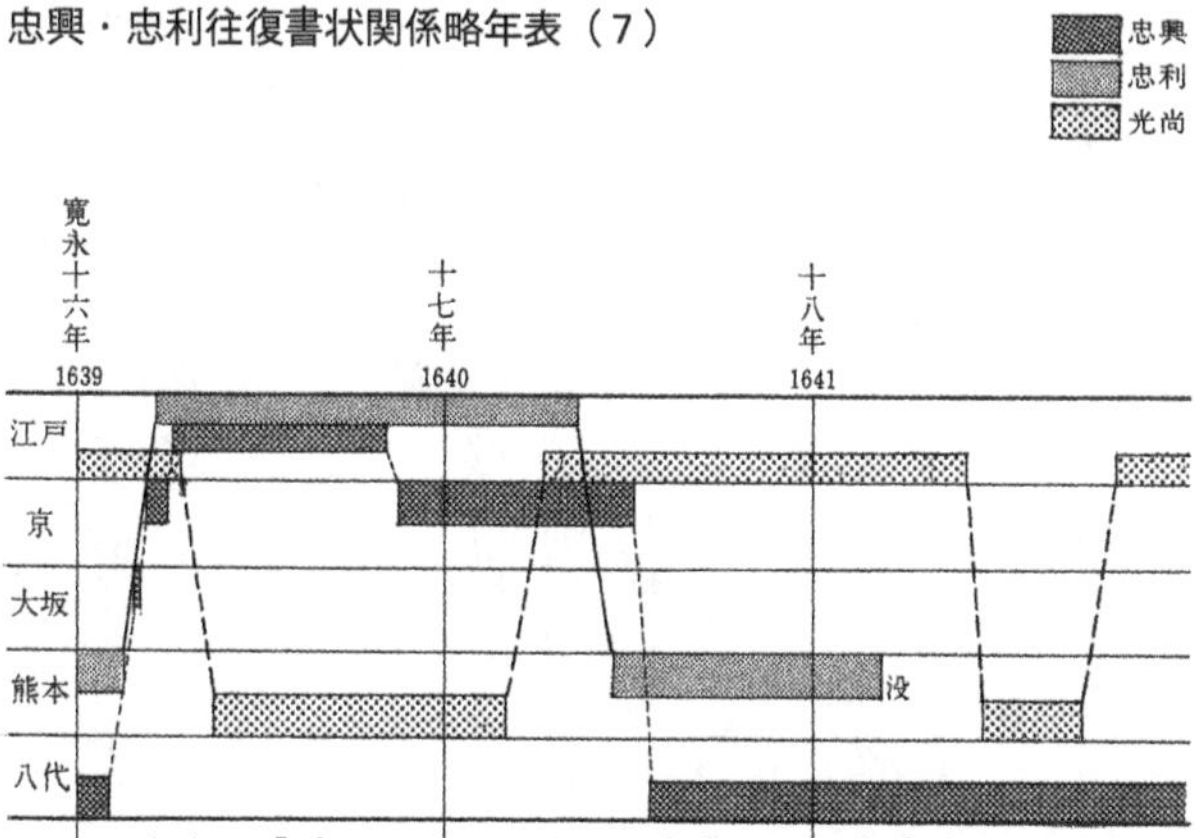

4月7日 光尚、初入国。

4月22日 家光、江戸城大広間に諸大名を集め天下泰平宣言。

7月4日 家光、諸大名にポルトガル人追放と来航禁止を布告。

8月9日 家光、江戸城大廊下で西国五大名に沿岸防備を命令。

5月 島津光久、父家久あての忠利起請文を返進しようとする。

6月 ポルトガル船来航。幕府、使節ら61人を斬る。

8月 異国船への防備体制を全国に強化。

9月27日 忠興、名物時雨の茶壷で口切りの茶事を催す。

2月 忠利、病におちいる。

3月14日 忠利危篤。17日 忠利没(56歳)。

4月28日 岫雲院で火葬。

5月4日 光尚(23歳)、肥後五十四万石の跡目を相続。

8月3日 徳川家綱誕生。

9月 天草、幕府直轄領となる。

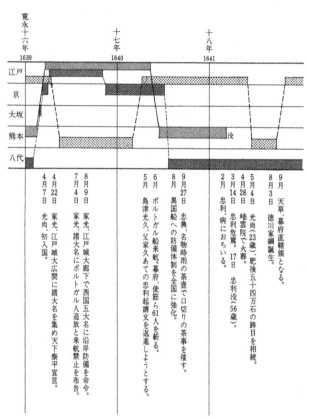

め脈が不揃いで、食欲がなかった。「しかし、ひどく気色が悪いわけではない」と忠興や光尚を安心させている（五月十三日光尚宛書状）。

光尚が参府したため、忠利は、この年いっぱいは熊本でゆっくりと養生すればよく、上方から鍼医《しんい》の半井以策《いさく》を呼んで治療を受けた。

兵糧米隠匿の悪評

忠利は、原城落城後、借銀返済などのため、兵糧として蓄えていた米を上方に送った。すると、こんどはこれが細川氏の悪評の種になった。

有馬の陣で幕府から兵糧米提供を指示されたとき、忠利は「もう米は切れました」と返答していた。忠利としては、陣がいつまで長引くかわからず、余分な米はないとしたのであるが、細川氏を目の敵にするものは、余分な米がありながら幕府へ嘘をついたと噂した（「有馬にては米きれ申す由公儀へ申し、唯今此《ただこ》のごときの儀不首尾なる由取り沙汰《ざた》と聞こえ申し候」）。

忠利は、怒りにまかせて光尚に申し送っている（五月十三日光尚宛書状）。

――これは、上方に送るべき米である。原城が落城しないうちは、どれだけ陣が長引くかわからないので、上方へ送らなかっただけなのだ。それでもまだ足りないかもしれないと、熊本で商人どもに売った米を買い戻すのにも、商人どもが売り値では放さず、高値で買い取った。大坂・堺・紀伊・播磨・長崎の商人どもに売った米も買い戻した。六、七月まで兵糧をもたせるようにとの心づもりであったが、思いのほか早く落城したので、その一部を上方に送ったのだ。余分な米があるのに、公儀に隠しておいたわけではない。

しかしこの噂が、家光の耳に入るとあまりおもしろくない。忠利は光尚に、松平信綱の留守居まで、とくと申し入れておいてくれと指示している。

幕府より扶持米

寛永十五年四月十二日、一揆《いっき》の責任ということで、島原藩松倉家は改易となり、唐津藩寺沢家からは天草のうち四万石が召し上げられた。七月十九日には、それまでの悪政をとがめられ、松倉勝家が死刑に処せられている。そして、島原には、譜代大名の高力忠房《こうりきただふさ》（四万石）が浜松《はままつ》から入部し、天草には外様《とざま》大名の山崎家治《いえはる》（富岡四万石）が入部した。

この転封は、以後の九州統治をにらんで行われており、高力は、長崎奉行とともに、異国船に対する九州防衛の最高責任者となる。山崎の任務は天草復興であったが、寛永十八年九月十日には讃岐丸亀《まるがめ》に転封し、以後、天草は幕府の直轄領になる。

島原の乱は、農民相手の戦いであり、これ以外には空白となった領地はなかった。そのため出陣した九州大名にまったく加増はなされず、一揆鎮圧に出陣した期間中の扶持米《ふちまい》のみが支給された。

扶持米は、百石につき四人扶持（一日一人五合ずつ）で、在陣の日数分が、大坂の相場で銀に換算して（一石につき五十目）渡された。次ページの写真は、細川家の扶持米請取状の控えであるが、落城後すぐの三月四日、兵站《へいたん》担当の勘定方役人能勢四郎右衛門と山中喜兵衛が、現地にて渡したことがわかる。

諸大名が購入した兵糧米は、大坂の相場の倍以上で、しかも実働期間・員数ともに扶持米算定の基数よりもはるかに多い。だから実際の戦費には遠く及ばず、ただ働きというより、多大な持ち出しであった。

家臣への恩賞

しかし、藩主としては、命をかけて戦った家臣たちにまったく加増なし、というわけにはいかない。五月に入り、忠利は、有馬での軍功の穿鑿《せんさく》（論功行賞）を行おうとしている。家中の死傷者が非常に多いので、戦死したものはともかく、負傷者まですべて加増することもできない。そこで、

①二の丸・本丸の内の働き

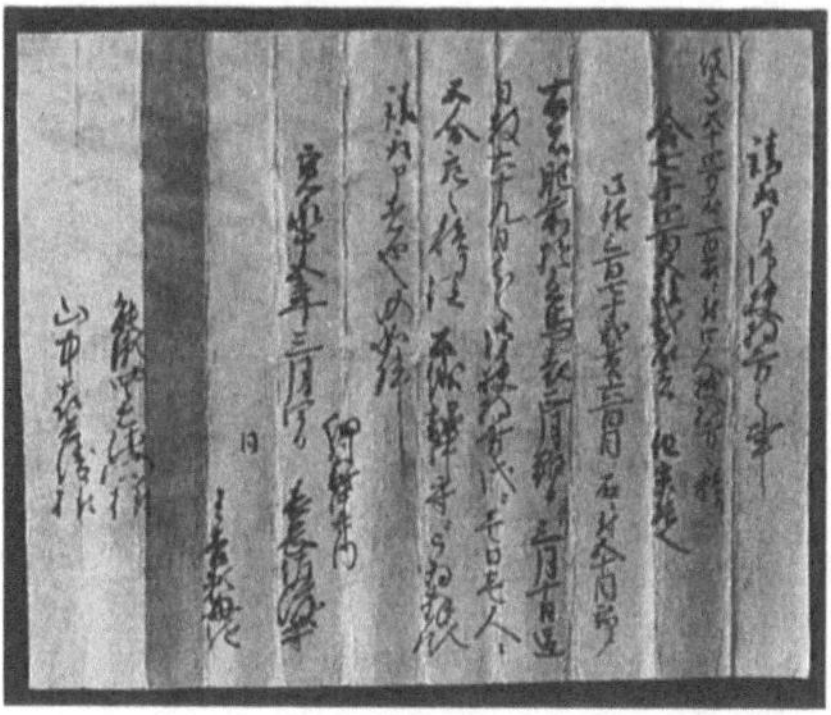

請取申御扶持方之事
役高五十四万石、百石ニ付四人扶持方之積り
合七千四百五拾弐石者　但京升也
此銀三百七十弐貫六百目　石ニ付五十目替ニ〆
右者肥前於有馬表、正月朔日ヨリ三月十日迄
日数六十九日分之御扶持方代ニ、壱日壱人ニ
五合宛之積り、従　公儀越中守ニ被為拝領、
請取申者也、仍如件、

細川越中守内
寛永十五年三月四日　長岡佐渡守
同　有吉頼母佐

能瀬四郎右衛門尉様
山中喜兵衛様

幕府宛扶持方請取状（竪紙）　細川家文書　〔永青文庫蔵〕

＊ $5\text{合} \times 69\text{日分} \times 540{,}000 \times \frac{4}{100} = 7{,}452{,}000\text{合} = 7{,}452\text{石}$

②本丸岸に付いた者
③本丸石垣際に付いた者
④本丸塀際に付いた者
⑤本丸一番乗り

を基準に論功し、証拠がある者を手柄と認定し、加増を行うことにした。

益田弥一右衛門の一番乗りとそれにつづく数人の家臣や、四郎の首をとった陣佐左衛門らは、スムーズに加増が決まったが、他の者の認定は難航した。

忠利「有馬の穿鑿は、家臣を選別しようとしているわけではありません。こんどは大勢が負傷したので、その証拠を立てさせ、加増しようと思ってのことです。五人、十人ならそのままわかりますが、一度に大勢が乗り込んだので、家中の面々もそれぞれに証拠を立て、紛れないことだと言いたがり、それを聞いているところです。岐阜（関ケ原の前哨戦《ぜんしょうせん》）・関ケ原・豊後（関ケ原時の杵築領での戦い）・大坂のとき、負傷した者をみな召し出し、知行や褒美をとらせたのを見ておりますので、そのようにしたいと思っています」（五月十三日）

忠興「岐阜・関ケ原は、こんどのとは様子が違うので、いっさい穿鑿していない。大坂にては負傷者は七名だったので、事情を聞いただけで、穿鑿したというほどのことではない。豊後のは、私が見ていないことだし、穿鑿できないわけがあった（おそらく黒田氏との関係であろう）。信長様の代には、武辺の穿鑿などということはなかった」（六月四日）

忠利「岐阜・関ケ原・豊後・大坂・信長様の代の武辺の穿鑿など、お会いして聞きたいことばかりです。申すまでもないことですが、上下ともに不案内なことなので、お話ししたいことが山ほどあります。ご推量下さい」（六月二十五日）

細川勢の死傷者

①総攻撃時の内訳

細川忠利	手負い	1,826	401 馬乗 867 侍 558 下々
	討ち死に	285	90 馬乗 89 侍 106 下々
	合計	2,111	
細川立考	手負い	48	10 馬乗 30 侍 8 小者
	討ち死に	9	2 馬乗 4 侍 3 小者
	合計	57	

＊細川立孝勢の死傷者は幕府に届けなかった
＊『手負討死勢付』（永青文庫）による

②その他の戦闘での内訳

1．原城海手の囲船にての死傷者
　手負い 32 人　死人 10 人
2．12 月 20 日城乗時の死傷者
　手負い 40 人　討ち死に 3 人
3．正月朔日城乗時の死傷者
　手負い 53 人　討ち死に 3 人
　死人 1 人
4．仕寄場にての死傷者
　手負い 49 人　死人 16 人

＊『肥前有馬城乗之刻手負討死名付之帳』（永青文庫）による

大坂の陣以来二十数年を経ており、総大将自身が初めての経験であった。先例もわからない。忠興としては、土民相手のこれしきの戦いで武辺の穿鑿などと大騒ぎするなと言いたかったが、忠利はこの激戦にきちんと恩賞を与え、藩主の権威を示したかった。戦いに明け暮れた忠興の時代と、忠利の泰平の世の戦争観にも隔世の感があった。

この穿鑿は年内いっぱいかかり、加増のなかった者にも、金子一枚と帷子《かたびら》・小袖《こそで》・胴服などを与えて苦労をねぎらっている。

牢人たちへの処遇

気にかけてやらなければならないのは、参陣した牢人《ろうにん》たちも同様である。細川勢の手について戦死した牢人については、不憫《ふびん》に感じ、跡目の者を召し出した。女子しかいなかった場合は、その子の扶持方を命じている。

肥後国から参陣した牢人（多くは加藤家旧臣）は、手柄をよく聞き、召し出した。家中に親類などがいる場合（三三七ページ表参照）も、おおむね召し出している。

困ったのは、有馬で参陣し、熊本までついてきて奉公したいという者が大勢いたことである。これらの者をすべて召し抱えるわけにはいかない。格別の働きがあるようでもなく、負傷している者はおおかた同じような働きぶりである。

これらのうち、少しだけ召し抱えたとしたら、他の負傷した者から不満が出るので、袷《あわせ》一重と銀子十枚ずつ遣わし、振る舞いをして礼を言い、「まずはお帰り下さい。もしや後日、召し抱えることもあるかもしれませんが、期待して待たないようにして下さい（「もし後々は抱へ申す事もこれあるべく候、されどもいづかたへも有り付くを待ち申すまじき由」）」と言い含めることにした（四月二十五日光尚宛忠利書状）。

鍋島・榊原の閉門

そのころ松平信綱は、九州を視察したあと、江戸に帰っていった。かれの報告を待って、島原の乱の賞罰が決されるであろう。大名たちは、それを注視していた。

一つの焦点は、鍋島家の軍令違反、すなわち前日に抜け駆けをして城乗りを始めたことについての判断である。あれほど家光が抜け駆けを禁じていたのだから、これが報告されると、鍋島家の運命はどうなるかわからない。信綱は、島原で諸大名に、この行動は必ず上様に報告するからと、きっぱりと言いおいている。領地の佐賀に戻っていた鍋島勝茂も気が気でない。

忠利は勝茂と仲がよかったし、その軍目付として鍋島勢に付いていた榊原職直とは親友の関係にあった。その榊原がこの抜け駆けの張本人であったから、かれの運命がどうなるか、予断を許さなかった。

国に滞在したまま言いわけすれば謀反人だということで、六月初旬には勝茂が参府してきた。榊原職直も、任地長崎から江戸に召喚された。忠利は、江戸の光尚にあてて「そこ元の様子いかが成り行き候哉、千万心元なく候」と心配し、「職直について酒井忠勝に相談したき儀がある。堀直之と万事相談して申し入れてくれ」と職直の弁護に奔走している（六月九日光尚宛忠利書状）。

しかし、六月二十九日、鍋島勝茂と榊原職直は閉門を命じられた。

松平行隆の改易

七月二日には、松平行隆（当時四十八歳）が知行を没収され、追放になった。有馬へ上使として派遣され、現地の状況を急いで報告するのが役目であるのに、その地に留《とど》まって戦うというのは私の軍功を貪《むさぼ》るものだとされたのである。

この理由はもっともである。情勢視察のために派遣したものが戻ってこないのでは、江戸でも指示の出しようがない。しかし当時の武士は、そこに留まって戦うことこそが武士としてふさわしいと固く信じていたし、周囲もそれを不思議には思わなかった。

家光の発想が、かれら一介の武士とは違っているのは当然である。家光は、将軍の指示に

氏　　名	細川家中との関係および経歴
安田藤太夫	間七太夫の婿、有吉要人佐の縁者、加藤忠広の八代城代加藤正方の与力、170石
中島七左衛門	野瀬吉右衛門従弟、親は宇喜多左京に仕え200石、宇喜多秀家没落後、豊臣秀頼家臣大野道犬に牢人分にて8人扶持、七左衛門はその頃より牢人で細川家の豊前時代から野瀬に寄宿
佐野佐太夫	細川家家老浅山修理亮の縁者、幼少より修理亮に養われる
五十嵐弥三右衛門	福田次郎右衛門従弟の婿、加藤忠広に仕え120石
杉村作之丞	杉村数馬の親、加藤忠広に仕え414石
志水太郎兵衛	仲津佐太夫の従弟、もと家康の部将本多忠勝に仕え200石
中村少兵衛	倅2人が家中に歩小姓で仕えている、かつて福島正則に仕え250石、豊前から肥後についてきた
野々村権佐	矢野半十郎の従弟、かつて蒲生氏郷に仕え200石
越知平右衛門	親は加藤忠広に仕え200石、親がかり
福田伊左衛門	福田次郎右衛門弟、加藤忠広に仕え20石5人扶持、歩小姓
山田十兵衛	矢野半十郎従弟、細川家中の小笠原備前守（？）に仕え150石、備前守が知行を召し上げられてから牢人
有馬一兵衛	親清兵衛は細川家中牧左馬允に仕え250石、合力米を少し支給され親がかり
宇野弥二兵衛	細川家中宇野七右衛門の弟、部屋住み
堀田加右衛門	堀田甚右衛門婿、弥二右衛門従弟、加藤忠広に仕え200石
堀田藤右衛門	堀田甚右衛門の甥、親次兵衛はもと美濃高須藩徳永昌重に仕え700石、昌重改易後、親とともに牢人
木造左馬允	親兵助は加藤忠広に仕え500石、曾我古祐や大徳寺の阮西堂も存知の人
国友五郎兵衛	国友助右衛門の甥、もと加藤忠広の小小姓、300石
荒木弥三右衛門	荒木助左衛門の婿、沢村宇右衛門の甥、もと細川興昌に仕え300石
山田八兵衛	山田新九郎甥、会津藩加藤明成に仕えていた、親がかり
各務四兵衛	丹波山家の谷家の家臣、親田中七郎右衛門は松江藩京極忠高に仕え700石、細川家に仕官の望みがあり、知行400石を給されれば肥後に下るつもり

御家中に縁者・親類付きの牢人

＊『当国牢人並御家中縁者親類付牢人御家望申衆働之差出可然分』（永青文庫）による

一糸乱れず行動する軍隊を目指していた。あらたな政権を創り上げようとするとき、これも当然の発想である。個々の武勇よりも、集団としての統制の方が重要な時代になりつつあった。

戦闘に明け暮れているときには、臆病《おくびょう》を構える者よりも、軍令違反をするぐらいの者の方がよほど使い物になる。一番乗りが称《たた》えられるのは、それが臆病と対極にある行動であったからである。秀忠や家光の時代になって、ようやく軍令違反の方がきびしく罰せられるようになった。しかし、それには武士たちの強い不満が渦巻いた。

窮地の友を励ます

忠利は、榊原職直について「とかく然《しか》るべくはあるまじく候」――よい方には転ばないであろう、と江戸の光尚にいろいろと肝煎《きもいり》するよう申し送った。

七月一日には、「果てられ候はば、いよいよ跡につき用これあるべく候」と、最悪の場合には切腹などに処せられるのではないかと案じ、「又左（曾我古祐）へ、大方のことは談合申され候はば、あしくはあるまじく候、さては堀式（堀直之）へ、畢竟《ひっきょう》は讃岐殿（酒井忠勝）へ」――曾我古祐へ談合すれば、おおかたのことはうまくいくだろう。ほかに堀直之も信頼できるし、どうしようもなくなれば酒井忠勝殿へ相談しなさい、と申し送っている。

そして、熊本では、藤崎《ふじさき》の御宮に職直のために祈禱《きとう》を命じ、そのお札を飛脚に託して送った。閉門を命じられた者であったが、熊本の中の神社だからかまわないだろうと考えてのことであった。幕府に従順な忠利にしては、思い切った行為であったかもしれない。

このお札を受けとった職直は、「親子涙を流し頂戴《ちょうだい》仕り候」と送られてきたお札を押し頂いた。年もとり、涙もろくなっていたこともあろうが、忠利の心遣いが嬉《うれ》しかった。

鍋島・榊原らの赦免

このような大名たちの同情論がつよく、家光も鍋島や榊原を処罰するわけにはいかなくなった。考えてみれば、果敢に攻撃しようとしたわけで、このような行為が処罰されれば、真剣に戦いをやる気がなくなるであろう。

六月末には、曾我古祐らから、両人が赦免されるという確かな情報が入ってきた。これを聞いた忠利は、七月十二日、「飛州（榊原職直）事、古きともだちを一人拾ひ申し候、この中の憂き気遣ひ煩ひの内の一つにて候、かやうの満足ござなく候、天下一の仕合《しあわせ》にて候〳〵」と感慨を述べている。

幼いころからの友人というのは、大名と旗本という政治的な立場の違いを超えた友情で結ばれるものなのだろう。これまで見てきたかれらの交際は、打算ではなかった。だからこそ、信頼に裏づけられた精度の高い情報が得られていたのである。

しかし大大名である鍋島家はともかく、家光は、榊原職直は松平行隆同様、追放に処す腹だったであろう。それを思いとどまらせたのは、忠利の必死の嘆願であった。

正式な申し渡しはこの年十二月晦日で、鍋島勝茂と、ほかに軍令違反を問われた板倉重昌の子重矩と石谷貞清が赦免されることになった。職直への申し渡しは翌々年五月十一日であった。

かれらの行動は、許されてしまえば勇敢さを示す勲章となる。重矩はのち老中に、貞清は町奉行に出世し、活躍することになる。松平行隆も、十二年後の慶安三年(一六五〇)十二月二十七日に赦《ゆる》されることになり、先手弓頭《さきてゆみがしら》を務めている。

武家諸法度の改定

このほか、豊後目付であった林勝正と牧野成純も、当初、援軍要請を許可しなかったことが問題にされ、閉門となり、穿鑿のうえ、寛永十五年七月二十二日に許された。牧野は自らの対処の正当性を主張して年寄と言い争い、赦されたあとも、病気と称して死ぬまで出仕しなかった。

寛永十二年の武家諸法度では、隣国になにが起こっても、幕府の許可なしには出兵できなかった。これが一揆の勢力の拡大を招いた原因である。

これに対する反省から、この年五月十六日、幕府は江戸城に諸大名留守居を集め、「いまも先年の法度に相違はないが、キリシタンなどが起こった場合や、天下に対し悪儀をもつ者がいたら、幕府の許可なく加勢してうち潰《つぶ》せ。その国の大名の手に余る場合は、近国の者と相談して討ち果たし鎮圧せよ」と申し渡した（萩藩『公儀所日乗』）。

家光は、大名たちの軍事力を縛るよりも、キリシタンに対する備えの方がはるかに必要だと思い知らされたのである。

2　江戸城、天下泰平の能

幕府の機構改革

寛永十五年（一六三八）十一月七日、家光は表へ出御し、元老格の井伊直孝と年寄衆を召して、人事の大幅な異動を命じた。

土井利勝と酒井忠勝は、年もとり、いままでのように江戸城に詰めているのはたいへんだろうからと、これ以後も長く奉公するために、いままでの役儀を宥免《ゆうめん》され、朔日・十五日、そのほか召したときだけ登城せよ、と命じられた。

両名の嫡子土井利隆と酒井忠朝《ただとも》は、御用を命じて落ち度があれば親の迷惑になるからと、六人衆（のちの若年寄）を赦された。六人衆阿部重次は年寄に昇格し、松平信綱・阿部忠秋とともに年寄役（老中）を務めることになった。

これ以降、老中の三人体制が開始される。大名への奉書の署名は、三人に固定され、幕府のいろいろな裁きは、この三人を中心に行われることになる。

しかし、利勝と忠勝は、万事にわたって老中を指導するようにと命じられており、けっして棚上げ人事ではなかった。のちの大老のはじまりである。利勝六十六歳、忠勝五十二歳、両名とも少し体調を崩しがちであったからであろう。老中というのは定例の会議があり、雑務も多かったから、負担の軽減という意味が強い。

忠利は、江戸の光尚に、土井利勝父子、酒井忠勝父子、阿部重次に祝儀の使者を送るよう指示している。親しく言葉をかけられて役を赦されるのは将軍の厚意であって、解任とは違ったのである。

家光の天下泰平宣言

翌寛永十六年三月二十三日、忠利は参府した。四月七日、交代に光尚がお暇を与えられ、二十一歳にして初めて忠利の代理で肥後に下ることになった。

西国大名は続々と江戸に到着した。交代にお暇が与えられるはずの東国大名にもまだお暇が出ず、日本中の大名が江戸に集まっていた。

四月二十二日、家光は、すべての大名を江戸城大広間に召し、能を興行した。尾張・紀伊・水戸《みと》の御三家も出席している。御酒がふるまわれ、御膳《ごぜん》のあと、みな奥の座敷へ召されて、家光から次のような仰せを受けた。

「余の病も本復し、今日の能はまことに目出たい。天下も三代つづき、諸大名の心入れも残りなく思う。天下に思うところもなく、満足である」

島原の乱も、西国諸大名の協力で鎮圧し、自分の病気も回復し、至極上機嫌の家光であった。

つづけて、「後代の聞こえのために言っておきたいことは、日本の奢《おご》りが大なることである。先年も奢りのことを戒めたが、いまにやまず、国々でも同様のようである。これは末々までも誤りとなるから、いよいよ奢りのないように慎め。また、キリシタンのことだが、これは三代にわたって法度に申し付けているが、いまに断絶しておらず、有馬のようなことも起こっている。現在でも、キリシタンが方々で出ているが、これは油断があるからである。いよいよ精を入れて穿鑿せよ」と命じた。

大名すべてを江戸城に集めたのは、天下泰平の宣言をし、日本の奢りとキリシタンを末々まで断つようにと教諭するためだったのである。

家光の目には、すでに大名への警戒は消え、問題は身分序列を乱す庶民諸階層の奢りと幕府秩序を乱すキリシタンだけとなっていた。この四月二十二日の能は、いわゆる領主間矛盾から領主・農民間矛盾へと対立の図式が変化したことを示す歴史の転換点を、ほかならぬ将軍その人が理解したことを示す大行事だったのである。

ポルトガル船の追放

島原の乱のあと、寛永十五年四月二十日の評定所大寄合の評議をへてポルトガル人の追放を決意していた幕府は、翌十六年七月四日、六人衆太田資宗《おおたすけむね》に長崎派遣を命じ、さらに江戸城白書院に諸大名を召し出し、ポルトガル人の追放と来航禁止を伝え、領分の浦々を固く取り締まるよう命じた。

ついで八月九日、細川・黒田・有馬・鍋島・立花の九州有力五大名を登城させ、老中が大廊下において、異国船が領内に来たら、長崎・江戸に注進し、長崎の警備も分担するよう、とくに命じた。ほかの九州の中小大名にも、領分の入念な監視が命じられた。南部、津軽らの奥筋大名にも、領内着岸の異国船への警戒が命じられている。ポルトガル人を追放した以上、その対策が必要となっていた。

翌十七年には、マカオからのポルトガル人が貿易再開の嘆願に来たので、大目付加々爪忠澄を派遣し、法度に背いて来航したという理由で使節ら六十一人を斬罪《ざんざい》に処した。

これ以後、ポルトガルとその同盟国であるマニラのスペイン人の報復攻撃を真剣に警戒し、全九州および中国・四国の沿岸のいたるところに遠見番所を設置させ、防備体制を急ピッチで構築しようとしている。

日本を悩ますキリシタン

天下泰平によるキリシタン断絶政策は、それと裏腹に対外的な緊張状態をつくり出したのである。そして、これは、大名たちにとっても、重い負担になるものであった。

遠見番所の番は、百姓を徴発して配備するとその妻子が飢えてしまうので、藩で召し抱えている者でなければ、日夜詰めていることはできない。早船（軍艦）を三十艘《そう》用意するとすれば、水主《かこ》が千二百人必要である。長崎からの御用にも準備しておかなければならないし、豊後目付からの御用や、加々爪らのような上使が来た場合の御用、寛永十七年から始まった浦廻上使《うらまわり》（幕府船手による九州沿岸調査および演習）の応接などもある。

忠利は、これらが「事之外なる九州の弱りにて候」といい、「キリシタンほど日本を悩まし候もの、又とこれなく候」と嘆いた（八月十六日永井直清宛忠利書状）。

〝泰平〟大恐慌

寛永十六年十二月二十三日、平戸のオランダ商館のもとへ、大坂の商人福島新左衛門《しんざえもん》から、「生糸の値段が大暴落し、いまでも毎日全商品が値下がりしているので、約二百八十貫目の負債を支払うことができない」との通告があった。絹織物や生糸の値段が大暴落したのである。上方の商人は大打撃を受け、大恐慌の様相を呈していた。

翌年、参府途上のオランダ商館長フランソア・カロンは、大坂において多くの豪商が倒産し、夜逃げをしたこと、逃げられなかった者は屋敷に火をかけ自殺したり、逃走中に自殺した者があったことを聞いた（『平戸オランダ商館の日記』）。

寛永十二年に日本船の海外渡航が禁止されて以来、貿易商人たちは、その資本を主としてポルトガル船に投資していた。そしてその投資額は、寛永十三、十四、十五年と年々増大し、十六年には総額七十万両に及んだ（中田易直「鎖国の成立と糸割符」）。ポルトガル人追放のため、これらの投資はすべて焦げ付きとなってしまった。

これだけなら、まだ耐えられたかもしれない。しかし、家光の出した奢侈《しゃし》禁止令により、中下級武士および商人たちは、綸子《りんず》、花模様や縞《しま》模様の絹織物でできた上着や羽織、帯、鼻緒は禁止されたし、ビロード、無地や模様入りの繻子《しゅす》や緞子《どんす》などを、上着や羽織の折り返しや襟に使用してはいけなくなった。見える部分なので、こっそりと使うわけにもいかない。並々ならぬ決意で出された法令だけに厳密に施行され、絹織物は大名の贈答品以外にはまったく売れなくなった。

天下泰平の永続のために出されたありがたい戒めは、まず大恐慌となって、商人たちを苦しめたのである。そして、翌年から、全国を大凶作と大飢饉《だいききん》が襲う。時代は、しばらく重苦しい雰囲気に覆われることになる。

島津家の後見人

家光が天下泰平を宣言した能のあと、東国大名にお暇が与えられた。前年二月二十三日、島原の乱の最中に父家久を亡くして、この年江戸にいた島津光久にもお暇が与えられた。

忠利は、国元の光尚に、

「薩摩守《さつまのかみ》殿（光久）が下れば、飛脚を遣わして祝儀を述べ、国元にいる一年の間には使者を送ってもよい。しかし、あまりしげしげとは通信しなくともよい」

と指示した。忠利は、家久時代と同じように、島津家との交誼《こうぎ》を継続しようとしていた。

七月四日、先に述べたように諸大名が召し出されてポルトガル人の追放等が仰せ出されたとき、城から帰った忠利は、島津家の上屋敷に使者を送ってその旨を知らせている。光久が国元へ帰っており、欠席していたからである。翌日、島津家の江戸留守居役新納《にいろ》久詮《ひさあき》が、詳しい話を聞くため細川邸を訪れた。直接会った忠利は、「昨日出された御条書の写しは今朝お屋敷へ届けた」と答え、「御条書は道春《どうしゅん》（林羅山《らざん》）が読み上げ、何も説明はなかった」と城での詳しい状況を語った。

このように、忠利は、新藩主光久の後見人であるかのように振る舞っており、島津家の留守居役なども忠利を頼りにしていた。

島津光久の本音

いっぽう、家督を継いだ光久は、細川光尚より三つ年長の二十四歳。忠利を疎ましく思っていたようである。幕府は細川家を島津家の監視役と位置づけていたから無理もない。

翌寛永十七年（一六四〇）四月十二日、光久は、国元の家老島津久慶《ひさよし》に次のように指示している（『薩藩旧記雑録』後編巻九十七）。

――細川越中守殿（忠利）が近日中にお暇のようである。そうなれば其元《そこもと》へ懇《ねんご》ろに使者などが来るであろう。その使者へも通りいっぺんの返事などしておくよう（「大方に返事共候様に」）心得ておけ。また、所望される物などもあろうが、その返事は、薩摩守が留守中には物を出すなと申し置いているので江戸に申し越して下さい、と申せ。隣国衆への取り入りなど不要で、越中殿などからの使者に望む物を出し、心安き様子をしてはならない。前々からしているからと馳走するのはよくない。越中殿は細かすぎる人で、江戸でも浮いているほどだから、用を聞いてやったり親しそうにしてはならない（「越中殿こまか過ぎたる人にて、爰《ここ》元《もと》にても似合わざる様子にてござ候程《ほど》に、用所達《ようしよだて》・懇《ねんご》ろだて無用たるべく候」）。

そして、五月には、忠利が家督を相続したとき島津家久に提出した起請文《きしようもん》を、「今には入らざる儀に候間」——いまとなっては必要ないからと返進し、細川家にある家久の起請文を取り戻そうとしている（『薩藩旧記雑録』後編巻九十七）。これは、ほとんど絶交宣言のようなものであろう。

「似合はざる」忠利？

さて、光久は、忠利のどのような行動を「爰元にても似合はざる」と言うのであろうか。たとえば、次のようなエピソードがある。

寛永十一年初頭、忠利は、かの徳川忠長の家臣稲葉内記正利《まさとし》を預けられた。正利は幕府年寄稲葉正勝の弟で、家光の乳母春日局の息子である。それまで兄正勝のもとに預けられていたが、兄が死去したので、忠利に預けられることになったのである。

お預けというのは生涯謹慎ということだが、親友稲葉正勝の弟で春日局の息子でもあったから、忠利は丁重に扱った。正利が、熊本を自由に歩きたいとか、身の回りの世話をする女が欲しいとかの要求をするたびに、忠利は、いちいちその扱いを幕府に問い合わせた。誠実な実務家らしく、幕府のためには透明度が高く、安心このうえないはずだった。

すると、忠利と親しい旗本堀直之が、「あなたが不必要なことまで問い合わせているように、だれもが思っています。先日も、これほどたびたび問い合わせなさるのは、内記をお預かりになっているのをたいへん迷惑に思っているからだろうと推測する方もおられました」と、心配して助言してきた（三月七日堀直之書状）。

信頼して預け置かれた大名が、謹慎を命じられている者の要求を幕府に問い合わせることなど見識のないことだった。忠利としては気をつかっているつもりだったが、これはやりすぎであって、かえって妙な噂を立てられることになったのである。こうしてみると、先に述べた八代城の池の件なども、忠利の杞憂《きゆう》であったかもしれない。

刀狩りを献策

参勤交代制の改革については、すでに見たが、寛永十七年には、「日本武具かりなされ然るべくと、度々御老中まで申し候」と、幕府に刀狩りを施行するよう上申している（六月二十三日光尚宛忠利書状）。

これは、当時の大名たちにとってはよけいなお世話であった。光久が「似合はざる」と言うのも無理からぬところである。自主独立を保とうとする光久にとっては、忠利との交際は、ぜひとも断ち切らねばならなかったのである。

しかし、幕府によって肥後の国主にまで取り立てられた忠利とすれば、江戸の「宮廷社会」を有利に生き抜くため、細心の注意を払い、幕府に忠実な態度を折に触れて表明する必要があった。忠利の行動は、光久から見て「細かすぎたる」ものだったようだが、とかく幕府から疑惑の目を向けられがちな、外様大名の不可欠な生き残り戦略の一つであり、かれが家光の信頼をえたのも、このような言動によってであった。

3　早すぎた死

忠利、帰国す

寛永十七年（一六四〇）五月、忠利ら西国諸大名は暇を与えられ、道路が混雑しないように、中山道、東海道を順々に帰国するようにと申し渡された。忠利は十八日に江戸を立ち、翌月十二日に熊本に到着した。

忠興も、七月四日、京都を発し、十七日に八代に到着した。

八代に帰った忠興は、数寄屋《すきや》（茶室）の造作を命じた。九月中旬にはおおかた完成し、二十七日には、忠利を招き名物の時雨《しぐれ》の茶壺《ちゃつぼ》で口切りの茶事を催している。

忠利、病む

この年末までは、忠利は、「我等息災、十年此《この》かた覚え申さず候」というほど体調がよく（十一月二十六日光尚宛書状）、雪の日にも毎日、鷹《たか》狩りを楽しんでいる。帰国したときの一番の楽しみがこの鷹狩りで、冬になると飛来する鶴や雁《がん》を鷹にとらせて慰みにしている。

しかし年が明けた寛永十八年、急に舌がすくみ、右手指が小指にかけて三本動かなくなり、足も痺《しび》れた。中風かと考え、これはたいへんだと緊張したが、疝気《せんき》（下腹痛）によるものとのことで、まずは安心した。

心配した忠興は、三浦新右衛門《しんえもん》を派遣して病状を問わせ、熊本にいる医者では心許《こころもと》ないので、京都から名医の盛法院《せいほういん》（吉田浄元《じょうげん》）を呼び寄せ、診察を受けるようにと忠告した。忠利は、三浦に手足がよく動くことを見せ、この春の参府のとき京都に寄り、そこで盛法院の診察を受け、江戸に同道しようと考えていると答えた。使者にことさらに元気なふりをしたということもあるが、二月の初めには、快方に向かっているように感じてもいた（二月六日忠利披露状）。

屋敷にばかり籠《こも》っていると気詰まりなので、屋敷の端の川に鳥が来ているのを鷹にとらせ、自分は乗り物に乗って見物している。しかし、もしもう一度発作が起こるようであれば、京都から盛法院を呼び寄せて、診察を受けたあと一緒に江戸に参府します、と答えている。

下血つづく

三月初めから、忠利の大便に血が交じるようになった。七日に四度のうち夜三度、八日に九度のうち夜三度、九日に九度のうち夜七度と、これまで三十六度の下血があった。多いときには盃《さかずき》三杯ほど、少しずつは薄くなっているようだった。

九日の朝は疝気が軽快したので、腰湯に入ったところ、それが悪かったのか、上気して、右の手足がなえ、舌が思うように動かなくなった。忠利は、とりあえず老中へ書状を送り、光尚には、伊丹康勝や曾我古祐と相談して病状を老中に伝えておいてくれ、と指示した。

そして、「何とぞ仕り、二十日に立ち申し度《たき》覚悟に候、田舎にては養生ならず候間、成るほどに候はば、上り申すべくと存じ候事」――なんとしても二十日に熊本を立つつもりだ。田舎ではいい医者もいないし、できれば参府したいと思っている、と決意を述べている。最後まで江戸のことが気になる忠利だった。

この三月十日付光尚宛書状では、印判を用いている。手が震えて花押が書けないのである。

しかし、光尚に心配をかけないため、書状の裏に力をふりしぼって、「右のてくびより手なへ申すばかりに候、しに申すべき様にはこれなく候、心安かるべく候、以上」——右の手首から腕にかけて手がなえているだけだ。死ぬようなものではあるまい。安心せよ、と自筆で書いている（次ページ写真参照）。

忠利、参府を延期

しかし、病人に長旅はきつい、三月十三日、忠興は、「いまは別に急いで参府しなければならないときではないので（「只《ただ》今遅く上られ候ても苦しからざる時分に候」）、やはり参府を延期した方がよい。さいわい（京都から急いで呼んだ）盛法院も二、三日中には熊本に着くということだから、脈も見せ、薬も服用して、かれと相談のうえで参府するのがよい。私の方でこの参府延期の願いを讃岐殿（酒井忠勝）に出すつもりだ。上包みを粗相にしているので、開けてこれを読んだうえ、きちんと上包みをして出しなさい。柳生但州《たんしゅう》（宗矩）への書状も同様にしている」と忠利を説得した。

忠利もこの父親の忠告には素直に従った。

翌日、忠興は、「昨日も言ったが、手紙などを書いてはいけない。われわれなどは、なにより手紙を書くのがすきなので、病気のとき書いて、あとでずいぶん難儀している。こちらに申し越さなければならないことは、だれかに命じて書かせ、その者の手紙を河内加兵衛《かわちかへえ》に遣わしなさい。こちらもそのようにするから」と言い送っている。

書状を書くときは、右筆《ゆうひつ》に直接内容を口述して書かせていた。しかし、それではどうしても体に負担がかかる。家臣同士の書状なら、遠慮がない。そのへんを配慮した忠興の心遣いであった。

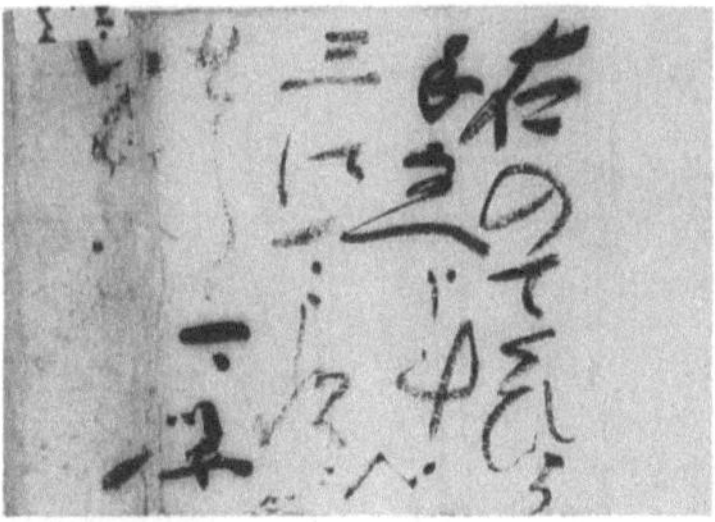
細川忠利絶筆　細川家文書卅一印七番
〔永青文庫蔵〕

忠利、危篤

しかし、その日の夜、忠利の病状が急変した。知らせを受けた忠興は、急いで熊本に行き、忠利の様子を一目見て、もうだめだ！　と感じた。

次の書状は、うろたえた忠興が、急ぎ江戸の孫光尚に書いた書状である。

「越中（忠利）煩ひ、この中我々にかくし候て、よき〳〵とばかり申すに付き、さ（左）かと存じ候てこれある内に、今日十四日俄《にわか》につまり候由申し越し候間、驚き、八代を未《ひつじ》の下刻に罷《まか》り出、熊本へ夜の四つ時着せしめ、越中躰《てい》を見候処《ところ》、はや究《きま》り申し、人をも見知り申さず、目も明き申さざる躰に候、言語を絶し候、此の如くに候間、讃岐殿（酒井忠勝）・柳生殿（宗矩）などと談合候て、御暇申し上げ、下国待ち申し候、我々事の外困り、正躰《しょうたい》なく候間、わけも聞こえ申すまじく候、恐々

三斎

宗立

三月十四日

肥後（光尚）殿

まゐる」

――忠利の病気、ずっと私にかくして、良い良いとばかり言っていたので、そうかと思っていたところ、今日十四日、急に危篤だと知らされ、驚いて八代を三時半ごろに出、熊本へ夜の十時に着き、忠利の様子を見たところ、もうだめで、私のこともわからず、目も明かない様子だった。ああ……、とにかく酒井殿や柳生殿に相談してお暇をもらい、急いで帰国してきてくれ。私は混乱していて、なにがなんだかわからない。恐々。

子に先立たれようとしている忠興の、悲痛な叫びである。

忠利の遺言と死

十六日、意識を取り戻した忠利（あるいは意識を失った十四日以前のことかもしれない）は、家老の松井興長を枕元に呼び、藩政のことなど細かく指示したあと、次のような遺言を残した。

――肥後（光尚）はまだ若いので、万事に心をつけ、よく補佐してくれ。三斎様（忠興）はお年を召しているのでご短気のこともあろう。ずいぶん念を入れ、お心を安んじてくれ。私の存命のうちに有吉頼母佐や長岡監物らと談合し、その他の者とも相談するように……。

誠実な忠利らしく、死の直前まで藩政のことを心掛けるとともに、父忠興のことに心を配り、子光尚のことを案じている。

そして、殉死を願っている面々の家族のことまで、重ねがさね配慮するようにと語ったので、興長は落涙をとどめがたく、ようよう「畏《かしこ》まり候」とだけ申し上げたという（『綿考輯録』）。

寛永十八年（一六四一）三月十七日七つ時分（午前四時ごろ）、忠利は息をひきとった。享年五十六であった。遺骸《いがい》は棺《ひつぎ》に入れ、花畑《はなばた》の居間の床下の土中に安置し、幕府の指示をまった。

そして四月二十八日、野辺送りをし、春日《かすが》村岫雲院《しゅううんいん》の地で火葬した。法名は妙解院殿台雲宗伍大居士《みょうげいんでんたいうんそうごだいこじ》。このとき、忠利が秘蔵していた鷹を放したところ、「有明《ありあけ》」は烟《けむり》の中に飛び込んで死に、「明石《あかし》」は近辺の池に入って死んだという。忠利をしたって殉死したのだと口々に噂された。

殉死者は、十八歳の児小姓《こごしょう》太田小十郎《こじゅうろう》ほか十九人、森鷗外の『阿部一族』はこの殉死をめぐる悲劇を書いたものである。

家光の落胆

三月二十三日、江戸では、光尚にお暇が与えられた。日時からみて、忠興の書状が江戸に着いてすぐのことだっただろう。家光の忠利への厚意がうかがえる。曾我古祐の嫡子近祐《ちかすけ》にも、忠利の病を見舞うよう命じられ、暇が与えられた。

二十七日、豊後目付より十八日の日付で幕府に忠利死去の速報が至り、翌日、熊本からの使者、歩《かち》の使番深水太郎兵衛《ふかみずたろうびょうえ》が、忠利死去を正式に届けた。

「越中早く果て候」——死ぬのが早すぎた、と嘆いた家光は、即座に使番斎藤利政《さいとうとしまさ》を熊本に派遣した。忠興への弔問の上使である。

光尚は、浜松で父の死を知り、すぐに江戸に引き返した。忠利の子らしい行動である。幕府の帰国許可は、病気見舞いであったし、まだ相続を許されたわけではない。

五月四日、光尚は、江戸城内の茶屋御殿に呼ばれた。

「明日は五十日になります」と言上する光尚に、家光は、「はや五十日か……」とつぶやき、時の流れの早いのに驚いたふうだった（『沢庵和尚書簡集』）。

光尚、跡目を相続

そして、この日、肥後五十四万石は、相違なく光尚に跡目相続が許された。翌五日、継目の御礼に登城した光尚に、家光は、懇《ねんご》ろに語りかけた。

「越中（忠利）を取り立ててやったところ、奉公しようとの覚悟で、今度有馬表でもよく精を入れた。譜代同様に考え、九州に置いていたが、不慮に相果《あいは》て、ほんとうに残念に思う。そちは、母とも縁つづきで、心安く思っている。越中の跡一職《いつしき》を申し付ける（相続を許す）ので、いよいよ奉公せよ。もし国の仕置などでわからないこともあれば、遠慮なくなんでも聞いてくればよい」

光尚は、

「こんな仰せは、聞いたこともない。私のことは言うに及ばず、おまえたちまでも有り難く存ずるであろう」

と家臣たちに申し送っている（五月六日光尚書状）。

早く父を失ったとはいえ、その功績によって二十三歳の光尚の前途は洋々と開けていた。

エピローグ　御家存亡の危機

忠興にあやかって

寛永十九年（一六四二）二月、家光は、忠興の拝謁を受けたあと、「竹千代《たけちよ》をも三斎にあやかるように見せよ」と酒井忠勝に命じた。竹千代——のちの四代将軍家綱《いえつな》は当時二歳であった。

竹千代を女房たちが抱いている所へ案内された忠興に、「とくと御目見えなされ候へ」と女房たちが声をかけた。長く眼病を患っていた忠興は、目の端に赤い薬を引いており、しかも剃髪《ていはつ》しているので、こわがって泣き出したら困ると控えていたが、医者衆の剃髪を見慣れているので大丈夫といわれ、お側によって、「御武勇・御果報は権現様（家康）に御あやかりなさるべく候。御齢《おんとし》は私に御あやかりあそばされ候へ」と仰せ上げた。

女房たちは、「さてさて今日は、若君様御機嫌よくおとなしくござなされ、目出度《めでた》き御事」とて、「御口祝を三斎に遣はされ候へ」と三方《さんぼう》を竹千代の手の下に差し出すと、竹千代が熨斗《のし》をつかみ、くわっと口に入れようとしたのを、忠興がそのまま頂戴《ちょうだい》して退出した

（「口祝」というのは、初めて接見するときにさずける祝いの品で、結んだ熨斗鮑《あわび》を三つばかり手ずから与える）。

屋敷に帰った忠興は、この様子を家臣たちに話し、「さてさてよき生まれつき、よく権現様に似させられ候」とて、その熨斗を一門へ分かちて贈った。

ものぞかなしき長寿

この年、忠興は、八十歳を迎えている。だれもがあやかりたいと思う長寿である。しかし、忠興は、長寿ゆえに忠利の死に遭うという悲しみを経験している。長寿を素直には喜べない。八十賀の詠歌は、

思ひやれ　八十《やそじ》のとしの　暮なれば　そこはかとなく　物ぞかなしき

というものであった。

かつて忠興は、母が死去したとき、忠利に「光寿院《こうじゆいん》殿（忠興母）の儀、心中推量あるべく候、さりながら、我々在世のうちに御遠行《ごえんこう》（死去すること）、ぬしの御ためには御果報と存じ候」と感慨を述べている（元和四年八月十八日書状）。やはり死ぬのは、年齢の順番でないと、

残された者がつらい。

しかし、長寿はよいことにも恵まれる。翌二十年には、光尚に六丸《ろくまる》（のちの綱利）が生まれた。幼妻禰々を亡くしてから七年、母は側室清水《しみず》氏である。跡継ぎを得た細川家の前途は明るかった。

立孝と忠興の死

正保二年（一六四五）閏《うるう》五月十一日には、忠興がずっと手元に置いて、八代の隠居領を相続させようと考えていた五男立孝が没した。享年三十一であった。忠興にとっては、五十過ぎてからの子で、非常にかわいがっていた。

立孝の死によって、生きる気力がなえたのであろうか、この年十二月二日、忠興も八代で死去した。享年八十三。松向寺《しょうこうじ》殿三斎宗立大居士《だいこじ》と号された。

細川家の家譜『綿考輯録』に収録された当時の覚書によると、忠興は、臨終の際に、

「皆共《みなども》が忠義、戦場が恋しきぞ」

と述べ、周囲の者がいずれも涙を流すと、「いづれも稀《まれ》な者どもぞ」と言ったという。

思い起こすのは、江戸や京都での窮屈な生活ではなく、戦場をかけめぐる、若き日の姿であった。

光尚、発病す

慶安二年（一六四九）十一月二十四日、忠利の室で光尚の母保寿院《ほじゅいん》（千代姫）が、江戸白《しろ》銀《かね》屋敷（現在、港《みなと》区高輪《たかなわ》二丁目）で死去した。五十三歳だった。同じく江戸にいた光尚は、母の病中かなり心を痛めており、所労が重なったせいか頭痛に苦しむようになった。

十二月四日、少し頭痛が差し起こり、二度ほど吐いた。侍医寿命院《じゅみょういん》の薬を用いたところ、六日の朝、目の下、手の甲、足がむくんでいた。寿命院は、「急に大事になるというものでもないが、療治は軽いときに病気が驚くようしっかり行うのがよい」と気休めを言い、他の医者にも見せるように言った。

細川忠興墓　熊本市泰勝寺跡

そこで、将軍の侍医玄竹《げんちく》法印を頼んだ。九日の昼時分に来て脈をとった玄竹は、「なかなかむつかしい病状なので、お薬を進《まい》らせられるのはどうでしょうか」と辞退したが、ぜひにと乞《こ》われ、薬を調合した。玄竹は、将軍の脈も診ており、下屋敷では遠いため、十一日、光尚は龍《たつ》ノ口《くち》の上屋敷に移った。

その後、少しは腫《は》れも引いた。食事は、大麦と米を等分にした粥《かゆ》を、一度に中椀《なかわん》に二、三杓子《しゃくし》ほど、一日に夜にかけて三、四度ほどとっている。玄竹は、脈も気色も少しはよくなっていると言ったが、病状を見舞った叔父《おじ》の小笠原忠真は、「我等は一切よきとは存ぜず候（私にはとてもよいようには思えない）」と国元の家老たちに伝え、おまえたちのうち一人は急ぎ江戸に下れ、と指示している（十二月十八日小笠原忠真書状）。

光尚の遺言

十二月二十日ごろには、光尚の病状が重いことが家光の耳に入り、二十四日、酒井忠勝が上使として見舞いに訪問した。光尚は、病状が重いにもかかわらず裃《かみしも》を着け、懇ろの上意をお請けしたあと、忠勝に次のように申し入れた。

「不肖《ふしょう》の身、大国を下し置かれ、御厚恩の程ありがたく存じ奉《たてまつ》り候、何とぞ相応の御奉公をも仕り度《たき》念願にて罷《まか》り在り候処、かやうなる大病にて残念の至りに存じ奉り候、倅《せがれ》両人これあり候得共《そうらえども》、幼年にていまだ御奉公相勤め申すべき体ござなく候、私果て候以後、領国の儀は差し上げ申すべく候、子供の事は成長仕り候上、御奉公相勤むべき者にござなく候へば仕るべき様ござなく候、此段《このだん》御聞き置き、然《しか》るべき様御取り成し頼み入り候」

――不肖のわが身に大国を与えられ、ご厚恩を感謝しております。なんとかこの大国の主にふさわしい奉公をしたいと思っておりましたが、このような大病にかかり、残念至極でございます。息子が二人ございます（のちの綱利と利重《とししげ》）が、まだ幼年で奉公できる年ではございません。自分の死後は、領国を返上します。息子たちが成長したうえで、奉公できるほどの者でなければ、致し方ありません（もし役に立つようであれば取り立てて下さい）。このことを聞き置いていただき、よきようお執り成しを頼み入ります。

そして光尚は、かねて準備していた遺言書を忠勝に見せた。

忠勝ははらはらと落涙し、自分に任せるようにと答えた。その場にはいとこにあたる蜂須賀忠英《ただてる》（阿波徳島藩主）がおり、次の間には叔父の小笠原忠真が控えていた。

細川光尚廟　熊本市妙解寺跡

忠勝から病状が重いのを聞いた家光は、ことのほか心配し、松平信綱、ついで阿部忠秋を上使として遣わしたが、もはや対面もできないほどであった。

二十六日には、この遺言書の写しを「城内の掃除以下入念に申し付けられ、何時にても御左右（指示）を相待ち、御指図次第に相渡さるべき覚悟尤《もっと》もに候」という光尚の書状とともに、使者に持参させて国元に遣わし、大事の場合は江戸からの指示に従い国を差し上げるようにと命じた。

もはや起こせ

二十六日晩六つ半（午後七時）ごろ、光尚は、「もはや起こせ」と命じた。病中ずっと側にあった近習の富田《とみた》小左衛門《こざえもん》が起こしながら、「御供仕り候」と申し上げ、傍らの里杢之助《さともくのすけ》も負けずに「御供仕り申し候」と申し上げた。光尚は「それは……」と言って、息絶えた。享年三十一の若い死であった（『綿考輯録』）。

二十七日の晩、松平信綱が上使として派遣され、懇ろの上意を伝え、香典として銀五百枚を六丸（のちの綱利）に渡した。二十九日、遺骸《いがい》は芝泉岳寺《しばせんがくじ》辺にて火葬され、東海寺《とうかいじ》の清厳《せいがん》宗渭《そうい》が引導を勧め、真源院《しんげんいん》殿《でん》回岸宗夢《がんそうむ》大居士と諡《おくりな》された。殉死者は富田ら十一名であった。

当時、重要な城は幼少の者に任せないという原則があった。適用されるのは譜代大名の場合が多かったが、九州の中心で島津氏の押さえという大国肥後はまさに要衝である。光尚の嫡子六丸はわずか六歳。改易はないとしても、国替えは十分考えられた。そのうえ、光尚は領国返上まで申し出ている。家臣たちは覚悟した。

肝をつぶし有り難く

年があけて慶安三年（一六五〇）四月十八日、ようやく家光は、縁戚《えんせき》の大名と細川家の家老を召し出し、肥後五十四万石をすべて六丸に相続させると申し渡した。細川家は、幽斎以来忠義の家であり、幼少なりといえども先祖の功績によって六丸を取り立てる、とのことであった。幽斎、忠興、忠利の奉公のようすをだんだんと語りながらの上意であったという。

小笠原忠真には、その外舅《がいきゅう》たるにより、折々肥後にも下って大小のことを沙汰《さた》するようにと命じ、蜂須賀忠英にも後見を命じた。

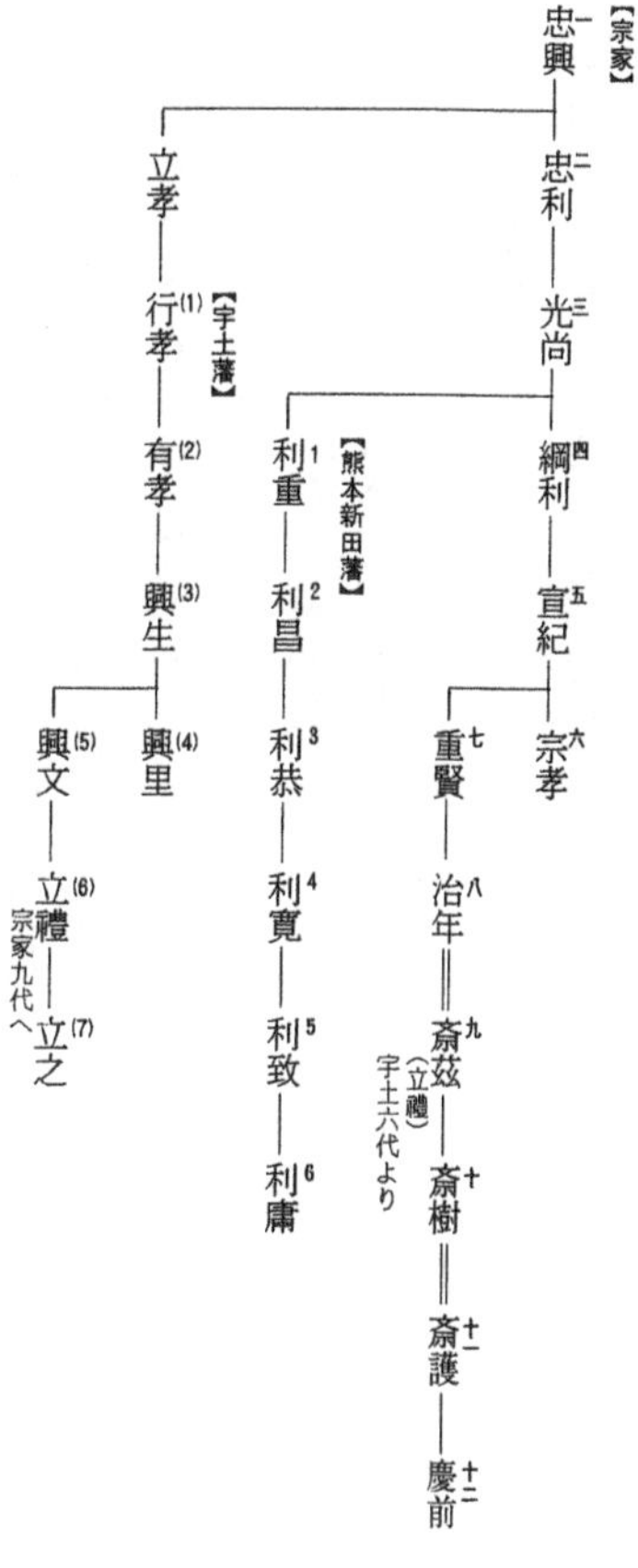

細川家略系図Ⅱ
（数字は世代数、二重線は養子を示す）

永井直清にあてた四月二十日付酒井忠勝書状には、「六丸一類衆、家頼《けらい》共、肝をつぶし有り難く存じらる事に候、国元の諸侍心底、察し入り申す事に候」（『摂津高槻永井家史料』）と、細川家家臣の喜びの反応を書いている。

期待していたとはいえ、意外な将軍の上意であった。細川家の家譜でも『徳川実紀』でも、光尚の遺言が、家光に深い感銘を与えたことが記録されている。それも事実であろう。

外様大名の新たな道

だが、やはりこの細川家の存続には、代々の徳川家への功績、とくに忠利の幕府に対する態度によって、深い信頼を勝ち得ていたことが大きかった。そして、家光を補佐する年寄・老中たちも酒井忠勝、松平信綱らが健在で、かれらは細川家の存続を望んでいた。幼少の六丸に大国相続の上意があったのも自然のなりゆきだった。しかし、もしこれが他の大名家に起こったことだったら、どうなったかわからない。

四代将軍家綱政権以降、外様《とざま》国持大名の改易や転封はまれなものになり、領地はその家固有の財産と意識されるようになっていく。しかし、いまだその趨勢《すうせい》が確定していない家光政権下での肥後細川家の存続は、既定路線の上に乗ったものというより、その道を開いたものと言えるだろう。その最大の要因は、身を粉にして幕府に忠誠を尽くした忠興・忠利の行動と態度にあった。これは幕藩制下の外様大名の一つの選択であり、生き方であった。そして、じつは幕府の覇権は、忠利らのような大名たちの行動に支えられてはじめて実現したものであったのである。

原本あとがき

私が『大日本近世史料　細川家史料』の編纂《へんさん》にあたるようになったのは、一九八六年のことである。当時、忠興宛忠利書状が寛永九年まで進んでおり、加藤秀幸《ひでゆき》教授（一九九三年三月定年退官）のもとで寛永十年（十一巻）から担当することになった。

それから七年、ようやく忠興宛忠利書状が寛永十八年まで完結した（十三巻）。慶長五年七月九日付忠利宛忠興書状（二三ページ写真参照）から始まった第一巻が刊行されたのが一九六九年であるから、すでに二十四年もの歳月がながれている。担当したのは四分の一ほどにすぎないが、書状のなかにあらわれる大名たちの肉声を聞いているうちに、しだいに忠興や忠利の人物像が浮かび上がってきた。そこで、忠興・忠利の往復書状の完結を機に、本書をまとめることを思い立ったのである。

忠興・忠利の往復書状を読んで切実に感じるのは、江戸時代初期の緊迫した政治状況のなかで、両者が実に細心の注意をはらって行動していることである。こうした史料の特質から、本書では江戸幕府成立期の大名の実像とその苦悩をテーマにすえ、そのような大名の姿を通して、この時代を再現しようとした。

本書の登場人物たちは、武力でも経済力でもない激烈な権力抗争を演じているが、それはまさに「宮廷社会」の政治力学によるものであった。これは現代にまでつながる日本の政治文化の特質だと思われるが、このような権力抗争のありかたが、おのずとこの時代の本質をも物語っている。

私の公務である史料の編纂というのは、年代を推定し、校訂注を付し、標出（頭注）をつけるという作業があるので、史料全体がわからなければ次に進めない、という苦労がある。研究ならば、あるテーマに関するひろい読みでも一応の用は足りるのであるが、編纂においては、政治史的な記述だけではなく、文化や生活、儀礼、慣行などに目配りしなければ、一通の文書すら満足には読めない。その編纂との苦闘が、本書の従来とは違った政治史の叙述のありかたに反映することになったというのが私の密《ひそ》かな自負であるが、読者にはどのように感じられたであろうか。

末尾となったが、本書がなるにあたって、貴重な史料を編纂させていただき、しかも自由に研究に活用することを許されている財団法人永青文庫理事長細川護貞《もりさだ》氏に深く感謝の意を表します。また、関連史料の閲覧にあたっては、長年熊本大学付属図書館において永青文庫史料の整理と管理にあたられた川口恭子《かわぐちやすこ》氏（現在永青文庫勤務）、現在その役目を引き継がれた同館参考係の永村典子氏にたいへんお世話になった。あわせて感謝します。

最後に、前著『江戸お留守居役の日記』に続き、本書の生みの親となった読売新聞社の古市正興氏と現在はフリーになった深水稔二氏に、この場をかりてあらためてお礼を申し述べます。両氏のお勧めと懇切な助言なくしては、これらの本は生まれなかったであろうから。

一九九三年五月

学術文庫版あとがき

本書は、江戸時代初期の幕府政治と幕藩関係のあり方を、細川忠興・忠利父子の往復書簡を読み込むことによって再現しようとした歴史ノンフィクション・シリーズの第二作目である。学術文庫版刊行にあたり、史料引用部分に段落を増やし、若干の語句を改めたが、それ以外はほとんど原本のままである。

職場で細川家史料の編纂《へんさん》を担当していたこともあって、当時は全精力をこの仕事に投入した。書状という第一次史料だけを素材として徳川幕府三代にわたる将軍の治世を裏側から観察できたことは、大きな収穫であった。

初版が刊行された時、たまたま総選挙で日本新党が勝利し、細川護熙《もりひろ》氏が連合政権の首相になるという偶然もあって、それなりに話題になり、朝日新聞を始めとするいくつかのメディアで好意的な書評をいただいた。

その一方で、「宮廷政治」という用語から、宮廷とは朝廷のことであるはずだ、あるいは引用したユダヤ系ドイツ人の社会学者ノルベルト・エリアスの『宮廷社会』のイメージが強すぎて、せっかくの内容の印象が弱まっている、というようなご批判もいただいた。

言うまでもないことだが、「宮廷政治」の用語はエリアスの著書によったもので、江戸時代初期の政治はまさにフランス宮廷のイメージそのものだと筆者自身が感じていたからである。その意味では、かの名著に影響されすぎたのかもしれない。

執筆当時、私は、まだフランスに行ったことがなかった。その後、機会があって何度かフランスを訪れ、ヴェルサイユ宮殿やサン・ジェルマン・アン・レー城などフランス国王の宮殿や、パリ近郊のサン・ドニ教会にある王の霊廟《れいびょう》も調査できた。そうした体験から、江戸城の特質なども感じるようになった。

フランス国王の宮廷であるヴェルサイユ宮殿は、江戸城とは違い、城というよりも居宅である。背後の庭まで含めれば江戸城よりもはるかに広いが、宮殿そのものは小さく、軍事的な備えもあまりない。なにより、ヴェルサイユ宮殿に集う貴族たちは、王のお気に入りの者ばかりで、王の着替えや洗面など私的な行為に関与することが名誉とされていた。その意味では政治と私生活が未分離で、私的な行為そのものが実は公的な政治であった。

一方、江戸城は、堀や塀などの軍事的な施設を完備し、参勤交代という特異な制度によって全国の大名を江戸に集住させていた。定例の登城日には、江戸にいる全大名が集まって将軍に拝謁する。将軍の身の回りの世話は、幕臣である小姓や小納戸が行い、大名が関与することはない。フランス貴族たちが王との個人的な親密度を増やそうとして、王の生活に入り込んでいく姿とはかなり違うものである。そういう意味では、アジアの王権である将軍の方がはるかに儀礼を重視しており、公的行事と私的な遊びとを区別していた。なにより、将軍と大名との距離が遠かった。

もちろん、秀忠や家光も、公的な儀式に参加するだけではなく、大名屋敷への御成りや能の興行、鷹狩《たかが》り や鹿狩り、鞭《むち》打ち（馬術の調練）といった形で、遊びも行っている。後に『遊びをする将軍　踊る大名』（教育出版）に書いたが、諸大名に派手な衣装を身につけさせ、幕府水軍の軍艦に乗せ江戸湾を航行したりもしている。こうした権力者の遊びが、政治とまったく関係ないわけではなく、政治と遊びが未分離なところもあるが、やはり両者の発想はかなり違うものであった。

それだけに、江戸時代の諸大名は、政治的な場で細心の注意を払う必要があった。ふだん将軍が身近な存在でないだけに、その意向を推し量るため、多彩な人脈を通して情報収集する必要があったのである。本書で述べた諸大名の動きは、単に王との親密さを増すことだけに腐心したフランス貴族以上に緊張感のある、自己の領地の保持と政治的生存をかけた戦いであった。

最後に、講談社学術文庫での刊行を勧めてくれた講談社の稲吉稔氏に深く感謝する。この機会により多くの読者に楽しんでいただけることを願っている。

二〇〇四年九月七日

山本博文

引用史料一覧

熊本藩に関するもの

『大日本近世史料　細川家史料』一～一三（東京大学史料編纂所、一九六九～九二年）
細川忠興・忠利・光尚の往復書状を編年にして活字化したもの。
『公儀御書案文』寛永九～寛永十七年、永青文庫蔵
幕閣・諸大名・旗本宛《あて》の忠利書状の留書。未刊
『熊本藩先祖付』永青文庫蔵
熊本藩士の家譜を集成したもの。未刊
『部分御旧記』（『熊本県史料』近世篇一～三、所収（一九六五年、未刊））
江戸中期に熊本藩が初期史料を部類分けして編纂《へんさん》
『綿考輯録』一～七（汲古書院、出水叢書、一九八八～九一年）
細川家の家譜。『細川家記』とも言う。藤孝・忠興・忠利・光尚の譜を収録
『御書奉書之写言上之控』一～八
島原の乱時の国元家老による諸方への往復文書の留書
ほか永青文庫に所蔵された文書・記録

霜女覚書／稲葉正勝書状／天草へ御人数参り候次第／井口庄左衛門覚書／手負・死人之目録／井伊直孝書状／小笠原忠真書状など

本書全般にわたるもの

『江戸幕府日記』東京大学史料編纂所蔵写真帳（原本は姫路市立図書館所蔵）
『新訂増補国史大系　徳川実紀』一～一五、黒板勝美編（吉川弘文館、一九八一～八二年）
『徳川諸家系譜』一～四（続群書類従完成会、一九七〇～八四年）
『新訂　寛政重修諸家譜』一～二二（続群書類従完成会、一九六四～六六年）
『御触書寛保集成』石井良助・高柳真三編（岩波書店、一九三四年）

その他

『武辺咄聞書』京都大学付属図書館蔵（和泉書院、一九九〇年）
『黒田家譜』貝原益軒著（歴史図書社、一九八〇年）
『鹿児島県史料　旧記雑録後編』一～六（鹿児島県歴史資料センター黎明館、一九八一～八六年）
『島津家文書』東京大学史料編纂所蔵
『本光国師日記』一～七、辻善之助編（続群書類従完成会、一九六六～七一年）
「津山松平家譜」（『徳川諸家系譜』第四、所収）

『公儀所日乗』一～三六、山口県文書館寄託「毛利家文庫」
『大日本古文書　伊達家文書』一～一〇（東京大学史料編纂所、一九〇八～一四年）
『山内家御手許文書』東京大学史料編纂所蔵写真帳
『平戸オランダ商館の日記』一～四、永積洋子訳（岩波書店、一九六九～七〇年）
「徳本氏所蔵文書」（『熊本県史料』中世篇三、所収（一九六三年））
『沢庵和尚書簡集』辻善之助編（岩波文庫、一九四二年）
「林小左衛門覚書」（林銑吉編『島原半島史』中巻、所収（長崎県南高来郡市教育会、一九五四年））
『島原日記』一～八、東京大学総合図書館「南葵文庫」蔵
『福島板倉家文書』国立史料館蔵
『立花立斎自筆島原戦之覚書』（『改定史籍集覧』一六、所収）
『有馬戦記』（『改定史籍集覧』二六、所収）
「山田右衛門作口書覚」（『有馬戦記』所収）
『榊原家島原書類』東京大学史料編纂所蔵写本
『慶長年中以来重立候頭書』佐賀県立図書館寄託「鍋島文庫」

主要参考文献一覧

安達裕之「大船の没収と大船建造禁止令の制定」『海事史研究』四八号（一九九一年）
岡本良一『大坂冬の陣夏の陣』（創元新書、一九七二年）
表　章「北七太夫長能をめぐる諸問題」『能楽研究』八〜一〇号（一九八二〜八五年）
笠谷和比古「徳川幕府の大名改易を巡る一考察」（一）（二）『日本研究』三・四集（一九九〇・九一年）
高木昭作『日本近世国家史の研究』（岩波書店、一九九〇年）
田代和生『書き替えられた国書』（中公新書、一九八三年）
戸田敏夫『細川藩史料による天草・島原の乱』（新人物往来社、一九八八年）
永積洋子・武田万里子『平戸オランダ商館イギリス商館日記』（そしえて、一九八一年）
中田易直「鎖国の成立と糸割符」『東京教育大学文学部紀要　史学研究』一〇号（一九五六年）
ノルベルト・エリアス『宮廷社会』波田節夫・中埜芳之・吉田正勝訳（法政大学出版局、一九八一年）
福田千鶴「慶長・元和期における外様大名の政治課題」『九州文化史研究所紀要』三七号（一九九二年）
同　「幕藩制的秩序についての一考察」『日本歴史』五三一号（一九九二年）

藤井譲治『江戸幕府老中制形成過程の研究』（校倉書房、一九九〇年）
藤野　保『徳川幕閣』（中公新書、一九六五年）
二木謙一『慶長大名物語』（角川書店、一九九〇年）
宮崎克則「慶長五年細川・黒田の年貢先納問題」『郷土史ふくおか』七五号（一九九一年）
同　「幕藩制確立期における隠居領の問題」『日本史研究』三五〇号（一九九一年）
村田千絵「将軍の大名邸御成」一九九二年四月十七日幕藩研究会報告
吉村豊雄「参勤交代の制度化についての一考察」『熊本大学文学部論叢』二九号（一九八九年）

本書は、一九九三年に読売新聞社より刊行され、一九九六年に講談社文庫、二〇〇四年に講談社学術文庫で刊行された『江戸城の宮廷政治』を改題の上、復刊したものです。

底本には講談社学術文庫版第一刷を使用しました。

復刊にあたり、著作権継承者の御了解を得て、改題の他、難読漢字に読み仮名を付すなどの表記上の整理を行いました。

山本博文（やまもと・ひろふみ）
1957年、岡山県津山市生まれ。東京大学文学部国史学科卒業。東京大学史料編纂所元教授。文学博士。92年、『江戸お留守居役の日記』（読売新聞社、のちに講談社文庫、講談社学術文庫）で第40回日本エッセイスト・クラブ賞を受賞。著書に、『決定版　江戸散歩』（KADOKAWA）、『赤穂事件と四十六士』（吉川弘文館）、『東大教授の「忠臣蔵」講義』（角川新書）、『現代語訳　武士道』（ちくま新書）、『歴史をつかむ技法』（新潮新書）、『天皇125代と日本の歴史』（光文社新書）、『「忠臣蔵」の決算書』（新潮新書）など多数。『角川まんが学習シリーズ　日本の歴史』の全巻監修。2020年３月逝去。

宮廷政治《きゅうていせいじ》
江戸城《えどじょう》における細川家《ほそかわけ》の生《い》き残《のこ》り戦略《せんりゃく》
山本博文《やまもとひろふみ》

2021年 9月 10日　初版発行
2024年 6月 5日　再版発行

◆◇◇

発行者　山下直久
発　行　株式会社KADOKAWA
〒102-8177　東京都千代田区富士見2-13-3
電話　0570-002-301（ナビダイヤル）

装丁者　緒方修一（ラーフイン・ワークショップ）
ロゴデザイン　good design company
オビデザイン　Zapp!　白金正之
印刷所　株式会社KADOKAWA
製本所　株式会社KADOKAWA

角川新書

ISBN978-4-04-082390-4 C0221

KADOKAWAの新書 🙞 好評既刊

「不屈の両殿」島津義久・義弘
関ヶ原後も生き抜いた才智と武勇
新名一仁

「戦国最強」として名高い島津氏。しかし、歴史学者の間では「弱い」大名として理解されてきた。言うことを聞かぬ家臣、内政干渉する豊臣政権、関ヶ原での敗北を乗り越え、いかに薩摩藩の礎を築いたのか。第一人者による、圧巻の評伝!

増補 図解 いきなり絵がうまくなる本
中山繁信

旅行のときや子どもに頼まれたときなど、ささっと絵が描けたら、と思ったことはないだろうか。本書は、そんな絵に悩む人に「同じ図形を並べる」「消点を設ける」など簡単なコツを伝授。絵心不要、読むだけで絵がうまくなる奇跡の本!

「太平洋の巨鷲」山本五十六
用兵思想からみた真価
大木 毅

太平洋戦争に反対しながら、連合艦隊を指揮したことで「悲劇の提督」となった山本五十六。戦略・作戦・戦術の三次元における指揮能力と統率の面から初めて山本を解剖し、神話と俗説を解体する。『独ソ戦』著者の新境地、五十六論の総決算!

日本海軍戦史
海戦からみた日露、日清、太平洋戦争
戸高一成

日清戦争から太平洋戦争までは日本の50年戦争だった。日本海海戦の完全勝利の内実をはじめ、海軍の艦艇設計思想と戦略思想を踏まえ、海戦図を基に戦いを総検証する。海軍研究の第一人者による、海からみた大日本帝国の興亡史。

「東国の雄」上杉景勝
謙信の後継者、屈すれども滅びず
今福 匡

義兄と争った「御館の乱」、滅亡寸前まで追い込まれた織田信長の攻勢、「北の関ヶ原」と敗戦による危機——。ピンチに立たされながらも生き残りを果たす。戦国、織豊、江戸と時代の転換に翻弄された六十九年の生涯を描く、決定的評伝!